神経眼科診療のてびき

第3版

病歴と診察から導く鑑別疾患

石川 弘

金原出版株式会社

第3版の自序にかえて

　4年前に上梓した『神経眼科診療のてびき 第2版』は，初版同様，教科書的な知識ではなく，すべて私自身の実際の臨床経験に基づいて記述した内容に多くの賛同を得ることができた．今回，私の神経眼科診療の基本である，最新の診断機器を使用せずとも可能な診察手法の解説をさらに充実させるため，第3版を送り出すことになった．

　新たな内容としては，まずこの4年間に蓄積された疾患とその症例を追加し，図版を含めより理解しやすいように加筆した．つぎに，第2版では，耳と口を使って訴えをよく聞き，的確な問いを行うことで，問診だけでもかなり診断が可能となる道筋を示した．今回さらに進めて，目と手を駆使する基本診察から確定診断に至るフローチャートを各章ごとに追加し，より確実に診断できるよう工夫した．さらに，私自身が実際に行っている主な疾患の治療法について，薬物治療ではその投与量や投与方法まで具体的に記述し，日常診療にすぐに役立つよう心がけた．また，治療に際し，神経内科や脳神経外科，耳鼻咽喉科等との連携の重要性についても強調した．加えて，神経眼科に関連する話題，診断と治療の注意点や問題点，将来期待される薬物治療，および近年議論の的になっている事項について，コラムとして別掲した．

　今回，版を重ねることができたのは，神経眼科に興味を持って本書を手にとり，私の神経眼科診療の基本姿勢を理解していただいた方々のお蔭である．また，この間，臨床経験の機会を与えてくれた，埼玉医科大学病院を始めとする多くの先生のご支援の賜物である．さらに，金原出版株式会社と，今回も編集の労をお執りいただいた同社編集部の中立稔生氏に心より感謝を申し上げる．

　本書が，現在臨床の第一線で活躍されている方々のお役に立ち，また次の世代を担う若い臨床医が一人でも多く神経眼科に興味を持っていただける道標になれば幸いである．

2022年11月

石川　弘

目 次

Chapter 1　神経眼科疾患の特徴

A 神経眼科の特徴 …………………………………………………………… 2
　1　神経眼科とは　2
　2　神経眼科疾患の主訴の捉え方　3
　3　神経眼科診療の手順　3

B 神経眼科に必要な神経解剖学の知識 …………………………………… 7
　1　眼球運動系の解剖　7
　2　脳幹の血管支配　14
　3　外眼筋の解剖　18
　4　眼窩の解剖　20
　5　海綿静脈洞の解剖　21
　6　瞳孔系の解剖　25
　7　視神経・視路の解剖　27

C 神経眼科に必要な神経学の知識 ………………………………………… 31

Chapter 2　問診の要点

A 問診10カ条 ……………………………………………………………… 34
B 眼球運動異常 ……………………………………………………………… 36
　1　複視の性状　36
　2　発症様式　38
　3　経過　38
　4　随伴症状　39
　5　既往歴　40
　6　動揺視　40

C 眼瞼異常 ………………………………………………………………… 41
　1　眼瞼位置異常　42
　2　発症様式　42
　3　随伴症状　42

  4 既往歴と家族歴　43

D 眼球突出　44
  1 障害側　44
  2 発症様式　44
  3 随伴症状　44
  4 既往歴　45

E 瞳孔異常　45
  1 羞明　46
  2 大きさの異常　46
  3 随伴症状　46
  4 既往歴　47

F 視神経・視路異常　47
  1 視神経・視路異常による視力低下　47
  2 視神経・視路異常による視野異常　51

G 問診から診察，診断へ　53

Chapter 3　基本診察

A 眼球運動の診察　60
  1 頭位の変化(代償頭位)の観察　60
  2 眼位検査　61
  3 回旋偏位の検査　63
  4 麻痺眼の同定　64
  5 眼球運動制限の肉眼的観察　65
  6 複像検査(赤ガラス試験)　66
  7 Hess赤緑試験　69
  8 Bielschowsky頭部傾斜試験　71
  9 牽引試験　72
  10 テンシロン試験　73
  11 核上性眼球運動検査　73
  12 眼振の観察　76

B 眼瞼の診察　76
  1 瞼裂幅測定　76

2　上眼瞼挙筋力測定　　77
　　3　眼瞼の動きの観察　　77
　　4　テンシロン試験　　79
C 眼球突出の診察 …………………………………………………………… 79
　　1　眼球突出の肉眼的観察　　79
　　2　定量的測定　　79
D 瞳孔の診察 ……………………………………………………………………… 81
　　1　瞳孔径の測定　　81
　　2　瞳孔の形の観察　　81
　　3　瞳孔反射　　82
　　4　swinging flashlight test　　83
　　5　瞳孔の点眼試験　　86
E 視神経・視路の診察 …………………………………………………… 88
　　1　視力測定　　88
　　2　Marcus Gunn瞳孔の確認　　88
　　3　視神経乳頭の観察　　88
　　4　色覚検査　　89
　　5　視野検査　　89
　　6　半側空間無視の検査　　93
F その他の神経症状の診察 …………………………………………… 94
　　1　三叉神経障害　　94
　　2　顔面神経麻痺　　94
　　3　顔面の発汗　　94
G 一般眼科検査 ……………………………………………………………… 94
　　1　細隙灯顕微鏡検査　　95
　　2　眼圧測定　　95

Chapter 4　眼球運動疾患

A 核・核下性眼球運動障害 …………………………………………… 98
　　1　動眼神経麻痺　　98
　　2　滑車神経麻痺　　111
　　3　外転神経麻痺　　118

4　全外眼筋麻痺　124

　　5　Fisher症候群　126

　　6　Wernicke脳症　128

　　7　cranial polyneuropathy　130

　　8　ocular neuromyotonia　130

　　9　代償不全型斜視　132

B　核上性水平眼球運動障害 ································· 133

　　1　水平注視麻痺（側方注視麻痺）　133

　　2　核間麻痺　134

　　3　one-and-a-half syndrome　140

　　4　開散麻痺　141

　　5　輻湊障害　144

C　核上性垂直眼球運動障害 ································· 146

　　1　垂直注視麻痺　146

　　2　skew deviation（斜偏位）　154

　　3　ocular tilt reaction（眼頭部傾斜反応）　159

D　その他の核上性眼球運動障害 ························· 161

　　1　ocular lateropulsion　161

　　2　ocular contrapulsion　162

　　3　小脳性眼球運動障害　163

　　4　ocular motor apraxia　163

E　先天眼球運動制限 ·· 164

　　1　Duane眼球後退症　164

　　2　上斜筋腱鞘症候群（Brown症候群）　164

　　3　double elevator palsy　166

　　4　Möbius症候群　166

　　5　general fibrosis syndrome　166

F　複視の治療 ·· 168

　　1　片眼遮閉　168

　　2　Fresnel膜プリズム　168

　　3　眼筋手術　168

Chapter 5 眼振と異常眼球振動

A 眼振の分類 ……… 172
1. 眼振の発生機序による分類　172
2. 眼振緩徐相速度による分類　172
3. 眼振の方向性による分類　173
4. 眼振の振幅と頻度による分類　173

B 病的眼振 ……… 173
1. uniplanar nystagmus　173
2. 輻湊後退眼振(convergence-retraction nystagmus)　175
3. シーソー眼振(seesaw nystagmus)　175
4. 解離性眼振，単眼性眼振　176
5. Bruns眼振　177
6. 注視麻痺性眼振　178
7. 反跳眼振(rebound nystagmus)　178
8. 下眼瞼向き眼振(downbeat nystagmus)　179
9. 上眼瞼向き眼振(upbeat nystagmus)　181
10. 後天振子様眼振　183
11. 随意眼振　183

C 視運動性眼振(optokinetic nystagmus：OKN) ……… 183
1. 頭頂葉病変　183
2. 注視麻痺　184
3. 核間麻痺　184
4. 輻湊後退眼振　184
5. 先天眼振　184
6. 機能性(心因性)弱視　184

D 異常眼球振動 ……… 185
1. square wave jerks(矩形波眼球運動)　185
2. ocular flutter(眼球粗動)　185
3. opsoclonus(眼球クローヌス)　186
4. ocular myoclonus(眼球ミオクローヌス)　186
5. ocular bobbing(眼球沈下運動)　187
6. ocular dipping(眼球沈み運動)　187

7　lightning eye movement（稲妻様眼球運動）　189
　8　上斜筋ミオキミア　189
　9　oculogyric crisis（眼球回転発作，眼球上転発作）　190

Chapter 6　外眼筋疾患

A　外眼筋肥大を示さない外眼筋疾患 …………………………………………… 194
　1　重症筋無力症　194
　2　慢性進行性外眼筋麻痺（chronic progressive external ophthalmoplegia：CPEO）　198
B　外眼筋肥大を示す外眼筋疾患 ………………………………………………… 200
　1　甲状腺眼症　200
　2　眼窩筋炎　204
　3　外眼筋肥大を示すその他の疾患　206

Chapter 7　眼瞼疾患

A　眼瞼下垂 ………………………………………………………………………… 210
　1　上眼瞼挙筋力による分類　210
　2　先天眼瞼下垂　210
　3　後天眼瞼下垂　211
　4　偽眼瞼下垂　215
B　瞼裂開大 ………………………………………………………………………… 216
　1　神経性瞼裂開大　216
　2　筋性瞼裂開大　217
　3　機械的瞼裂開大　217
　4　偽瞼裂開大　217
C　眼瞼の痙攣性疾患と開瞼失行 ………………………………………………… 217
　1　眼瞼の痙攣性疾患　217
　2　開瞼失行　218
　3　ボツリヌス毒素治療　219

Chapter 8　眼窩疾患

A 眼窩腫瘍 ………………………………………………………… 222
　1　血管性腫瘍　222
　2　涙腺腫瘍　225
　3　リンパ腫　227
　4　横紋筋肉腫　228
　5　皮様嚢腫　228
　6　神経性腫瘍　231
　7　転移性腫瘍　231
　8　隣接部腫瘍の進展　232
　9　蝶形骨大翼欠損　234

B 眼窩炎症性疾患 ………………………………………………… 234
　1　細菌性眼窩炎症　234
　2　真菌性眼窩炎症　237
　3　眼部帯状疱疹　238
　4　多発血管炎性肉芽腫症（Wegener肉芽腫症）　238
　5　特発性眼窩炎症（眼窩炎性偽腫瘍）　240

C 眼球陥凹をきたす疾患 ………………………………………… 242
　1　骨伸展　242
　2　軟部組織収縮　244
　3　外眼筋同時収縮　244

Chapter 9　海綿静脈洞疾患

A 血管性疾患 ……………………………………………………… 246
　1　頸動脈海綿静脈洞瘻　246
　2　海綿静脈洞内内頸動脈瘤　249

B 炎症性疾患 ……………………………………………………… 254
　1　Tolosa-Hunt症候群（有痛性眼筋麻痺）　254
　2　肥厚性硬膜炎　255
　3　海綿静脈洞血栓症　256

C 海綿静脈洞腫瘍 ……………………………………………………………… 257
  1 原発性　257
  2 隣接部位からの進展　257
  3 遠隔転移　259
D 海綿静脈洞付近の症候群 …………………………………………………… 261
  1 海綿静脈洞症候群（石川分類）　261
  2 上眼窩裂症候群　262
  3 眼窩尖端症候群　262

Chapter 10　瞳孔疾患

A 視神経障害の検出 …………………………………………………………… 264
　Marcus Gunn 瞳孔（relative afferent pupillary defect：RAPD，相対的瞳孔求心路障害）　264
B 瞳孔異常 ……………………………………………………………………… 265
  1 両眼散瞳　265
  2 両眼縮瞳　265
  3 不正円形瞳孔　266
  4 瞳孔不同　266
  5 light-near dissociation を示す疾患　276
  6 絶対性瞳孔強直　277

Chapter 11　視神経疾患

A 乳頭浮腫 ……………………………………………………………………… 280
  1 検眼鏡所見　280
  2 原因　280
  3 偽乳頭浮腫　284
B 視神経萎縮 …………………………………………………………………… 286
  1 単性萎縮　286
  2 炎性萎縮（二次性萎縮）　287
  3 陥凹性萎縮（緑内障性萎縮）　287
  4 分節状萎縮　287
  5 帯状萎縮（band atrophy, bow-tie atrophy）　288

  6 遺伝性，家族性視神経萎縮　289
  7 Foster Kennedy症候群　290

C 視神経疾患 ………………………………………………………………………… 290
  1 うっ血乳頭　290
  2 診断に注意が必要な頭蓋内圧亢進疾患　296
  3 視神経炎　299
  4 特殊な視神経炎　303
  5 虚血性視神経症　306
  6 乳頭血管炎 (optic disc vasculitis, papillophlebitis)　312
  7 糖尿病乳頭症　313
  8 視神経網膜炎　313
  9 鼻性視神経症　314
  10 中毒性視神経症　316
  11 栄養障害性視神経症　318
  12 外傷性視神経症　318
  13 Leber病　318
  14 視神経腫瘍　321
  15 浸潤性(癌性)視神経症　324
  16 傍腫瘍性視神経症　325
  17 先天視神経乳頭異常　327

D 視神経疾患診察の留意点 ……………………………………………………… 334
  1 視神経病変と網膜(黄斑)病変の鑑別点　334
  2 マリオット盲点の拡大を示す疾患　336
  3 一過性視力低下　339
  4 内頸動脈系閉塞性疾患　341
  5 若年者の両眼緩徐進行性視力低下　342
  6 機能性(心因性)弱視　343

Chapter 12　視路疾患

A 視路病変 …………………………………………………………………………… 348
  1 視交叉病変　348
  2 視索病変　362

3 外側膝状体病変　364
　　4 側頭葉病変　364
　　5 頭頂葉病変　367
　　6 後頭葉病変　368

B 大脳性高次機能障害による視覚異常 379
　　1 有線領（V1）病変　379
　　2 後頭葉色覚中枢（V4）病変　379
　　3 背側視覚路（where pathway）病変　379
　　4 腹側視覚路（what pathway）病変　380
　　5 視覚保続　380
　　6 その他の大脳性視覚異常　380

索引　383

Column

Chapter 1	他科との連携 ……………………………………………… 32
Chapter 2	Family album tomography scan ………………………… 35
	母親は名医 …………………………………………………… 52
Chapter 3	眼球運動は眼位で診る ……………………………………… 91
	瞳孔点眼試験のコツ ………………………………………… 96
Chapter 4	急増する輻湊痙攣 …………………………………………… 146
	Fresnel膜プリズム …………………………………………… 169
Chapter 5	β遮断薬点眼の神経眼科疾患への応用 …………………… 192
Chapter 6	免疫チェックポイント阻害薬の神経眼科的合併症 ……… 197
	甲状腺眼症治療の欧米の違い ……………………………… 208
Chapter 7	コンタクトレンズによる腱膜性眼瞼下垂 ………………… 220
Chapter 8	真菌感染症 …………………………………………………… 244
Chapter 9	海綿静脈洞病変の瞳孔 ……………………………………… 250
Chapter 10	Iridology（虹彩学）………………………………………… 268
	貴婦人とアトロピン ………………………………………… 277
Chapter 11	うっ血乳頭と偽うっ血乳頭の鑑別 ………………………… 335
	小児の一過性視力低下 ……………………………………… 346
Chapter 12	視索病変の瞳孔 ……………………………………………… 371
	Trans-synaptic degeneration ……………………………… 382

略語集

略　語	正式名称（フルスペル）	和文名称
ADC map	apparent diffusion coefficient map	みかけの拡散係数分布図
ADEM	acute disseminated encephalomyelitis	急性散在性脳脊髄炎
AFP	α-fetoprotein	α胎児性タンパク質
AIBSE	acute idiopathic blind spot enlargement	急性特発性盲点拡大
ANCA	anti-neutrophil cytoplasmic antibody	抗好中球細胞質抗体
APTT	activated partial thromboplastin time	活性化部分トロンボプラスチン時間
AZOOR	acute zonal occult outer retinopathy	急性帯状潜在性網膜外層症
CAG	carotid angiography	頸動脈造影
CPEO	chronic progressive external ophthalmoplegia	慢性進行性外眼筋麻痺
CRION	chronic relapsing inflammatory optic neuropathy	
CRMP	collapsin response-mediator protein	コラプシン反応媒介タンパク質
CRP	C-reactive protein	C反応性タンパク質
CT	computed tomography	コンピュータ断層撮影
CTA	computed tomography angiography	コンピュータ断層血管造影
DIDMOAD	diabetes insipidus-diabetes mellitus-optic atrophy-deafness（syndrome）	ウォルフラム症候群
DM/DD	disc-macula distance/disc diameter	
EOG	electro-oculography	眼球電図検査
ERG	electroretinography	網膜電図検査
GAD	glutamic acid decarboxylase	グルタミン酸脱炭酸酵素
Gd	gadolinium	ガドリニウム
HCG	human chorionic gonadotropin	ヒト絨毛性ゴナドトロピン
ICE	iridocorneal endothelial（syndrome）	虹彩角膜内皮症候群
IS-OS line	inner segment-outer segement line	視細胞内節外節接合部ライン
L-P shunt	lumbo-peritoneal shunt	腰髄腹腔シャント
MALT	mucosa-associated lymphoid tissue	粘膜関連リンパ組織
MELAS	mitochondrial encephalomyopathy lactic acidosis and stroke-like episodes	ミトコンドリア脳筋症・乳酸アシドーシス・脳卒中様発作症候群

略　語	正式名称（フルスペル）	和文名称
MEWDS	multiple evanescent white dot syndrome	多発消失性白点症候群
MLF	medial longitudinal fasciculus	内側縦束
MOG	myelin-oligodendrocyte glycoprotein	ミエリンオリゴデンドロサイト糖タンパク質
MRA	magnetic resonance angiography	磁気共鳴血管造影
MRI	magnetic resonance imaging	磁気共鳴画像
MRI FLAIR	fluid attenuated inversion recovery	
MRV	magnetic resonance venography	磁気共鳴静脈造影
MuSK	muscle-specific receptor tyrosine kinase	筋特異的受容体型チロシンキナーゼ
NMDA	N-methyl-D-aspartate	N-メチル-D-アスパラギン酸
NMO	neuromyelitis optica	視神経脊髄炎
OCT	optical coherence tomography	光干渉断層計
OKN	optokinetic nystagmus	視運動性眼振
OPA1	optic atrophy type 1	視神経萎縮1型
PHPV	persistent hyperplastic primary vitreous	第一次硝子体過形成遺残
PPLOD myoclonus	palate-pharyngo-laryngo-oculo-diaphragmatic myoclonus	口蓋・咽頭・喉頭・眼球・横隔膜ミオクローヌス
PPRF	paramedian pontine reticular formation	傍正中橋網様体
RAPD	relative afferent pupillary defect	相対的瞳孔求心路障害
riMLF	rostral interstitial nucleus of medial longitudinal fasciculus	内側縦束吻側間質核
SLE	systemic lupus erythematosus	全身性エリテマトーデス
SS-A，SS-B	Sjögren syndrome-A, Sjögren syndrome-B	シェーグレン症候群-A，シェーグレン症候群-B
TSAb	thyroid-stimulating antibody	甲状腺刺激抗体
TSH	thyroid-stimulating hormone	甲状腺刺激ホルモン
VGCC	voltage-gated calcium channel	電位依存性カルシウムチャネル
WEBINO	wall-eyed bilateral internuclear ophthalmoplegia	
WEMINO	wall-eyed monocular internuclear ophthalmoplegia	

Chapter 1

神経眼科疾患の特徴

A　神経眼科の特徴

1　神経眼科とは

- 神経眼科とは，眼を中心とした所見から，原因となる神経疾患の診断と治療を行う分野である．12本の脳神経のうち7本が眼に関係していることから分かるように，日常診療で神経眼科に関わる疾患の比率は高い．
- また，神経眼科ほど理論的に診断できる分野はなく，症状を正確に把握すれば病巣局在や原因までも知ることができる．特に脳幹病変では，神経眼科症状が唯一の所見のことも多い．
- このように神経眼科は，眼科医はもちろんのこと，神経内科医，脳神経外科医，総合診療医，救急担当医，耳鼻咽喉科医，さらには視能訓練士にとって必須の分野である．神経眼科に習熟すれば，神経疾患の理解が飛躍的に高まることは間違いなく，自信を持って診療に当たることができる．
- しかし現実には，神経眼科は難しく，取り付きにくいと言われている．神経眼科がなぜ難しいのかその理由と，習得のコツをまとめてみる．

a) 神経眼科が難しいと言われる理由
- 神経眼科疾患がどのような症状を示すかが分からない．
- 見て分かる所見が多いのにもかかわらず，疾患が思い浮かばない．
- 隠れている所見を引き出す方法が分からない．
- 病巣局在や原因を知るための神経解剖学的知識が乏しい．

b) 神経眼科習得のコツ
- 難しいとの先入観を払拭する．
- 本書のような，臨床経験に基づいた実践的な教科書から最低限の知識を得る．
- 常に神経眼科疾患を念頭に置き診療にあたる．
- 自分の眼と手を駆使して診察し，検査データのみで判断することは絶対に避ける．
- 鑑別疾患を考え，可能性の高い順に並べる．
- 一般眼科疾患を確実に除外する．

2　神経眼科疾患の主訴の捉え方

- 神経眼科疾患の主訴には，見え方の異常と見た目の異常がある．特に見え方の異常は，一般眼科疾患でも同じ症状を訴えることが多いため，随伴症状を含めて症状の特徴を知ることが必要である．神経眼科疾患の主な主訴と特徴を示す．

a) 見え方の異常

- 見づらい(視力低下)：見ようとする場所が見えにくい．薄暗く見える．色が分かりにくい．
- 見えない部分がある(視野異常)：正面を境に左右，上下が見えない．両眼とも同じ方向が見えない．
- ものがダブって見える(複視)：片眼をつぶると一つになる．
- ものが揺れて見える(動揺視)：めまいもある．
- まぶしい(羞明)：異物感や流涙，充血はない．視力も低下していない．

b) 見た目の異常

- まぶたが下がる(眼瞼下垂)．
- まぶたが腫れる(眼瞼腫脹)．
- 眼の位置がおかしい(眼位異常)．
- 瞳の大きさが違う(散瞳，縮瞳，瞳孔不同)．
- 眼が飛び出ている(眼球突出)．
- 眼が赤い(充血，結膜血管拡張)：眼痛や頭痛はあるが，眼脂はない．

3　神経眼科診療の手順

a) 診察室入室時

- 診察室に入り，椅子に座るまでの動作や頭部の位置，顔つきを観察する．

❶ 歩行の状態

- 歩行障害や片麻痺があれば大脳や脳幹の錐体路病変，ふらつきがあれば小脳病変やFisher症候群による躯幹失調を考える．

❷ 頭部の位置

- 頭部を傾けていれば滑車神経麻痺や眼頭部傾斜反応，頭部が回転していれば外転神経麻痺や先天眼振，顎を上げるまたは下げていれば垂直注視麻痺や眼瞼下垂を考える．

❸顔つき

- 頭痛や眼窩深部痛があると顔をしかめている．眼瞼下垂があり，つらそうな顔つきは重症筋無力症の特徴である．うつろな顔つきは軽度の意識障害を疑い，中枢神経疾患やWernicke脳症を考える．

b) 診察室入室後

- 眼を中心に頭部を素早く観察する．

❶眼瞼の状態

- 上下眼瞼の腫脹は眼窩や副鼻腔の疾患，上眼瞼のみの腫脹は甲状腺疾患，上眼瞼外側部の腫脹は涙腺疾患を考える．眼瞼下垂や瞼裂開大は容易に判断できるが，軽度の場合は眉毛の位置が決め手となる．挙上していれば眼瞼下垂であり，眉毛が下がり上眼瞼と下眼瞼も下方へ偏位していれば顔面神経麻痺である．

❷正面眼位

- 眼球運動障害を診断する上で最も大事な所見である．特に外転神経麻痺による内斜視は分かりやすく，訴えの乏しい小児では診断の決め手となる．

❸顔面の状態

- 頬部の腫脹や発赤は上顎洞炎，口角の偏位は顔面神経麻痺の所見である．

c) 問診の心構え

- 問診は神経眼科のみならず，すべての診察の基本である．まず本人の話を聞き，家族がいれば補足してもらう．本人の訴えの中で，どれが一番つらいのかを聞くことも大事である．疾患の主症状が強く現れるのが原則であり，主訴を聞けばある程度の診断が可能なことも多い．
- そのためには，各疾患でどのような主訴で来院することが多いかを知っておくことが大切である．たとえば，視交叉近傍腫瘍の主訴は視野障害ではなく，徐々に進行する片眼の視力低下である．また，松果体部腫瘍による中脳水道症候群では，上方注視麻痺で上目づかいがしにくいと訴えることはなく，主訴はskew deviationによる上下の複視と視蓋瞳孔による羞明である．
- 問診では，次の項目を漏れなく聞く．

  - どの部位にどのような症状があるのか
  - 症状の程度はどうか
  - 以前に同じ症状があったか
  - 症状の発現は急激か，亜急性か，慢性か，または時々出現する間歇性か

- 症状の経過は急性進行性か，緩徐進行性か，不変か，軽快傾向にあるか
- 既往歴や家族歴があるか

- ただし，診断の決め手となる症状を，本人が気づかないで話さないこともある．訴えから疾患を予想して，こちらから補足質問することも大切である．本人が，「そうなんです．先生はどうしてそんなことまで分かるのですか」と同意すればしめたものである．
- 特に眼球運動異常の診察の際に重要である．たとえば滑車神経麻痺を疑った場合は，麻痺眼で見た像が傾いて見えるか，横になってテレビを見る時，健眼を下にすると見やすいかを聞けば，問診だけで診断がつく．また眼球運動異常の再発の場合，以前と同じ症状か否かも原因を知る上で重要である．
- 虚血性神経症では，同一の眼球運動神経が障害されることは決してない．以前と全く同じ症状の再発ならば，多発性硬化症やTolosa-Hunt症候群，肥厚性硬膜炎などの，同一の神経障害が再発しやすい疾患に絞られる．
- さらに，本人が大事な既往歴を言わないこともある．その理由には，今回の疾患との関連性を全く考えていない場合や，関連性をうすうす予想しているが，既往疾患の治療がつらかったのでなるべく否定したがる場合がある．前者では，Fisher症候群で症状が発現する2週間位前の感冒や下痢は本人が見過ごしやすい．後者で特に多いのが鼻性視神経症で，以前の副鼻腔開放術がつらかったのか，手術を受けたことを話したがらない．
- 家族歴も聴取しにくい場合があるが，可能性のある疾患を詳しく説明してその重要性を理解してもらう．

d) 診察の手順
- 問診から考えられる疾患を思い浮かべながら，見て分かる所見をまず調べる．
- 対光反射や眼底検査などの簡便な他覚的検査を行う．
- その後，対座法による視野検査や色鉛筆の先を用いた中心暗点の検出，Amsler chartによる変視症の検査や色覚検査，さらには複像検査など，患者を前にして簡便に行うことができる自覚的応答を必要とする検査を，必ず自分自身で行う．
- 得られた結果を，Goldmann視野検査やHumphrey視野検査，Hess赤緑試験などの定量的な検査で再確認する．
- 得られた所見が自覚症状と一致するかを確認し，最も可能性が高い疾患を決める．所見が得られても，自覚症状を説明できなければ全く意味をなさない．

- 最後に画像診断を含むさらに詳細な検査に移るが，あらかじめ考えている疾患の答え合わせのつもりで行う．
- 検査は，可能な限り自分の眼と手を駆使して行うことを心掛ける．自分自身で検査しなければ，検査中の症状の変動や応答の確実性は把握できない．最も顕著な例として，重症筋無力症では，診察中に眼瞼下垂の程度や複像検査の結果に変動があり，この所見だけでほぼ診断が確定する．また調節輻湊痙攣も，みている間に内斜視や縮瞳の程度が刻々と変化するのが特徴である．
- 次に，精密な検査は得られた結果から判断するのではなく，どのような所見が得られるかを検査前に予想して依頼することが，診断技術の向上に欠かせない．また，得られた所見が自覚症状に一致するかを確かめることが特に大切であり，一致しない場合はさらに追求が必要となる．
- ただし，神経眼科疾患ばかり考えていると大きな落とし穴があり，思わぬ原因が隠されていることがよくある．たとえば，視線を動かした時に動揺視を訴える場合，眼球自体は揺れていないが，白内障手術で挿入した眼内レンズだけが揺れている症例を時々経験する．
- また，高齢者で横を見るとめまいがするという原因が，意外にも，側方視時のみ単眼視になる両眼の上眼瞼皮膚弛緩のこともある．

e) 鑑別疾患の重要性

- いずれの疾患の診断でも，鑑別疾患を思い浮かべることが大切である．考えることができる鑑別疾患の数と可能性の順序の決定は，医師の能力を示す指標である．たとえ最終的に診断が誤った場合でも，どの過程で考え方に誤りがあったかを再検討すれば，以後の診療に活かすことができる．
- 何も考えずに画像診断などを行い，その所見だけで診断するのは愚の骨頂であり，進歩は全く期待できない．また，他の鑑別疾患を考えずに最初から一つの疾患に固執し，たまたま診断できても何ら参考にはならない．主訴や所見からどのようにして診断したかを説明できなければ，自身の向上はもちろんのこと，次の世代に知識を伝えることもできない．

f) 神経眼科救急疾患の対応

- 神経眼科疾患では，緊急に対応しないと視力のみならず生命にも危険が及ぶ疾患がある．
- 確実な診断を目指すあまり，検査に時間をかけ過ぎて時機を逸することなく，最小限の情報から迅速に診断して治療を開始する．以下に主な神経眼科救急疾患を列挙する．

- 内頸動脈後交通動脈分岐部動脈瘤：瞳孔障害を伴う動眼神経麻痺，眼の奥の痛み
- テント切痕ヘルニア：片眼性から両眼性に移行する散瞳
- 脳腫瘍，脳静脈洞血栓症：うっ血乳頭
- 下垂体卒中：急激な両眼の視力低下，動眼神経麻痺，激しい頭痛
- 全身型重症筋無力症：呼吸障害，発語障害，全身の筋力低下などを伴う眼瞼下垂と複視
- 動脈炎性前部虚血性視神経症：頭痛，側頭部痛，咀嚼痛を伴う急激な視力低下

B 神経眼科に必要な神経解剖学の知識

- 神経解剖は神経眼科の基本であり，この知識がなければ，たとえ所見を捉えることができても病巣局在や原因を知ることはできない．神経眼科を理解するのに必要な神経解剖と，該当する臨床解剖学の要点と疾患を太字で記す．

1 眼球運動系の解剖

a）動眼神経（図1, 2）

❶経路

- 上丘の高さの中脳被蓋背側の動眼神経核→髄内を腹側へ前進→脚間窩から髄外→くも膜下腔のテント切痕の下方で，後交通動脈の外下方を走行→最上部から海綿静脈洞に進入→海綿静脈洞前部で上枝と下枝に分岐→上眼窩裂→眼窩→各支配筋（上枝：上直筋，上眼瞼挙筋，下枝：内直筋，下直筋，下斜筋，瞳孔括約筋）．

❷要点

- 動眼神経核のうち上直筋核は反対側の上直筋を支配，上眼瞼挙筋核は両側の上眼瞼挙筋を支配する：**核性動眼神経麻痺**．
- 中脳の髄内では各支配筋への線維は散開して走行する：**動眼神経部分麻痺**．
- くも膜下腔では瞳孔括約筋への副交感神経は内上部を走行する：**テント切痕ヘルニア，内頸動脈後交通動脈分岐部動脈瘤**．
- 海綿静脈洞内へは最上部から進入する：**下垂体卒中，下垂体腺腫**．

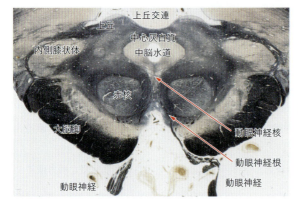

図1 中脳上部の切片標本
（Kultschitzky髄鞘染色）
動眼神経核は上丘の高さの中脳水道腹側の中脳被蓋にある．動眼神経髄内線維（動眼神経根）は中脳被蓋内を腹側に進み，脚間窩からくも膜下腔に出る

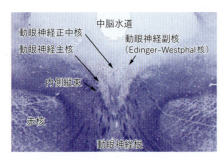

図2 動眼神経核群（Klüber-Barrera染色）
左右一対の動眼神経主核と，中央尾部の正中核（nucleus caudalis centralis：Perlia核），背側に左右一対の動眼神経副核（Edinger-Westphal核）がある

- 海綿静脈洞前部で上枝と下枝に分岐する：**動眼神経上枝麻痺，動眼神経下枝麻痺．**

b）滑車神経（図3〜5）

❶経路

- 下丘の高さの下部中脳被蓋背側の滑車神経核→髄内線維はいったん背側へ向かい，中脳水道下端背側の前髄帆で交叉（滑車神経交叉）→下丘下縁の位置で髄外→くも膜下腔の上小脳動脈と後大脳動脈の間を走行→動眼神経の下方で海綿静脈洞に進入→海綿静脈洞内では外壁内を走行→上眼窩裂の最上部を走行→眼窩→上斜筋．

❷要点

- 脳幹背面からでる唯一の脳神経である：**松果体部腫瘍．**
- 髄内線維はいったん背側に向かい，左右の髄内線維は前髄帆で交叉する：**両側滑車神経麻痺．**
- 滑車神経核は反対側の上斜筋を支配する．

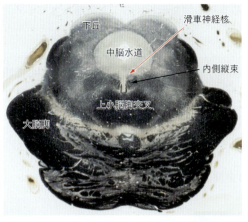

図3 中脳下部の切片標本（Kultschitzky髄鞘染色）
滑車神経核は下丘の高さの中脳被蓋背側にある

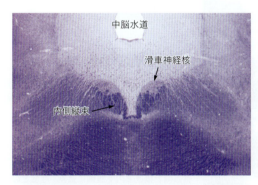

図4 滑車神経核（Klüber-Barrera染色）
滑車神経核は内側縦束の背側にある

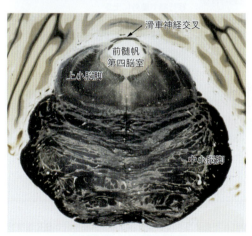

図5 中脳橋移行部の滑車神経交叉の切片標本（Kultschitzky髄鞘染色）
左右の滑車神経核から背側に向かった滑車神経髄内線維（滑車神経根）は中脳水道下端，第四脳室背側の前髄帆で交叉し，下丘下縁の位置で髄外に出る

- くも膜下腔の上小脳動脈と後大脳動脈の間を走行する：**上斜筋ミオキミア**．

c) **外転神経**（図6,7）

　❶経路
- 橋下部背側第四脳室底の外転神経核→髄内を前進→錐体路内を貫通して橋底部から髄外→くも膜下腔→斜台のGruber靱帯で形成されたDorello管を通り下部から海綿静脈洞内へ進入→海綿静脈洞内では内頸動脈の外下方を走行→上眼窩裂→眼窩→外直筋．

　❷要点
- 斜台のDorello管に進入する：**脊索腫，頭部打撲**．

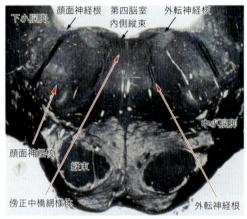

図6　橋下部の切片標本（Kultschitzky髄鞘染色）
外転神経核は第四脳室近くの橋被蓋背側にある．外転神経髄内線維（外転神経根）は橋被蓋内と橋底部内を腹側に進み，延髄との移行部で髄外に出る

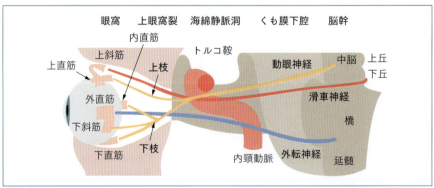

図7　各眼球運動神経の走行
動眼神経は上丘の高さの中脳腹側から，滑車神経は下丘の高さの中脳背側から，外転神経は橋延髄移行部腹側からくも膜下腔に出る．動眼神経は最上部で，滑車神経はその下方で，さらに斜台のDorello管を貫通した外転神経が最下部で海綿静脈洞に進入し，上眼窩裂を通って眼窩内に入り，それぞれが支配する外眼筋に達する．動眼神経は海綿静脈洞前部で上枝と下枝に分岐する

- 海綿静脈洞の最下部を走行する：**蝶形骨洞病変，上咽頭腫瘍．**
- 海綿静脈洞後部では眼交感神経と並走する：Horner症候群との合併．

d) 核上性眼球運動経路

水平眼球運動経路（図8,9）

- 水平眼球運動中枢は，橋下部の傍正中橋網様体（paramedian pontine reticular formation：PPRF）と外転神経核である．

❶経路

ⅰ）衝動性眼球運動（急速眼球運動）

> ▪ 前頭葉8野→反対側PPRF→介在ニューロン→外転神経核

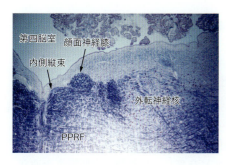

図8　橋下部被蓋背側の切片標本
　　　（Klüber-Barrera染色）
外転神経核の高さの橋被蓋背側傍正中部に，内側縦束とその腹側に傍正中橋網様体（PPRF）がある

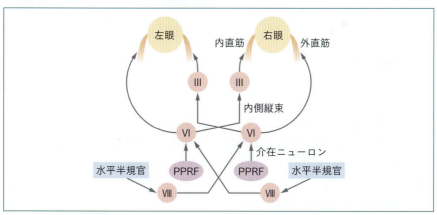

図9　水平眼球運動経路
水平眼球運動の刺激は，傍正中橋網様体（PPRF）から介在ニューロンを介して外転神経核（Ⅵ）に入り，外転神経を通って同側の外直筋と，直ちに交叉して反対側の内側縦束を上行して動眼神経内直筋核（Ⅲ）に入り，動眼神経を通り反対側の内直筋に達する．右PPRFが興奮すると右外直筋と左内直筋に刺激が伝わるため，両眼の眼球が右方へ動く．三半規管の水平半規官からの刺激は，前庭神経核（Ⅷ）を介して直接反対側の外転神経核に伝わる

ⅱ）滑動性追従運動（緩徐眼球運動）

- 後頭葉19野→同側PPRF→介在ニューロン→外転神経核

ⅲ）前庭系眼球運動（緩徐眼球運動）

- 三半規管→前庭神経→前庭神経核→反対側外転神経核

- ⅰ），ⅱ），ⅲ）のいずれの経路も外転神経核からは，次のようになる．

- 外転神経核
  - 外転神経を経て同側の外直筋
  - 直ちに交叉して反対側の内側縦束→動眼神経内直筋核
    ↓
    動眼神経内直筋枝
    ↓
    内直筋

（同側，反対側は前庭神経核を中心に記載してある）

❷要点

- 衝動性眼球運動は反対側のPPRF，滑動性追従運動は同側のPPRFに連絡する：**水平注視麻痺**．
- 前庭系眼球運動はPPRFを経由せずに反対側の外転神経核へ直接連絡するため，前庭眼反射は外転神経核病変では障害されるが，PPRF病変では保たれる．
- 内直筋への線維は外転神経核から直ちに交叉し，反対側の内側縦束を通り，動眼神経内直筋核に連絡する：**核間麻痺**．
- 輻湊刺激は内側縦束を経由せずに直接動眼神経核に伝わるため，核間麻痺では輻湊による内転は保たれる．
- 衝動性眼球運動の速度信号を位置信号に変換する神経積分器は，舌下神経前位核と前庭神経内側核にある．

垂直眼球運動経路（図10, 11）

- 垂直眼球運動，特に衝動性眼球運動の中枢は，中脳背側の内側縦束吻側間質核（rostral interstitial nucleus of medial longitudinal fasciculus：riMLF）である．

❶経路

ⅰ）衝動性眼球運動（急速眼球運動）

- 前頭葉→riMLF
  - 同側の動眼神経核と滑車神経核
  - 上方向への信号のみ後交連で交叉して反対側の動眼神経核

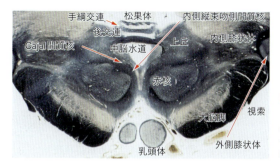

図10 中脳上端の切片標本
　　　（Kultschitzky髄鞘染色）
赤核の背吻側にCajal間質核がある．内側縦束吻側間質核（riMLF）はCajal間質核の内吻側にある

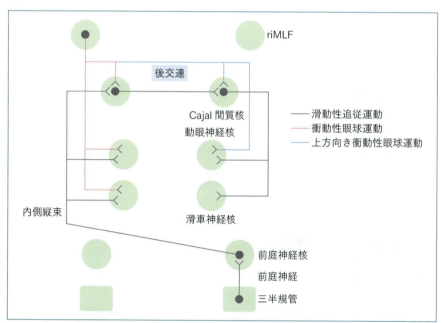

図11 垂直眼球運動経路

滑動性追従運動の刺激は，三半規管から前庭神経を介して同側の前庭神経核に入り，その後交叉して反対側の内側縦束を上行し，反対側の動眼神経核と滑車神経核，およびCajal間質核に達し，後交連で交叉して同側のCajal間質核を介して同側の動眼神経核と滑車神経核に至る．衝動性眼球運動の刺激は，内側縦束吻側間質核（riMLF）から同側の動眼神経核と滑車神経核，およびCajal間質核に達する．ただし，上方向きの衝動性眼球運動の刺激は，後交連で交叉して反対側のCajal間質核と動眼神経核にも達するため，両側性に刺激が伝わる

ⅱ）滑動性追従運動（緩徐眼球運動）

- 対側後頭葉
  - 同側橋核→小脳片葉
  - 三半規管→前庭神経核→反対側内側縦束→反対側動眼神経核と滑車神経核
    - 反対側Cajal間質核
    - 後交連で交叉して同側Cajal間質核
    - 同側動眼神経核と滑車神経核

（同側，反対側は前庭神経核を中心に記載してある）

❷要点
- riMLFからの衝動性眼球運動信号のうち，上方向きは両側の動眼神経核に連絡し，下方向きは同側の動眼神経核と滑車神経核に連絡する：**上方注視麻痺は片側性病変でも起こるが，下方注視麻痺は両側性病変でしか起こらない．**
- 上方注視の線維は下方注視の線維より背側を走行するため，中脳背側病変では上方注視麻痺が優位に出現する：**中脳水道症候群．**
- Cajal間質核は，前庭神経核から眼位や頭部の位置情報や滑動性追従運動情報を受ける．また，riMLFからの速度信号を位置信号へ変換する神経積分器の働きもある．

2 脳幹の血管支配

- 脳幹の血管支配は，病巣局在を知る上で重要である．眼球運動に関わるのは，間脳，中脳，橋下部，延髄上部である．

a）間脳中脳正中領域の血管支配（図12～14）

- 後大脳動脈の交通前部から分岐し，脚間窩から後有孔質を経る4本の細枝が分布する．吻側から順に示す．
- なお，中脳背側は脚間窩槽で後大脳動脈の交通前部から分岐する背側中脳枝（四丘体動脈）が分布する．

❶視床穿通動脈（後内側中心枝）
- Cajal間質核，riMLF，視床（主に内側核，腹側核と外側核の一部）に分布する：**垂直注視麻痺．**

❷上正中中脳枝
- 動眼神経核，動眼神経根，赤核に分布する：**Benedikt症候群．**

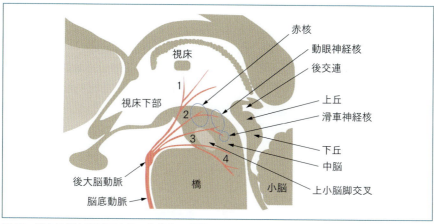

図12 後有孔質を通り正中部に分布する動脈
後大脳動脈から分岐して後有孔質を通る動脈は，吻側から1．視床穿通動脈（後内側中心枝），2．上正中中脳枝，3．下正中中脳枝，4．上橋被蓋枝の順に視床から橋上部の正中部付近に分布する

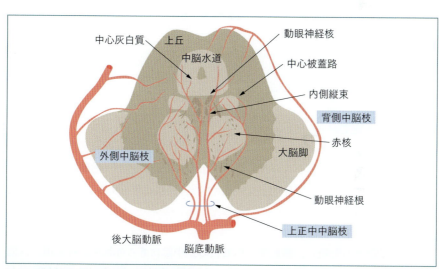

図13 中脳上部（上丘の高さ）の血管支配
上正中中脳枝，背側中脳枝，外側中脳枝が図のように分布している．上正中中脳枝は中脳被蓋の正中部と中心灰白質に分布し，流域には動眼神経核，動眼神経根，赤核がある

❸下正中中脳枝

- 動眼神経核下端，動眼神経根，上小脳脚，赤核下端，滑車神経核に分布する：Nothnagel症候群，Claude症候群．

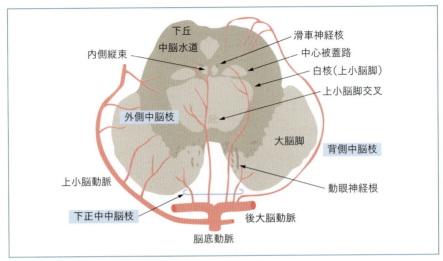

図14 中脳下部(下丘の高さ)の血管支配
下正中中脳枝,背側中脳枝,外側中脳枝が図のように分布している.下正中中脳枝の流域には,動眼神経核下端,動眼神経根,上小脳脚,赤核下端,滑車神経核がある

❹上橋被蓋枝
- 上小脳脚交叉,上部橋被蓋,特に中心被蓋路に分布する:Raymond-Cestan症候群.

b) 橋下部の血管支配(図15)
❶下外側橋枝
- 脳底動脈や椎骨動脈から分岐した前下小脳動脈の細枝で,橋底部の錐体路と橋被蓋の外側にある顔面神経核や根,外転神経根に分布する:Millard-Gubler症候群.

❷下橋底枝と下橋被蓋枝
- 脳底動脈から分岐し,橋底部と橋被蓋の正中部にある外転神経核と根,内側縦束,PPRF,顔面神経根,特に膝,錐体路に分布する:Foville症候群.

c) 延髄上部の血管支配(図16)
❶外側延髄枝
- 後下小脳動脈や椎骨動脈から分岐し,延髄外側部の三叉神経脊髄路,舌咽神経根,迷走神経根,副神経根,下小脳脚に分布する:延髄外側症候群(Wallenberg症候群).

B 神経眼科に必要な神経解剖学の知識

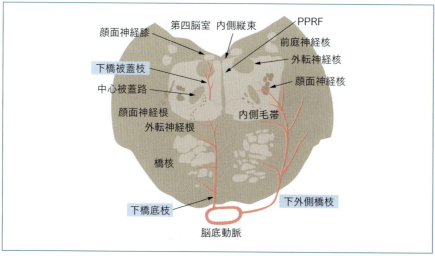

図15 橋下部の血管支配
下外側橋枝と下橋被蓋枝，および下橋底枝が図のように分布しており，それぞれの血管障害により特徴ある神経症状を示す．外転神経核や内側縦束，傍正中橋網様体（PPRF）は下橋被蓋枝の流域にある

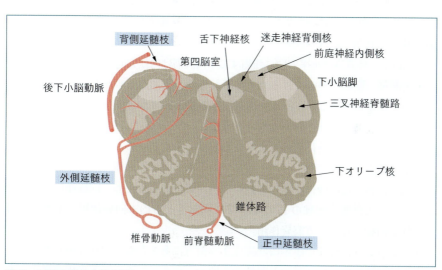

図16 延髄上部の血管支配
外側延髄枝，背側延髄枝，および正中延髄枝が図のように分布している．舌下神経前位核は舌下神経核の背外側のより吻側にある．神経積分器の働きをもつ舌下神経前位核と前庭神経内側核は，後下小脳動脈から分岐した背側延髄枝の流域にある

❷ 背側延髄枝
- 後下小脳動脈の細枝で，延髄背側の前庭神経核（内側核，下核），舌下神経前位核，蝸牛神経核，下小脳脚の一部に分布する：ocular lateropulsion．

3　外眼筋の解剖

a) 外眼筋と眼球の位置関係
- 内直筋：角膜輪部から5mm内側の強膜に付着する．
- 外直筋：角膜輪部から7mm外側の強膜に付着する．
- 上直筋：角膜輪部から8mm上方の強膜に眼軸と23°の角度を保ち付着する（眼球回旋点より前方）．
- 下直筋：角膜輪部から6mm下方の強膜に眼軸と23°の角度を保ち付着する（眼球回旋点より前方）．
- 上斜筋：上直筋の眼球側を通り，眼球の外上方の強膜に眼軸と51°の角度を保ち付着する（眼球回旋点より後方）．
- 下斜筋：下直筋の眼窩側を通り，外直筋付着部の10mm後方の強膜に眼軸と51°の角度を保ち付着する（眼球回旋点より後方）．

b) 外眼筋の作用（図17～20）
- 内直筋と外直筋は水平方向に作用する：**内直筋は内転方向，外直筋は外転方向．**
- 上斜筋は眼球を押し下げるための下転作用，下斜筋は眼球を巻き上げるための上転作用があるが，上下作用は上下直筋のほうがより強い：真上方向で主に働くのは上直筋，真下方向は下直筋．
- 上下直筋は外転時に眼軸と眼筋の方向が一致するため，上下作用が最大となる：外上転方向で働くのは上直筋，外下転方向は下直筋．
- 上下直筋は内転時に眼軸と眼筋の方向が直角となるため，回旋作用が最大となる：上直筋は眼球の12時を鼻側に回転させる内方回旋作用，下直筋は耳側に回転させる外方回旋作用．
- 上下直筋は付着部が眼球の回旋点より前方にあるため，内転作用がある．
- 上下斜筋は内転時に眼軸と眼筋の方向が一致するため，上下作用が最大となる：内下転方向で働くのは上斜筋，内上転方向は下斜筋．
- 上下斜筋は外転時に眼軸と眼筋の方向が直角となるため，回旋作用が最大となる：上斜筋は内方回旋作用，下斜筋は外方回旋作用．
- 上下斜筋は付着部が眼球の回旋点より後方にあるため，外転作用がある．

B　神経眼科に必要な神経解剖学の知識

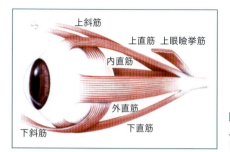

図17　各外眼筋の走行（左眼）
上斜筋は眼球を押し下げるための下転作用，下斜筋は眼球を巻き上げるための上転作用がある

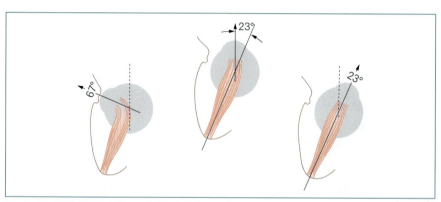

図18　垂直直筋群（上直筋，下直筋）と眼球の位置関係（右眼）
上直筋と下直筋は眼球の中心より前方に付着し，眼軸と23°の角度を保っている．ともに内転作用を有し，外転時に眼軸と筋の方向が一致するため上転，下転作用が最大となる．一方，内転時は眼軸と筋が直角になるため，回旋作用が主となる

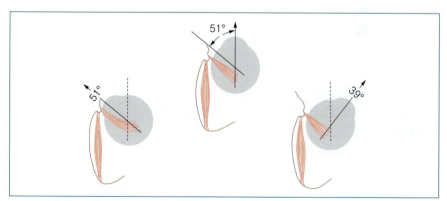

図19　垂直斜筋群（上斜筋，下斜筋）と眼球の位置関係（右眼）
上斜筋と下斜筋は眼球の中心より後方に付着し，眼軸と51°の角度を保っている．ともに外転作用を有し，内転時に眼軸と筋の方向が一致するために上転，下転作用が最大となる．一方，外転時は眼軸と筋が直角になるため，回旋作用が主となる

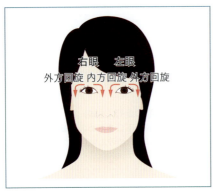

図20　眼球の回旋作用
12時を中心に眼球が鼻側に回転するのが内方回旋，耳側に回転するのが外方回旋である

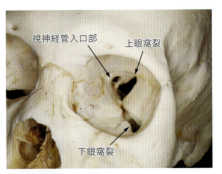

図21　眼窩骨の構造
上眼窩裂の内上方に視神経管入口部，外下方に下眼窩裂がある

4 眼窩の解剖

a) 眼窩骨の構造（図21）

- 上眼窩裂：動眼神経，滑車神経，外転神経，眼神経（前頭神経，涙腺神経，鼻毛様体神経），交感神経，上眼静脈，下眼静脈が通る：**上眼窩裂症候群**．
- 下眼窩裂：上顎神経（眼窩下神経，頬骨神経），下眼静脈の一部が通る．
- 視神経管：視神経，眼動脈が通る．

b) 連続切片標本による観察

❶眼窩尖（図22）

- 動眼神経上枝と下枝，外転神経が総腱輪内を走行する．
- 滑車神経と，前頭神経から分岐した眼窩上神経は総腱輪外の上方を走行する．
- 視神経と眼動脈は総腱輪の外を走行する．
- 視神経管内壁は後篩骨洞に接する：**鼻性視神経症**．

❷眼窩後部（図23）

- 視神経は5.5mmの位置で内上方から筋円錐外へ出る．
- 視神経の外下方に毛様神経節がある．
- 上眼静脈が外上方，下眼静脈が外下方を走行し，上眼静脈のほうが発達している．

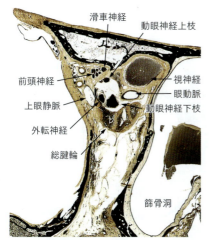
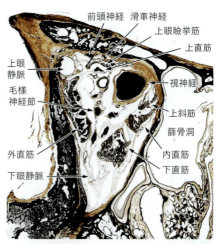

図22 眼窩尖の切片標本（Kultschitzky髄鞘染色）

動眼神経は上枝と下枝に分岐し，外転神経とともに総腱輪内を走行する．滑車神経と前頭神経は総腱輪の外にあり，視神経管内壁は篩骨洞に接している

図23 眼窩後部の切片標本（Kultschitzky髄鞘染色）

眼窩尖から6mmで，視神経の外下方に毛様神経節がある．上眼静脈が外上方，下眼静脈が外下方を走行し，上眼静脈のほうがはるかに発達している

❸ 眼窩中部（図24）

- 内壁は篩骨洞，下壁は上顎洞に接する：副鼻腔炎．
- 網膜中心動脈が下方から視神経内に進入する．
- 視神経周囲に数本の毛様動脈がある．

❹ 眼窩前部（図25）

- 眼窩内壁と下壁は眼窩前部付近が最も薄い：眼窩吹き抜け骨折．
- 外直筋の外上方に涙腺がある．
- 上眼静脈は内上方，下眼静脈は内下方を走行する．

5 海綿静脈洞の解剖

a）肉眼解剖（図26,27）

- 海綿静脈洞はトルコ鞍の外側にあり，内壁と下壁は蝶形骨の骨膜，外壁と上壁は硬膜で構成される．
- 前後径は約2cmである．

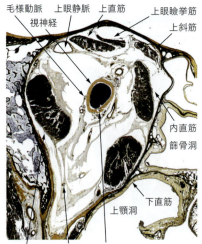

図24 眼窩中部の切片標本（Kultschitzky髄鞘染色）

眼窩尖から15mmの位置にあり，網膜中心動脈が下方から視神経内に進入する．視神経周囲に数本の毛様動脈が走行している

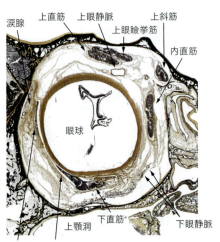

図25 眼窩前部の切片標本（Kultschitzky髄鞘染色）

眼窩尖から25mmの位置にあり，外直筋の外上方に涙腺がある．上眼静脈は内上方，下眼静脈は内下方を走行する

- 内側はトルコ鞍，下方は蝶形骨洞，前方内側は後篩骨洞に接する．
- 前方は上眼静脈，下眼静脈および翼突筋静脈叢と，後方は上下の錐体静脈洞と脳底静脈叢に連絡する．
- 左右の海綿静脈洞は前後の海綿間静脈洞で交通している．

b）内部構造（図28）

- 内頸動脈が後部で垂直に進入し，前方へほぼ直角に屈曲して前進し，前部で屈曲反転してサイフォン部を形成し，視神経管開口部のすぐ後方で海綿静脈洞から頭蓋内に入る．
- 動眼神経は上壁を貫いて最上部から進入する：**下垂体卒中，下垂体腺腫**．
- 滑車神経は動眼神経の下方から進入し，前進するにつれて上方へ移動する．
- 外転神経は最下方から進入し，内頸動脈の下方からしだいに外方へ移動する：**蝶形骨洞病変，上咽頭腫瘍**．
- 三叉神経第一枝の眼神経は外壁内を前進する．
- 三叉神経第二枝の上顎神経は中央部から後部までは外壁内下部を走行する．

B 神経眼科に必要な神経解剖学の知識

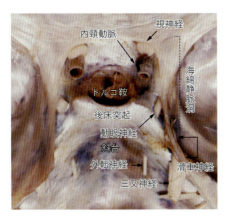

図26 海綿静脈洞の解剖
海綿静脈洞はトルコ鞍の外側にあり，外壁と上壁は硬膜で形成されている．動眼神経は最上部から，滑車神経はその下方から，外転神経は斜台を貫いて下方から海綿静脈洞に進入する．視神経管開口部から頭蓋内に進入した視神経が内上方を走行する

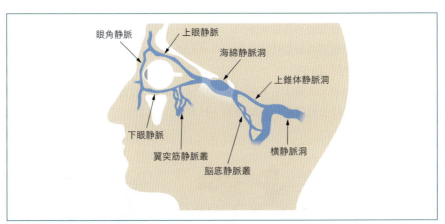

図27 海綿静脈洞と隣接脳静脈洞の関係
前方は上下の眼静脈，翼突筋静脈叢と連絡し，後方は上下の錐体静脈洞，脳底静脈叢と連絡している

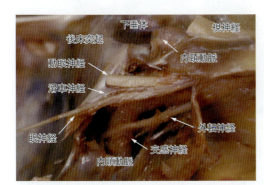

図28 海綿静脈洞の内部構造
内頸動脈は後部下方から進入し，前方へ屈曲して前進し，前部で再度屈曲反転して上部でくも膜下腔に出る．眼球運動神経は，上方から動眼神経，滑車神経，外転神経の順に進入する．内頸動脈とともに進入した眼交感神経は，屈曲する手前で内頸動脈から離れて外転神経や眼神経に沿って前進する

1 神経眼科疾患の特徴

- 眼交感神経は内頸動脈に沿って進入し，前方へ屈曲する手前で内頸動脈から離れ，外転神経や眼神経に沿って前進する：**外転神経麻痺とHorner症候群の合併**．

c) **連続切片標本による観察**

❶ **海綿静脈洞後部**（図29）
- 動眼神経が上壁を貫き進入し，滑車神経，眼神経，上顎神経とともに外壁内を走行する．
- 外転神経は内頸動脈の外下方を外壁から離れて走行する．

❷ **海綿静脈洞中部**（図30）
- 上から動眼神経，滑車神経，眼神経の順に外壁内を走行する．
- 上顎神経は海綿静脈洞外にある．
- 外転神経は外壁方向へ移動する．
- 内頸動脈の屈曲部の前端は眼窩尖から6.5mmにある．

❸ **海綿静脈洞前部**（図31）
- 動眼神経は外壁から離れ，眼窩尖の手前4.5mmの位置で上枝と下枝に分岐する：**動眼神経上枝麻痺，動眼神経下枝麻痺**．

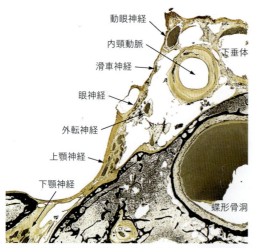

図29 海綿静脈洞後部の切片標本（Kultschitzky髄鞘染色）

眼窩尖から19mm後方で，外壁内を上から順に動眼神経，滑車神経，眼神経，上顎神経が走行する．外転神経は外壁から離れて内頸動脈の下方を走行する

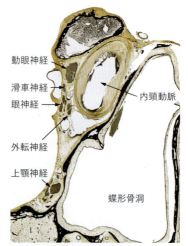

図30 海綿静脈洞中部の切片標本（Kultschitzky髄鞘染色）

眼窩尖から10mm後方で，上顎神経はまだ進入していない．外転神経はしだいに外壁方向へ移動する

B 神経眼科に必要な神経解剖学の知識

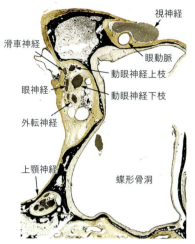

図31 海綿静脈洞前部の切片標本（Kultschitzky髄鞘染色）
眼窩尖から4.5 mm後方で，動眼神経は上枝と下枝に分岐する．視神経と眼動脈が内上方を走行する．

- 滑車神経と眼神経は外壁内を走行する．
- 眼窩尖から3.5 mmまでは，視神経管開口部から頭蓋内に進入した視神経と眼動脈が内上方に接して走行する．

6 瞳孔系の解剖

a) 対光反射経路（図32）

- 一眼に光刺激を当てると，耳側網膜への刺激は視神経を通り同側の視索へ，鼻側網膜への刺激は視交叉で交叉して反対側の視索に伝わる．
- 両者とも外側膝状体の手前で視索から離れ，視蓋前域核から同側のEdinger-Westphal核と，後交連を介して反対側のEdinger-Westphal核にも刺激が伝わる．
- その後，左右の動眼神経を経て毛様神経節に伝わり，短毛様神経を通って両眼の瞳孔括約筋に同等の刺激が伝わる．
- 一眼の直接対光反射と反対眼への間接対光反射は同等となる：swinging flashlight test．
- 外側膝状体以降の視路病変では対光反射は障害されない：皮質盲．

b) 眼交感神経経路（図33）

- 視床下部からBudge毛様体脊髄中枢までの中枢線維は，網様体の外側部を走行する：延髄外側症候群（Wallenberg症候群）．

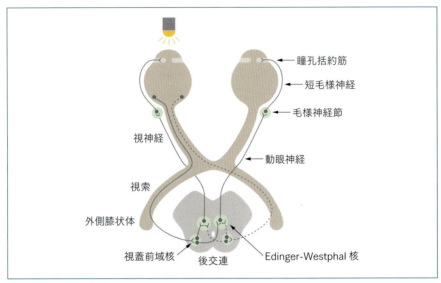

図32 対光反射の経路
左眼に光刺激を当てると，両側の視蓋前域核に刺激が達し，それぞれ同側のEdinger-Westphal核と後交連を介して，反対側のEdinger-Westphal核にも刺激が伝わる．その後，左右の動眼神経を経由して両眼の瞳孔括約筋に同等の刺激が伝わるため，左眼の直接対光反射と右眼への間接対光反射は同等となる

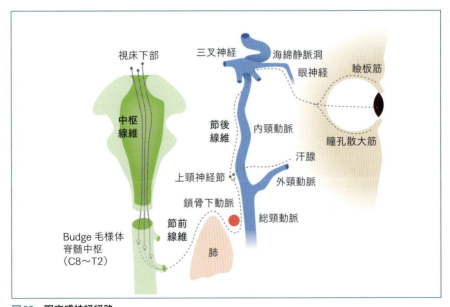

図33 眼交感神経経路
眼交感神経は，視床下部からBudge毛様体脊髄中枢までの中枢線維と，上頸神経節までの節前線維，瞳孔散大筋と瞼板筋までの節後線維で構成されている．顔面の発汗線維は上頸神経節で節後線維から分かれる

- Budge毛様体脊髄中枢から上頸神経節までの節前線維は肺尖部の上方を通り，縦隔の鎖骨下動脈の下方を走行する：**Pancoast腫瘍，縦隔腫瘍．**
- 上頸神経節以降の節後線維は内頸動脈周囲を巻き付くように上行し，海綿静脈洞に後部から進入後，内頸動脈から離れて外転神経や眼神経に沿って前進し，上眼窩裂を経て瞳孔散大筋と瞼板筋に至る：**内頸動脈解離，海綿静脈洞内内頸動脈瘤．**
- 顔面の発汗線維は，上頸神経節で節後線維と分かれる：**節後線維障害では顔面の発汗低下なし．**

7 視神経・視路の解剖（図34～38）

a）網膜
- 視野と網膜は対角線上に対応する．上耳側視野は下鼻側網膜，下耳側視野は上鼻側網膜，上鼻側視野は下耳側網膜，下鼻側視野は上耳側網膜に投影する．
- 網膜中心動脈の分枝の網膜動脈が分布する：**網膜中心動脈閉塞症，網膜動脈分枝閉塞症．**
- 視神経乳頭深層の篩状板以後は網膜中心動脈ではなく，短後毛様動脈が分布する：**前部虚血性視神経症．**

b）視神経
- 視神経乳頭付近では，鼻側網膜線維は乳頭の中央部を蝶ネクタイ様に走り，上下耳側網膜線維はそれぞれ乳頭の上部と下部に位置する：**帯状萎縮．**
- 視交叉移行部に近づくにつれ，鼻側網膜線維は鼻側，耳側網膜線維は耳側へ移動する．
- 内頸動脈のサイフォン部から分岐した眼動脈は，眼球の8 mm後方の眼窩中部で視神経内に進入して網膜中心動脈となり，視神経の中心部に血液を供給する．
- 眼動脈の分枝が軟膜血管網を形成し，中心部を除く視神経の大部分に血液を供給する．

c）視交叉
- 鼻側網膜線維は視交叉で交叉して反対側の視索へ進む．
- 鼻側下方網膜線維は交叉した後，いったん反対側の視神経方向へ前進後，反転して反対側の視索へ進む（von Wilbrandの膝）：**連合暗点．**
- 耳側網膜線維は同側の視索へ進む．

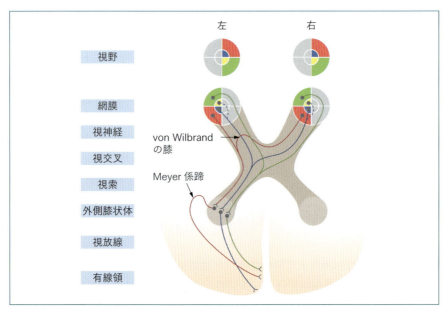

図34 視路経路
視野と網膜は対角線の対応関係になる．耳側網膜線維は同側の視索へ進むが，鼻側網膜線維は視交叉で交叉して反対側の視索に進む．このうち下鼻側網膜線維は，交叉後にいったん反対側の視神経方向へ前進し，その後反転して視索に進む．外側膝状体でニューロンを替え，上方網膜線維は頭頂葉を経て後頭葉の有線領に，下方網膜線維は側頭葉を経て有線領に進む．下方網膜線維の一部は側頭葉前端に向かい，Meyer係蹄を形成後，反転して有線領に進む

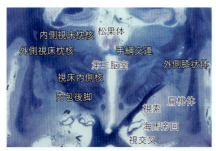

図35 視交叉，視索，外側膝状体の切片標本（Klüber-Barrera染色）
視交叉から出た視索は大脳脚や内包後脚に沿い，扁桃体に近接して走行し，外側膝状体に至る．

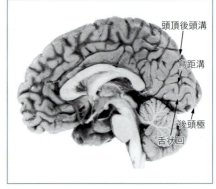

図36 脳の正中矢状断内側面
後頭葉は頭頂後頭溝の背側を占め，最背側部が後頭極となる．中央の鳥距溝で上下に分けられ，下部に舌状回がある

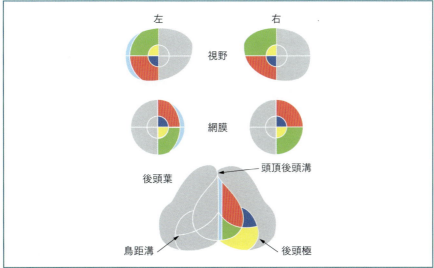

図37　視野，網膜と後頭葉の対応関係
上段は視野，中段は網膜，下段は後頭葉内側面を後方から見た図で，後頭葉と，これに対応した網膜と視野の部位を色別に示す．視野と網膜は対角線の関係にある．右半側視野は左後頭葉に，左半側視野は右後頭葉に投射する．緑・黄色で示す上方視野は下方網膜に投射し，下方網膜線維は鳥距溝の下部の後頭葉に投射する．赤・青色で示す下方視野は上方網膜に投射し，上方網膜線維は鳥距溝の上部の後頭葉に投射する．黄・青色で示す中心視野の線維は後頭極に投射し，周辺視野ほど後頭葉内側面の前方に投射する．水色で示す後頭葉内側面の最前部は耳側単眼視野が投射する

- 視交叉の上部（背側）は前大脳動脈と前交通動脈から分岐する細血管が分布し，特に前交通動脈の分枝は視交叉正中部に分布する：**前交通動脈瘤クリッピング術後の両眼視力低下と両耳側半盲．**
- 視交叉の下部（腹側）は内頸動脈からの細血管が主に分布し，一部後交通動脈からの分枝も加わる．

d）視索

- 同側の耳側網膜線維と反対側からの鼻側網膜線維が走行する．
- 対応する交叉線維と非交叉線維が離れて走行する：**不一致性同名半盲．**
- 大脳脚や内包後脚に沿い，扁桃体に近接して外側膝状体に向かう：**中脳や側頭葉の膨隆病変．**
- 内頸動脈から分岐した前脈絡叢動脈と，後交通動脈からの細血管の両方が分布する：**血管閉塞による障害は起こりにくい．**

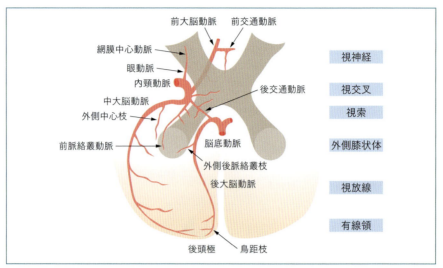

図38 視路の血管支配
視路を下方から見た図で，視神経の中心部は網膜中心動脈，中心部以外は眼動脈の分枝の軟膜血管網が分布する．視交叉の上部（背側）は前大脳動脈と前交通動脈からの細血管，下部（腹側）は内頸動脈からの細血管が主に分布し，一部後交通動脈の分枝も加わる．視索は内頸動脈から分岐した前脈絡叢動脈と後交通動脈からの細血管の二重支配であり，外側膝状体は外側後脈絡叢枝と前脈絡叢動脈が分布する．側頭葉と視放線は中大脳動脈の分枝が分布する．頭頂葉は後大脳動脈の頭頂後頭枝，後頭葉有線領は鳥距枝が分布し，後頭極は後大脳動脈と中大脳動脈の両側支配を受ける分水嶺（分水界）である

e）外側膝状体

- 6層構造になっている．
- 交叉線維は腹側から1，4，6層，非交叉線維は2，3，5層を構成する．
- 黄斑線維は中央部（Hilum），周辺網膜線維はその両外側（medial and lateral horn）にある．
- 後大脳動脈から分岐した外側後脈絡叢枝は中央部（Hilum）に分布する：**水平楔状同名半盲**．
- 前脈絡叢動脈は中央部以外に分布する：**水平楔状同名性視野残存**．

f）側頭葉

- 下方網膜からの線維が走行する：**上1/4同名半盲**．
- 下部視放線は散開し，一部は側頭葉前端でMeyer係蹄を形成後，反転して後頭葉に向かって進む：**pie in the sky型同名半盲**．
- 視放線の起始部は中大脳動脈から分岐した外側中心枝，それ以降は中大脳動脈の分枝が分布している．

g) 頭頂葉
- 上部視放線は散開せずに上方網膜からの線維が走行する：下1/4同名半盲.
- 後大脳動脈の終枝の頭頂後頭枝が分布している.

h) 後頭葉
- 右半側視野は左後頭葉，左半側視野は右後頭葉に投射する.
- 上方視野（下方網膜線維）は鳥距溝の下部，下方視野（上方網膜線維）は上部へ投射する：**両側水平半盲，交叉性1/4半盲**.
- 中心視野は後頭葉先端の後頭極に投射する：**中心性同名半盲**.
- 周辺視野ほど後頭葉内側面の前方に投射し，後頭葉内側面最前部は耳側単眼視野である：**耳側半月**.
- 有線領は後大脳動脈の終枝の鳥距枝が分布している.
- 後頭極は後大脳動脈と中大脳動脈の両方が分布する分水嶺（分水界）のため，単独の動脈閉塞では守られるが，ショックや脳の乏血で障害されやすい.

C 神経眼科に必要な神経学の知識

- 神経疾患の診断には神経眼科の所見のみでは不十分である．神経眼科以外の詳細な神経学的所見を得るためには，専門である神経内科や脳神経外科に診察を依頼すればよいが，依頼前に眼科でもできる範囲で知っておくと役立つ．私自身が神経眼科診察時に行っている神経学的検査とその目的を述べる．

錐体路症状
- Barré徴候：閉眼させて手のひらを上にして両腕を水平に保たせる．上肢の不全麻痺があると麻痺側の腕がしだいに下がる．片麻痺を示す錐体路病変の診断に行う．

錐体外路症状
- 安静時振戦：膝の上に置いた手が震える．
- 筋強剛：肘をついて腕を挙上すると手指が伸展位をとる．Parkinson病や進行性核上性麻痺，赤核などの錐体外路病変の診断に用いる．

筋力測定
- 検者が上肢や下肢，首などに力を加え，これに対抗して力を入れさせた時の抵抗の程度をみる．錐体路病変や，重症筋無力症の全身型への移行を調べる．

腱反射
- 膝蓋腱反射とアキレス腱反射を調べる．Adie症候群やFisher症候群で消失するが，診断上の意義は少ない．

小脳症状
- 運動失調：直立で全身が動揺する．つぎ足歩行や閉眼状態で真っすぐ歩くように命じると患側へ偏位するか倒れる．Fisher症候群の診断に用いる．
- 指鼻試験：検者の指先と被検者の鼻尖を人差し指で交互に触れさせる．目標に近づくと指の振戦が激しくなる．小脳病変の確認に行う．

全身知覚検査
- 顔面や上肢，下肢を拭き綿やクリップの先で触り，知覚に左右差がないかを調べる．温痛覚を伝える脊髄視床路と触覚を伝える内側毛帯病変の確認に行う．特に視床病変の診断に役立つ．

聴覚検査
- 両耳近くで同時に手指を擦り，聴こえの程度に差があるかを調べる．聴神経障害の診断に加え，末梢前庭障害による定方向性眼振が刺激期か麻痺期かを判断するのに利用する．
- たとえば右方向への眼振がみられた場合，聴力低下や耳鳴が右耳にあれば刺激期，左耳にあれば麻痺期である．

嗅覚検査
- 強い臭いのするシクロペントラート（サイプレジン®）点眼薬を片側ずつ鼻孔に嗅がせ，臭いが分かるか左右差がないかを調べる．嗅窩部髄膜腫などの前頭蓋窩腫瘍の診断に用いる．

> **Column**
>
> **他科との連携**
>
> 神経眼科の診断と治療には，他科との連携が欠かせない．特に神経学の中心である神経内科，緊急の対応が求められることが多い脳神経外科，および構造が隣同士の耳鼻咽喉科との関係は大事である．お互いにただ依頼するだけの一方通行ではなく，情報を共有して治療に当たるよう心掛ける．
>
> しかし，神経眼科で生命や視機能の危険性を察知した場合，速やかに適切な処置を行ってもらうよう，時には強く依頼する覚悟も必要である．

Chapter 2

問診の要点

A 問診10カ条

- 問診はすべての診察の基本である．訴えを聞くだけで診断できる疾患も多い．
- まず本人の話をよく聞き，家族がいれば補足してもらう．必ず疾患の主症状を強く訴えるため，何が一番つらいのかを聞く．
- 自覚症状の乏しい小児では，どのようにして親が気づいたかを詳しく聞く．
- ただ漫然と訴えを聞くのではなく，主訴から考えられる疾患を頭に思い浮かべながら，必ずあるはずの，本人が気づいていない症状をこちらから質問して引き出すのが問診のコツである．
- そのためには，疾患がどのような臨床的特徴を示すのかを習得する必要がある．この知識の量が診断力を決める．
- 以下に問診の仕方とその目的について10カ条を記す．

1 どの部位にどのような症状があるのか
- 必ず疾患の主症状を強く訴える．

2 訴えが神経眼科疾患によるものか
- 患者の訴えに応じて下記の神経眼科疾患による症状の特徴があるかを聞き，それ以外の眼科疾患による訴えではないことを確認する．

> - 複視の訴え→片眼を隠すと消えること
> - 眼瞼下垂→腫れがないこと
> - 羞明→充血や視力の低下がないこと
> - 視力低下→まぶしさが減り，色も分かりにくくなること
> - 視野の欠け→周りは少し見えるが真ん中が見えない，垂直または水平経線を境にして見え方が変わること

3 ある条件下で症状が増強または軽減することがあるか
- 疲労時に増悪するか，視線の方向や首を傾ける方向で増悪または軽減するかなどを聞く．
- 特に眼球運動異常の診断に役立つ．

4 症状の発現
- 仕事中や歩行中などに瞬時に出現した突発性か，2～3日で進行した急性か，急性よりやや遅く数週間で進行した亜急性か，またはいつ起こったかはっきりしない緩徐発症かは疾患の原因を知る上で大切である．

- 突発性は虚血性疾患や外傷，急性は炎症性疾患や動脈瘤，亜急性は中毒性や栄養障害性疾患，緩徐発症は腫瘍や変性疾患が考えられる．

5 症状の経過

- 急性進行性か，緩徐進行性か，不変か，軽快傾向にあるか，変動するか，または時々出現する間歇性かを確認することで疾患の原因が予想できる．
- 急性進行性は炎症性疾患，緩徐進行性は腫瘍や変性疾患が考えられる．虚血性疾患や重度の外傷では症状は不変である．症状が軽快傾向にあれば炎症性疾患や軽度の外傷が考えられる．症状が変動する疾患や間歇性に出現する疾患は限られる．

6 主症状以外に気づいている症状があるか

- 疾患の特徴をよく理解していれば，随伴する症状が診断に役立つかを判断できる．
- また，本人は気づいていないが，必ずあるはずの症状を聞き出して診断を確実にすることを心掛ける．さらに首を傾けているなどの頭位の異常のように，本人は気づかないが他人から指摘された症状があるかも聞く．

7 以前に同じ症状があったか

- 症状が全く同じならば虚血性疾患は否定でき，再発を繰り返しやすい炎症性疾患や重症筋無力症などの限られた疾患に絞られる．

8 既往歴や家族歴があるか

- 疾患の原因を知ることができる．以前に罹った病気や手術から時間が経っていると，今回の疾患とは関係ないと思い込み，言わないことがある．また，軽度の高血圧症などは既往として考えていないこともあり，注意が必要である．最近の健診結果があれば提示してもらう．

Column

Family album tomography scan

問診時に発症時期がはっきりしない場合，運転免許証や以前からの写真を見せてもらうとかなりの情報が得られる．画像診断にあやかり，family album tomography scan と呼んでいる．眼球運動制限による眼位や頭位の変化，眼瞼の状態などが参考になる．

また，経時的に見ると，病状の進行状態も分かる．先天性の斜視や先天眼振と，後天性疾患との鑑別にも欠かせない．

- 家族歴も，特に遺伝性疾患で決め手となるが，話したがらないことも多く，過度に不安を与えずに必要性を理解してもらうよう努める．

⑨ 服薬歴があるか
- 中毒性疾患の診断には欠かせない問診項目である．おくすり手帳があれば見せてもらうのが一番である．治療中の疾患名ではなく，必ず処方されている薬剤自体の名称で聞く．
- また，処方箋のない市販薬や漢方，サプリメントは，本人が関係ないと考えがちだが聞いたほうがよい．特に感冒薬や経口避妊薬の服用は必ず聞く．
- 違法薬物の使用歴は，瞳孔の大きさの異常を診断する際に必要であるが，プライバシーに十分配慮する．

⑩ 社会歴
- 揮発性や毒性物質に曝露される職場環境の情報や，食生活や栄養状態，飲酒歴，喫煙歴は，特に視力低下の原因を診断する際に役立つ．

B 眼球運動異常

- 眼球運動異常の自覚症状は，ものがダブって見える複視と，ものが揺れて見える動揺視である．複視は両眼で見た時に自覚し，片眼を遮閉すると消失する．単眼でもダブって見える単眼性複視は眼球運動異常ではなく，初発核白内障や高度乱視などの眼球の異常で出現する．
- また，まれに複視を羞明として訴えることがあるが，やはり片眼ずつでは消失する．小児では複視の訴えは少なく，眼位異常に親が気づいて来院することが多い．
- 多くの眼球運動異常，特に滑車神経麻痺と外転神経麻痺，調節輻湊痙攣，代償不全型斜視は問診だけでほぼ診断できる．

1 複視の性状

- まず片眼を遮閉すると複視が消失することを確認し，どのような形の眼球運動異常で症状が現れているかを知るために，水平，垂直などの複視の形，どの方向を見ると複視が強くなるか，近くと遠くではどちらが強いか，像が傾いて見えるか，首や頭の位置で複視の程度が変化するかを詳しく聞く．

a) 水平性か垂直性か

- 水平性：外転神経麻痺は純水平性，調節輻湊痙攣と輻湊麻痺はほぼ水平性の複視を訴える．核上性病変による核間麻痺と開散麻痺は，両者ともskew deviationによる上下偏位を伴うが，水平性の複視しか訴えない．
- 垂直性：滑車神経麻痺とskew deviationで訴える．
- 斜方向性：動眼神経麻痺では斜め方向の複視が出現するが，実際にはただダブって見えるとしか訴えない．

b) どの方向で複視が最大になるか

- 注視方向で差がある：複視が最大となる方向が麻痺筋の作用方向である．眼球運動異常の問診で最も重要な項目であり，この訴えだけで疾患を絞り込むことができる．側方視で強くなれば外転神経麻痺と核間麻痺，下方視で強くなれば滑車神経麻痺が考えられる．
- 動眼神経麻痺は上方視や下方視，側方視で複視が強くなるが，実際にはこれらの注視方向で増強すると訴えることはない．また，上方視で強くなれば甲状腺眼筋麻痺をまず考える．
- 各注視方向で差がない：共動型skew deviationと代償不全型斜視が考えられる．

c) 遠方視と近方視のどちらで強くなるか

- 遠方視で増強する：遠くを見るほど複視が強くなり，これに加え側方視でも増強するのが外転神経麻痺，側方視では不変かむしろ軽減するのは開散麻痺と調節輻湊痙攣である．
- 近方視で増強する：遠くを見ると複視はないが近くのものがダブって見えるのは，輻湊麻痺しかない．

d) ものが傾いていて見えるか

- 一眼で見えた像が傾いている：滑車神経麻痺では必ず訴え，特に階段を降りる際に気づきやすい．

e) 頭部の位置で複視の程度が変わるか

- 頭部を傾けたり横になると，その方向により複視が増強したり軽減する：滑車神経麻痺でみられ，一眼の像が傾いて見える訴えもあれば診断はほぼ確定する．
- 頭部を曲げて横目づかいで見ると複視が軽減する：外転神経麻痺と核間麻痺でみられる．
- 顎を引いて上目づかいで見ると複視が軽減する：滑車神経麻痺などの下転障

害でみられる．
- 顎を上げて下目づかいで見ると複視が軽減する：上直筋麻痺などの上転障害でみられる．
- これらの症状は滑車神経麻痺以外では自覚することは少なく，こちらから聞くか，他人に頭位の異常を指摘されて初めて本人が気づくことが多い．

f) 眼の位置がずれているか
- 複視の自覚が乏しい小児では，どのような眼の位置のずれに親が気づいたかを聞く．特に外転神経麻痺や調節輻湊痙攣による内斜視は気づきやすい．

2 発症様式

- 発症状態を聞けば，複視の性状から考えられた眼球運動異常の原因をも知ることができる．

> - **突発性**：糖尿病や高血圧症による虚血性神経症は，仕事中や歩行中などに突発する．外傷性も受傷直後に起こる
> - **急性**：発症後2～3日で症状が進行する．動脈瘤や，小児に多いウイルス感染による神経炎やTolosa-Hunt症候群，肥厚性硬膜炎などの炎症性疾患でみられる．重症筋無力症も急性発症で，必ず発症日を覚えている
> - **亜急性**：Wernicke脳症による眼球運動異常は急性よりやや遅く，発症後数週間で症状が進行する
> - **緩徐発症**：腫瘍などの圧迫性病変や変性疾患ではいつ発症したかはっきり覚えていない

3 経過

- 症状の経過も眼球運動異常の原因を知る上で役に立つ．

> - **急性進行性**：ウイルス感染による神経炎やTolosa-Hunt症候群，肥厚性硬膜炎などの炎症性疾患でみられる．内頸動脈後交通動脈分岐部動脈瘤は瞳孔散大と眼瞼下垂で発症し，その後数日間，眼球運動障害が進行する．Fisher症候群も，数日間で両眼の外転制限から全方向の制限へと進行する
> - **緩徐進行性**：腫瘍や副鼻腔炎による圧迫や脊髄小脳変性症，慢性進行性外眼

筋麻痺でみられる．動脈瘤でも，中年女性に好発する海綿静脈洞内内頸動脈瘤は進行が非常に遅いため複視の訴えは少なく，外転神経麻痺による内斜視を訴えて来院することが多い
- **不 変**：虚血性神経症では発症後1カ月間は変化しない．外傷による完全麻痺も不変のことが多い
- **変 動**：重症筋無力症と調節輻湊痙攣の特徴であり，まれに甲状腺眼筋麻痺でもみられる．重症筋無力症は夕方や疲労時に，調節輻湊痙攣は近業後に増悪する．甲状腺眼筋麻痺は朝に症状が強い
- **初期には間歇性，その後恒常性へと変化**：代償不全型斜視の診断の決め手となる訴えである

4 随伴症状

- 随伴症状から疾患やその原因をも知ることができる．
- 眼瞼異常：眼瞼下垂の訴えがあれば動眼神経麻痺や重症筋無力症，慢性進行性外眼筋麻痺，Fisher症候群を考える．甲状腺眼筋麻痺では上眼瞼の腫脹と瞼裂開大を訴える．
- 眼球突出：甲状腺眼筋麻痺と眼窩腫瘍でみられる．頸動脈海綿静脈洞瘻でも必発だが，他の症状に隠されて訴えることは少ない．
- 羞明，近見障害：動眼神経麻痺の散瞳と瞳孔反射障害で起こる．内頸動脈後交通動脈分岐部動脈瘤では初発症状となる．
- 疼痛：炎症性疾患では必発の症状であり，硬膜や髄膜の刺激や内眼筋の痙攣でも訴える．
- 疼痛が起こる部位で，眼球の奥が痛い眼窩深部痛，眼球のすぐ後ろが痛い眼窩部痛，眼の周りが痛い眼周囲痛，眼球を動かすとズキンと痛む眼球運動痛，眼全体が痛む眼痛，頭部全体が痛む非特異的頭痛に区別される．原因により特徴ある疼痛を訴えることを知っていると，診断に役立つ．
  - **内頸動脈後交通動脈分岐部動脈瘤**：髄膜刺激による眼窩深部痛があり，いいようのない変な頭痛を訴えることが多い
  - **Tolosa-Hunt症候群や肥厚性硬膜炎**：炎症により過去に経験したことがないような激しい眼窩深部痛を訴える

- 眼窩筋炎：眼球を動かすと強い疼痛が起こる眼球運動痛がある．視神経炎でみられる眼球運動痛とは異なり，罹患筋の作用方向またはその反対方向を見ると増強する
- 頸動脈海綿静脈洞瘻：頭部全体に軽度の頭痛を必ず訴える
- 調節輻湊痙攣：近見時に眼痛や頭痛が起こるのが特徴である

5　既往歴

- 眼球運動異常の原因が絞れたら，その原因を起こしやすい既往歴を詳しく聞く．

- 虚血性神経症や脳血管障害：糖尿病や高血圧症の既往を聞く
- 頸動脈海綿静脈洞瘻：外傷の既往を確認する
- Fisher症候群：発症2週間前に感冒様症状がある．小児の眼球運動異常もウイルス感染後に起こりやすく，感冒様症状を前駆することが多い
- Wernicke脳症：アルコール依存症や胃切除術後，および低栄養の食事が診断の決め手となる
- 多発性硬化症，Tolosa-Hunt症候群，肥厚性硬膜炎，重症筋無力症：同じ形の眼球運動異常が再発することがある
- 虚血性神経症：単独の眼球運動神経の障害であり，複合神経麻痺は起こらない．また，時期を違えて他の眼球運動神経麻痺を起こすことはあるが，同一の神経が再度障害されることは決してない
- 重症筋無力症：慢性関節リウマチの治療中に症状がみられたらD-ペニシラミンの服薬を，肺癌の治療中では免疫チェックポイント阻害薬のニボルマブの使用を確認する
- 調節輻湊痙攣：近視でコンタクトレンズを装用しているかを必ず聞く

6　動揺視

- ものが揺れて見える動揺視は，病的眼振や異常眼球振動でみられる．skew deviationや白内障術後の眼内レンズ振盪のように，眼球の揺れがなくても自覚することがある．

a) 動揺視の性状

- Ménière病や前庭神経炎による末梢前庭眼振では水平方向に揺れて見えると訴え，上下方向の揺れは下眼瞼向き眼振や上眼瞼向き眼振で訴える．延髄外側症候群による回旋眼振ではめまいが強く，回旋性に揺れると訴えることはない．
- 上斜筋ミオキミアは，間歇性に片眼だけ回転しながら上下に揺れて見えるとはっきり訴える．
- 間歇性に動揺視を訴える疾患には，上斜筋ミオキミアの他に随意眼振とocular flutterがある．
- skew deviationでは前庭眼反射の異常により頭を動かすと自覚する．
- まれにみられる白内障手術後の眼内レンズ振盪も視線を動かすと自覚する．

b) 随伴症状

- 強いめまいと耳鳴はMénière病や前庭神経炎に必発である．
- ocular flutterなどの異常眼球振動の多くは小脳病変で起こり，ふらつきを主とする小脳症状を伴う．
- skew deviationでは垂直性の複視を訴える．

c) 既往歴

- 疾患により起こしやすい原因が知られており，既往歴や服薬歴で確認する．

> - 下眼瞼向き眼振：抗痙攣薬や，抗躁薬のリチウム内服，抗グルタミン酸脱炭酸酵素抗体陽性インスリン依存型糖尿病の有無を聞く
> - 上眼瞼向き眼振：抗痙攣薬の内服や喫煙，およびWernicke脳症の原因となるアルコール依存症や胃切除術の既往，食事状態を必ず聞く
> - ocular myoclonus：脳幹，特に橋の血管障害の既往と，その数カ月後から動揺視が出現したことを確認する

C 眼瞼異常

- 眼瞼異常の自覚症状は眼瞼下垂と瞼裂開大である．眼瞼下垂は見た目に気づくことが多いが，まぶたが重いと訴えることもある．
- 一方，瞼裂開大を訴えることは少なく，片側の瞼裂開大ではむしろ健側のまぶたが下がっていると訴えて来院することが多いので注意が必要である．

- また，高齢者では上眼瞼皮膚弛緩を眼瞼下垂と誤って訴えることが多いが，眼瞼下垂では睫毛が皮膚で隠れることはなく，容易に区別できる．

1 眼瞼位置異常

- 眼瞼下垂には神経性，筋性，腱膜性，および機械的眼瞼下垂がある．機械的眼瞼下垂以外は，程度に差はみられるが眼瞼の状態からはいずれの原因かを診断することはできない．原因診断は随伴症状の問診が決め手となる．
- 重症筋無力症だけは，疲労時や夕方に増強する症状の日内変動を自覚する．
- 甲状腺眼症では瞼裂開大より，上眼瞼腫脹が加わって目つきがきつくなったと訴えることが多い．中脳水道近傍病変でみられるCollier徴候として知られる瞼裂開大も自覚することはあまりない．
- 顔面神経麻痺では，上眼瞼の下方移動に加え，下眼瞼の下方移動による下眼瞼外反と閉瞼困難を強く訴える．

2 発症様式

- 突発性の動眼神経麻痺は糖尿病による虚血性神経症を考える．眼瞼下垂が高度のことが多い．
- 動眼神経麻痺をきたす内頸動脈後交通動脈分岐部動脈瘤では，急性に発症する眼瞼下垂と瞳孔散大が初発症状であり，特に眼瞼下垂を訴えて来院することが多い．
- 重症筋無力症は急性に発症し，必ず発症日を覚えている．疲労時や夕方に増強する日内変動もある．
- 緩徐発症の腱膜性眼瞼下垂や慢性進行性外眼筋麻痺はいつ発症したか覚えていない．症状も緩徐進行性である．
- 甲状腺眼症による瞼裂開大も，緩徐発症，緩徐進行性である．
- 先天眼瞼下垂は小児期からあり，症状は変化しない．

3 随伴症状

- 眼瞼下垂の原因を知る上で大切な問診項目である．

- 複視を訴えれば動眼神経麻痺と重症筋無力症を考える
- 全身型重症筋無力症では四肢の脱力も訴える
- Horner症候群は患側顔面の発汗低下があれば確実で，その有無が障害部位の診断にも役立つ
- 痛みを伴う眼瞼下垂は限られる．動眼神経麻痺をきたす内頸動脈後交通動脈分岐部動脈瘤では，いいようのない変な眼窩深部痛を訴えることが多い．また，Horner症候群の原因となる内頸動脈解離では，頭痛や頸部痛に加え眼周囲がピリピリすると訴える
- 筋緊張性ジストロフィーでは，握った手指が開きにくい筋強直がみられる
- 加齢による腱膜性眼瞼下垂では，上眼瞼がやせて上方の眼窩縁が明瞭となり，目が凹んだように見える

- 瞼裂開大でも随伴症状が原因診断に役立つ．

  - 甲状腺眼症では，上眼瞼の腫脹や眼球突出，複視などの眼症状に加え，動悸，息切れ，易疲労感，多汗などの全身症状を訴える
  - Collier徴候を示す中脳水道近傍病変では，skew deviationによる上下の複視と視蓋瞳孔による羞明を訴える

4 既往歴と家族歴

- 腱膜性眼瞼下垂の診断には欠かせない．

  - 近視眼，特に若年者ではハードコンタクトレンズの装用歴を必ず聞く
  - 中高齢者では眼科手術の既往を聞く．開瞼器を用いた手術後に起こりやすい

- 突然発症の虚血性の動眼神経麻痺では，糖尿病の有無を確認する．
- 筋緊張性ジストロフィーでは必ず家族歴を聞く．
- 瞼裂開大は，脊髄小脳変性症による運動失調の治療薬の甲状腺刺激ホルモン放出ホルモンやその誘導体でも起こることがあり，服薬歴で確認する．

D 眼球突出

- 見た目に眼球の飛び出しを自覚することが多い．軽度の場合は洗顔の際，どちらかの眼に手が当たりやすいことがあるかを聞くとよい．

1 障害側

- 片眼の眼球突出を訴えたら，眼窩腫瘍や特発性眼窩炎症，眼窩蜂巣炎，頸動脈海綿静脈洞瘻を考える．
- 両眼の眼球突出は甲状腺眼症とIgG4関連疾患に限られる．
- 甲状腺眼症は片眼性や左右で程度が異なることがある．

2 発症様式

- 急速に進行する眼球突出は，横紋筋肉腫とmyeloid sarcomaや悪性リンパ腫などの血液疾患でみられる．
- 特発性眼窩炎症や眼窩蜂巣炎などの炎症性疾患は急性に発症する．
- 炎症性でも，真菌性眼窩炎症の進行は急性より遅い．
- 眼窩腫瘍や甲状腺眼症は緩徐発症で，いつ起こったか覚えていない．症状も緩徐進行性であり，海綿状血管腫は特に進行が遅い．
- 小児の毛細血管腫では，泣くと増強することに親が気づくことが多い．
- 眼窩静脈瘤では腹臥位や息むと眼球突出が出現する．
- 蝶形骨大翼欠損は，拍動性眼球突出が起こる唯一の疾患である．

3 随伴症状

- 充血：頸動脈海綿静脈洞瘻や特発性眼窩炎症，眼窩蜂巣炎では充血がある．
- 疼痛：炎症性疾患では必発である．眼球のすぐ後ろが痛い眼窩部痛と眼の周りが痛い眼周囲痛が多い．
  - 特発性眼窩炎症や眼窩蜂巣炎などの炎症性疾患では眼窩部痛を訴える
  - 眼窩蜂巣炎の原因となる副鼻腔炎では眼周囲痛を訴え，眼窩周囲の骨の圧痛

- も自覚する．発熱や鼻閉も伴う
- 頸動脈海綿静脈洞瘻では頭部全体に軽度の頭痛を訴える．心拍動に一致したザーザーという耳鳴も自覚する
- IgG4関連疾患では疼痛を訴えないことが特徴である

• 眼瞼異常：涙腺腫瘍と甲状腺眼症の診断に役立つ．

- 涙腺腫瘍は上眼瞼外側部が腫脹する
- IgG4関連疾患では，両眼の上眼瞼外側部の腫脹に加え，耳下腺や顎下腺など唾液腺の腫脹を伴う
- 甲状腺眼症では上眼瞼全体の腫脹と瞼裂開大を伴う．動悸，息切れ，易疲労感，多汗もある

• 眼球偏位：偏位方向の訴えから原因が予想できる．

- 真正面へ眼球が突出するのは海綿状血管腫の特徴である
- 外下方への偏位は篩骨洞炎と前頭洞炎，上方への偏位は上顎洞炎でみられる
- 涙腺腫瘍では内下方への偏位を訴える

4 既往歴

- 上気道感染後に進行性の顔面や眼窩周囲の腫脹の訴えがあれば，真菌性眼窩炎症を考え，副腎皮質ステロイド薬の投与や糖尿病，免疫不全状態，血液疾患の有無を必ず聞く．真菌性眼窩炎症は生命予後が不良な疾患であり，これらの既往歴をよく聞いて見逃さないよう注意する．
- 頭部打撲後に出現したら頸動脈海綿静脈洞瘻も考え，心拍動に一致した耳鳴を自覚しているかを確認する．
- 眼周囲痛を伴う時は副鼻腔炎や副鼻腔手術の既往を聞く．

E 瞳孔異常

• 瞳孔に異常があると，まぶしさの変化や近くのものにピントが合わなくなる近見障害を訴える．鏡を見て瞳孔の大きさや左右差に気づき，来院すること

も多い．また，まれに複視を羞明として訴えることがあるが，片眼ずつでは消失するため容易に区別できる．

1 羞明

- 動眼神経麻痺，瞳孔緊張症，外傷性散瞳，中脳視蓋病変による視蓋瞳孔などの散瞳が起こる疾患で訴える．
- 散瞳がなければ，視交叉近傍病変，後頭葉病変による同名半盲の回復期，眼瞼痙攣，片頭痛，外傷性脳損傷，よく片眼をつぶる外斜視を考える．
- 角膜上皮障害や虹彩炎などの眼科疾患でも羞明を訴えるが，必ず異物感や眼痛，充血，流涙を伴い，神経眼科疾患とは区別できる．また，白内障や網膜外層病変でみられる羞明では，視力低下を伴うことが多い．

2 大きさの異常

- 両眼散瞳：羞明と近見障害を訴える．中脳視蓋病変による視蓋瞳孔や副交感神経遮断薬のアトロピンで起こる．
- 両眼縮瞳：薄暗さを訴えることがある．橋病変による橋縮瞳，視床病変，副交感神経刺激薬の抗コリンエステラーゼ薬でみられる．
- 瞳孔不同：患側が散瞳する動眼神経麻痺と瞳孔緊張症，外傷性散瞳では羞明と近見障害を必ず伴うが，患側が縮瞳するHorner症候群で薄暗く見えると訴えることはない．

3 随伴症状

- 散瞳眼に眼瞼下垂があれば動眼神経麻痺，縮瞳眼にあればHorner症候群を考える．
- 片眼が散瞳して複視を訴えれば動眼神経麻痺，両眼とも散瞳して複視を訴えれば松果体部腫瘍を主とした中脳視蓋病変による視蓋瞳孔を考える．
- 中枢線維と節前線維障害のHorner症候群では顔面の発汗低下があり，延髄外側梗塞による中枢線維障害のHorner症候群ではめまいを必ず訴える．また，節後線維障害のHorner症候群をきたす内頸動脈解離では，頭痛や頸部痛に加え，眼周囲がピリピリするとの訴えが特徴的である．

4 既往歴

- 瞳孔の大きさの異常を診断する際は，服薬歴が欠かせない．

  - 随伴症状のない散瞳を見たらアトロピンの点眼も考える．本人は点眼されたことに気づいていないことが多いが，眼科受診の既往があるか，アトロピンに接する機会がある医療関係者に限られる
  - 両眼の散瞳を訴えたらコカインやメタンフェタミン，LSD，三環系抗うつ薬，両眼の縮瞳ではヘロイン，モルヒネ，麻薬性鎮痛薬，クロルプロマジン内服を確認する．多くが違法薬物のため，聴取に際してはプライバシーに十分配慮する
  - 市販の感冒薬でも抗コリン作用による散瞳で羞明と近見障害を訴えることがあり，注意を要する

- 外傷後に羞明を訴えたら外傷性脳損傷，羞明と近見障害があれば外傷性散瞳を考える．
- Horner症候群では，甲状腺腫などの頸部腫瘍手術や中心静脈栄養術の既往を聞く．
- 白内障などの内眼手術で虹彩が損傷されて瞳孔反射が障害されることがあり，高齢者では既往を聞く必要がある．

F 視神経・視路異常

- 視神経異常の自覚症状は視力低下であり，まぶしさが減弱して薄暗く見える羞明感の低下と，色調や色の鮮やかさが低下する色覚の低下も必ず訴える．網膜疾患とは異なり，ものがゆがんで見える変視症の訴えは決してない．
- また，視神経と視路異常では見えない部分がある視野異常が起こるが，本人の訴えが少ないこともあり，問診に際し注意が必要である．

1 視神経・視路異常による視力低下

- 片眼でも両眼でも，視力低下に加え，まぶしさが減り色も分かりにくくなる視神経病変の特徴があることを必ず確認する．視交叉病変でも同様の訴えが

あるが，両側後頭葉病変による皮質盲では視力低下以外の訴えはない．

a) 障害側

- 片眼の視力低下を訴えたら，視神経炎，虚血性視神経症，圧迫性視神経症，鼻性視神経症，Leber病の初期などの視神経疾患と，連合暗点を示す視神経視交叉移行部病変を考える．
- 両眼の視力低下は中毒性や栄養障害性視神経症，Leber病の進行期，遺伝性視神経萎縮に必発で，視神経炎も両眼に起こることがある．さらに，視交叉病変や両側後頭葉病変でもみられる．

b) 発症様式（図1）

- 視神経疾患は原因により決まった発症様式を示す．診断に際し最も重要な問診項目である．

> - **突発性**：虚血性視神経症では，仕事中などに突然片眼の視力が最低の状態まで低下する．外傷性視神経症も外傷直後に起こる．突発性に両眼の視力が低下したら，下垂体卒中と皮質盲を考える
> - **急性**：視神経炎や鼻性視神経症は，視力低下が3日間位で最低となる急性発症を特徴とする．急性の視力低下が両眼に起こったら，両側視神経炎の他に可逆性後白質脳症も考える
> - **亜急性**：中毒性や栄養障害性視神経症では急性より遅く，発症後数週間，視力低下が進行する
> - **緩徐発症**：圧迫性視神経症は緩徐に発症するため，いつ発症したかわからず，視力低下も緩徐に進行する．小児の視神経膠腫と中年女性に好発する視神経鞘髄膜腫は進行が特に遅い
> - **片眼から両眼へ移行**：高齢者で突発性に片眼の視力が低下する側頭動脈炎による動脈炎性前部虚血性視神経症では数週間以内に，若年男性で片眼の視力低下が急性に発症するLeber病では数カ月以内に，反対眼にも同様の視力低下が起こる

c) 発症年齢

- 年齢により好発する疾患に特徴がある．問診の際，ある程度疾患を絞ることができる．

> - **小児**：ウイルス感染による視神経炎が多い．頻度は低いが視神経膠腫でも起こる

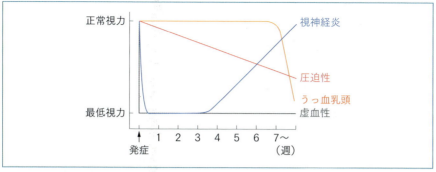

図1　視神経疾患の発症と経過
虚血性視神経症は急激に発症して改善しない．視神経炎は数日間で進行し，その後回復傾向を示す．圧迫性視神経障害は緩徐進行性である．うっ血乳頭は初期には視機能に異常はないが，頭蓋内圧亢進が数カ月持続すると急速に低下する

- 若年成人：多発性硬化症による視神経炎が多い．男性ならばLeber病，女性ならば乳頭血管炎も起こりやすい
- 成　人：鼻性視神経症や圧迫性視神経症の頻度が高い．中年女性では視神経鞘髄膜腫も多い
- 高齢者：虚血性視神経症が多い．両側後頭葉梗塞による皮質盲や癌性視神経症でも起こる

d) 随伴症状

- 視神経炎では，視線をずらすと眼球の奥がズキンと痛む眼球運動痛を訴えることが多い．特に上方を見ると起こりやすい．
- 抗MOG (myelin–oligodendrocyte glycoprotein) 抗体陽性視神経炎では，眼球運動痛より強い眼全体の痛みを訴えることが多い．
- 入浴時に視力が低下するUhthoff現象は多発性硬化症で自覚することがある．
- 側頭動脈炎では激しい頭痛を訴えるのが特徴である．発声時や咬合時の顎関節痛や，体重減少，食欲不振，倦怠感などの全身症状も伴う．
- Leber病のごく初期に，中心部の耳側が見づらいと訴えることがある．
- 小児で緩徐な視力低下を訴えたら視神経膠腫を考え，皮膚のcafé-au-lait斑や神経線維腫の有無を必ず聞く．
- 下垂体卒中では，両眼の視力低下に眼瞼下垂と激しい頭痛を伴う．
- 両側後頭葉病変で両眼の視力が低下する可逆性後白質脳症は，子癇前症–子癇と亜急性高血圧症で起こり，頭痛や痙攣，意識障害を伴う．

e) 既往歴と家族歴

- 小児の視神経炎はウイルス感染が多いため，発熱などの感冒様症状の前駆を聞く．
- 再発を繰り返す視神経炎をみたら，抗アクアポリン4抗体陽性視神経炎や抗MOG抗体陽性視神経炎を考える．
- 虚血性視神経症では，高血圧症や糖尿病，脳梗塞の既往を聞く．
- 外傷性視神経症では眉毛部外側の打撲を確認する．
- Leber病も頭部外傷後に誘発されることがあり，既往の有無を聞く．
- 成人では副鼻腔炎や副鼻腔炎手術の既往を必ず聞く．鼻性視神経症は数十年後に起こることがあり，本人も関連性を忘れがちとなる．
- 下垂体卒中は下垂体腺腫の既往が決め手となる．
- 両側後頭葉梗塞による皮質盲は，糖尿病や高血圧症などの血管障害危険因子を有し，片側後頭葉梗塞による同名半盲の既往があれば診断が確実となるが，いずれの部位でも脳梗塞の既往があれば可能性が高い．
- 両眼の視力低下をみたら，服薬歴や社会歴を詳しく聞く．

> - 視神経障害を起こすエタンブトールやシクロスポリン，シスプラチン，ジギタリス，アミオダロン，リネゾリドの服用を聞く
> - エタンブトールが非定型抗酸菌症で処方されている場合，結核の治療歴で聞くと否定されて見逃すことがあるため，必ず薬剤名で服用を確認する
> - トルエンなどの有機溶媒に曝される職場環境の有無を聞く
> - 飲酒歴や喫煙歴も，栄養障害性視神経症やLeber病の診断に必要である

- 家族歴は遺伝性，家族性視神経疾患の診断に欠かせない．

> - Leber病では母方の叔父に発症歴があるかを確認する
> - 遺伝性視神経萎縮では，兄弟や親族に原因不明の両眼の視力低下があるかを必ず聞く

f) 一過性視力低下

- 頻度が高い訴えで，視力低下の持続時間が原因診断の決め手となる．

> - 数秒間：うっ血乳頭の特徴であり両眼に起こる．注視誘発黒内障は視神経近傍の眼窩腫瘍でみられる
> - 数分間：網膜動脈の一時的な閉塞による一過性黒内障で起こる．経口避妊薬

> や血液の過粘稠度症候群でもみられる
> - 数十分間：両眼に起これば閃輝暗点や椎骨脳底動脈循環不全を，片眼ならば網膜片頭痛や，内頸動脈や眼動脈の狭窄による一過性単眼盲を考える
> - 数時間：遠視の中高年女性では，浅前房による間歇性原発閉塞隅角緑内障を忘れてはならない

2 視神経・視路異常による視野異常

- 視神経病変では患側の中心暗点や水平半盲，視神経視交叉移行部病変では患側の中心暗点と健側の上耳側半盲を示す連合暗点，視交叉病変では両耳側半盲，視索以降の病変では両眼とも健側の視野が欠ける同名半盲が起こる．
- 網膜疾患とは異なり，半盲では垂直または水平経線を境にして見づらさが変わることが特徴である．しかし，水平半盲と同名半盲以外は視野異常を訴えることは少ない．

a) 視野異常の性状
- 中心暗点：中心は見えないが周辺はある程度見える，見ようとするところが見えないと訴えることがあるが，多くは単に視力低下の訴えしかない．
- 水平半盲：上または下半分が見えないとはっきり訴える．
- 連合暗点：患側は視力低下しか訴えず，健側の上耳側半盲は軽度のため自覚しない．片側の視神経炎と誤って診断されやすい．
- 両耳側半盲：両眼とも外側が見えないと訴えることは決してなく，訴えても視野全体が狭い程度である．多くが片眼または両眼の視力低下の訴えで来院する．
- 同名半盲：右または左側の視野が見えにくいとはっきり訴えることが多いが，半盲側がチラチラするなどの飛蚊症様の訴えのこともある．
- いずれの半盲でも，垂直または水平経線を境にして見づらさが変わる．

b) 随伴症状
- 視交叉までの前部視路病変の診断に役立つ．

> - 視神経炎による中心暗点では，羞明感の低下と色覚の低下を必ず訴える．眼球運動痛もある
> - 視交叉障害をきたすホルモン産生下垂体腺腫では，プロラクチン産生による

無月経や乳汁分泌，成長ホルモン産生による末端肥大症と巨人症，副腎皮質ステロイド刺激ホルモン産生による満月様顔貌などのホルモン異常の訴えが診断の決め手となることが多い
- 中年男性に好発するホルモン非産生下垂体腺腫では非特異的頭痛を訴えることが多く，強い羞明を伴うこともある
- 小児の頭蓋咽頭腫では，尿崩症や傾眠，精神症状などの下垂体機能低下症や視床下部症状が診断に役立つ

- 上1/4同名半盲を示す側頭葉病変では，意識が混濁し，口唇を噛んだり部屋の中を歩き回る精神運動発作を伴うことがある．また，髄膜腫などの腫瘍性病変の頻度が高いことから，頭痛を訴えることが多い．
- 同名半盲を示す後頭葉病変の回復期に羞明を訴えることがある．
- 小児の同名半盲は外斜視で気づくことがある．特に副腎白質ジストロフィーは，同名半盲より，中途で発症する外斜視で発見されることが多い．

c) 既往歴
- 水平半盲を示す非動脈炎性前部虚血性視神経症や同名半盲をきたす後部視路病変では，糖尿病や高血圧症の有無を聞く．
- 脳梗塞や脳出血の既往も確認する．
- 小児で一過性の同名半盲を訴えたら，ミトコンドリア脳筋症・乳酸アシドーシス・脳卒中様発作症候群（mitochondrial encephalomyopathy, lactic acidosis and stroke-like episodes：MELAS）の既往，特に痙攣の有無を必ず聞く．

> **Column**
>
> **母親は名医**
>
> 乳幼児では本人が症状を訴えることは少なく，主に母親が異変をみつけて来院する．視力障害や同名半盲などの視野障害は行動の変化や減退で，眼球運動障害は眼位の変化や代償頭位で，さらには眼瞼下垂やMarcus Gunn現象などの眼瞼の異常や瞳孔異常は授乳時に発見されることが多い．
> 診察時，母親自身が気づいたか，他人に指摘されたのかを必ず聞くとよい．母親の観察力は鋭く，自身が気づいた場合はほぼ本物の病気で，他人に指摘されたが自身が気にしていなければまず偽物である．

G 問診から診察，診断へ

- 問診で得られた情報から原因となる疾患を考え，基本診察手技を駆使して診断を確定する．それぞれの訴えから診断への道筋を示す（図2〜9）．

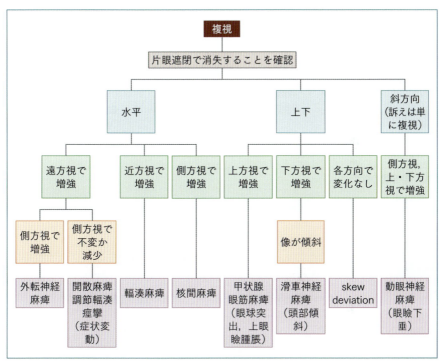

図2 複視の診断

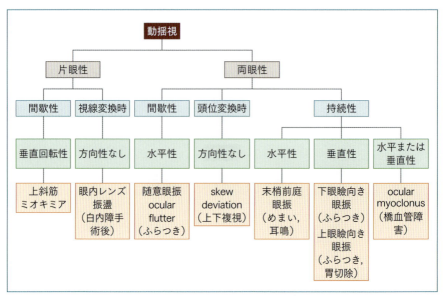

図3　動揺視の診断

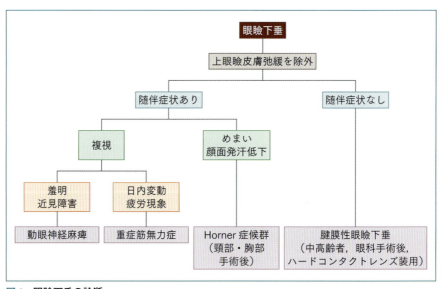

図4　眼瞼下垂の診断

G 問診から診察，診断へ

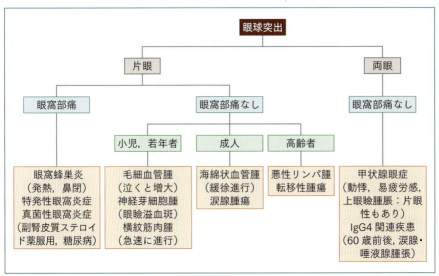

図5 眼球突出の診断

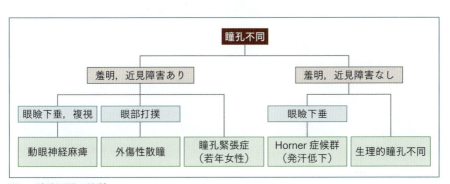

図6 瞳孔不同の診断

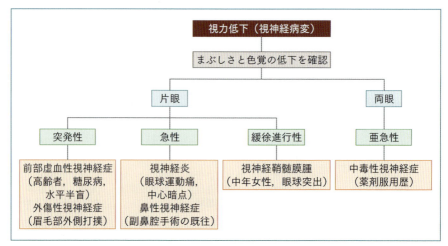

図7　視神経病変による視力低下の診断

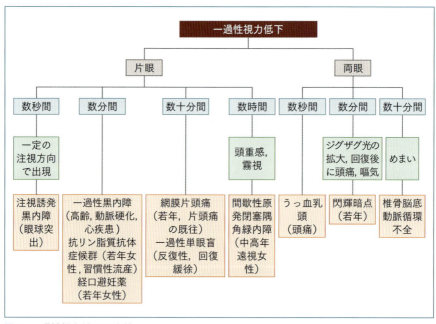

図8　一過性視力低下の診断

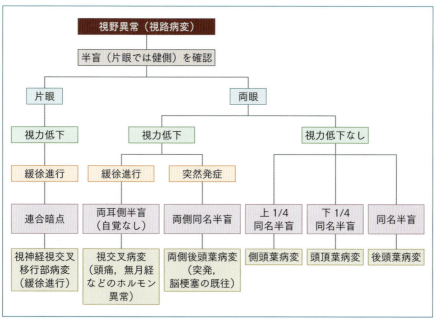

図9 視路病変による視野異常の診断

Chapter 3

基本診察

A 眼球運動の診察

- 眼球運動制限の診察には，各注視方向で主にどの外眼筋が働いているかを知らなければ何も情報は得られない．
- 各外眼筋の最大作用方向は，下記であることを丸暗記ではなく，眼球と外眼筋の形態学的な位置関係で理解する(図1)．(☞神経眼科疾患の特徴：外眼筋の解剖)

> - 内直筋：内転方向
> - 外直筋：外転方向
> - 上直筋：上転方向，特に外上転方向
> - 下直筋：下転方向，特に外下転方向
> - 上斜筋：下転方向，特に内下転方向
> - 下斜筋：上転方向，特に内上転方向

1 頭位の変化(代償頭位)の観察

- 代償頭位を観察すると眼球運動異常をある程度推測できる．臨床的によくみられる代償頭位は，下記がある．

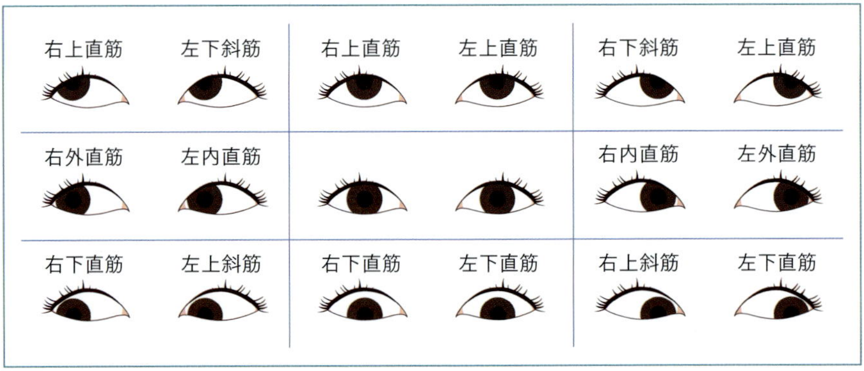

右上直筋	左下斜筋	右上直筋	左上直筋	右下斜筋	左上直筋
右外直筋	左内直筋			右内直筋	左外直筋
右下直筋	左上斜筋	右下直筋	左下直筋	右上斜筋	左下直筋

図1　各注視方向で働く外眼筋
上下直筋は外転時，上下斜筋は内転時に上転下転作用が強くなる．上直筋は外上転方向，下直筋は外下転方向，上斜筋は内下転方向，下斜筋は内上転方向で働く．真上は上直筋，真下は下直筋が主に働く

- 頭部を傾ける：滑車神経麻痺，ocular tilt reaction（眼頭部傾斜反応）
- 頭部を回転する：外転神経麻痺，先天眼振
- 顎を上げる，下げる：垂直注視麻痺，垂直筋麻痺

- また，各外眼筋が単独で麻痺した場合の代償頭位は，実際には起こり得ないが各外眼筋が正面視（第一眼位）で単独で働いたと仮定した時に起こる眼球運動の方向と一致する．

- 内直筋麻痺（内転作用）：頭部を反対側へ回転する
- 外直筋麻痺（外転作用）：頭部を同側へ回転する
- 上直筋麻痺（上転作用，内方回旋作用，内転作用）：顎を上げ，頭部を反対側に傾けて反対側へ回転する
- 下直筋麻痺（下転作用，外方回旋作用，内転作用）：顎を下げ，頭部を同側に傾けて反対側へ回転する
- 上斜筋麻痺（下転作用，内方回旋作用，外転作用）：顎を下げ，頭部を反対側に傾けて同側へ回転する
- 下斜筋麻痺（上転作用，外方回旋作用，外転作用）：顎を上げ，頭部を同側に傾けて同側へ回転する

特に滑車神経麻痺では，この上斜筋麻痺の代償頭位の所見が診断に役立つ．

2 眼位検査

- 眼球運動制限があると正面位で眼の位置に異常が出現する．外転神経麻痺と開散麻痺は内斜視，動眼神経麻痺と輻湊麻痺は外斜視，滑車神経麻痺とskew deviationは上下斜視となる．ただし，外眼筋の機械的運動制限では正面眼位に変化がないことも多く，眼球運動神経麻痺との鑑別点となる．
- 眼位検査には，他覚的検査と自覚的検査がある．

a) 他覚的検査

- Hirschberg試験：ペンライトの光を両眼に当て，角膜反射の位置で眼位を観察する（図2～6）．
- 交代遮閉試験：ペンライトなどの視標を固視させて左右交互に遮閉を繰り返し，正中位へ戻る眼球の動きで眼位を観察する（図7）．

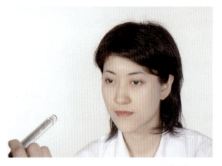

図2　眼位検査（Hirschberg試験）
被検者の両眼にペンライトの光を当て，角膜上の光の位置で眼位を観察する．外方にあれば内斜視，内方にあれば外斜視，上方にあれば下斜視，下方にあれば上斜視である

図3　Hirschberg試験（内斜視）
左眼の角膜上の光は正中にあるが右眼は耳側にあり（矢印），右眼が内斜視となっている

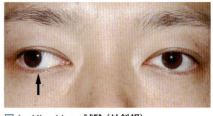

図4　Hirschberg試験（外斜視）
左眼の角膜上の光は正中にあるが右眼は鼻側にあり（矢印），右眼が外斜視となっている

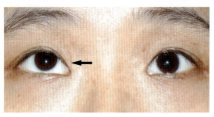

図5　Hirschberg試験（上斜視）
左眼の角膜上の光は正中にあるが右眼は下方にあり（矢印），右眼が上斜視となっている

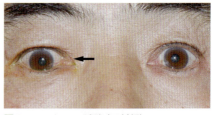

図6　Hirschberg試験（下斜視）
左眼の角膜上の光は正中にあるが右眼は上方にあり（矢印），右眼が下斜視となっている

図7　眼位検査（交代遮閉試験）
ペンライトの光などの視標を固視させ，左右交互に遮閉を繰り返し，正中へ戻る動きを観察する．内方から戻れば内斜視，外方から戻れば外斜視，上方から戻れば上斜視，下方から戻れば下斜視である

b) 自覚的検査

- 赤ガラス試験：一眼の眼前に赤ガラスを置き，ペンライトの光を両眼に当て，赤い光とペンライトの光の位置関係を尋ねる．赤い光が赤ガラスを置いた眼と同じ側に見えれば内斜視，反対側にならば外斜視，上に見えれば赤ガラスを置いた眼が下斜視，下ならば上斜視となる．（☞基本診察：複像検査）

3 回旋偏位の検査

- 滑車神経麻痺とocular tilt reactionの診断に必須の検査である．

a) Maddox杆（図8）

- 一眼の眼前にMaddox杆を縦方向に置き，水平方向に見える赤い線条の傾きを尋ねるほうが答えを得やすい．

  - **外方回旋**（12時を中心に眼球が耳側へ回転：右眼では反時計回り，左眼では時計回り）：赤い線条が右眼では左下がりに，左眼では右下がりに見える
  - **内方回旋**（12時を中心に眼球が鼻側へ回転：右眼では時計回り，左眼では反時計回り）：赤い線条が右眼では右下がりに，左眼では左下がりに見える

b) 眼底写真（図9）

- 正常：黄斑は視神経乳頭の中央と下縁の高さの間に位置する．
- 外方回旋：黄斑が視神経乳頭の下縁の高さより下方に偏位する．
- 内方回旋：黄斑が視神経乳頭の中央の高さより上方に偏位する．

図8　Maddox杆
Maddox杆を被検者の眼前に置き，ペンライトの光を当てた時に直角方向に見える線条の傾きを尋ねる．Maddox杆を縦にして，水平方向の線条の傾きを問うほうが答えを得やすい

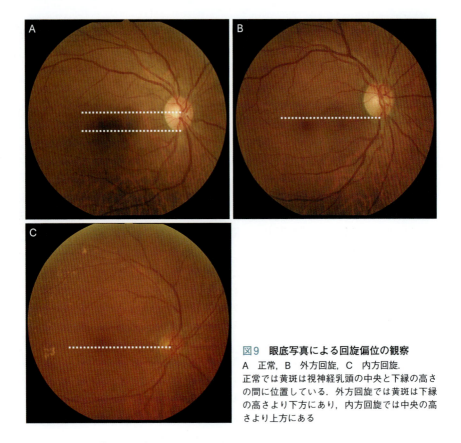

図9　眼底写真による回旋偏位の観察
A　正常，B　外方回旋，C　内方回旋．
正常では黄斑は視神経乳頭の中央と下縁の高さの間に位置している．外方回旋では黄斑は下縁の高さより下方にあり，内方回旋では中央の高さより上方にある

4　麻痺眼の同定

- 麻痺眼では，距離感がつかめない定位の誤認がある．
- 片眼を遮閉して，小脳症状を調べる指鼻試験と同様に，検者の指先を被検者の人差し指で触れさせる．正確に触れることができるのが健眼，正確に触れることができないほうが麻痺眼である．
- 健眼で固視した時の麻痺眼の偏位（第1偏位）より，麻痺眼で固視した時の健眼の偏位（第2偏位）のほうが大きい．正面位で右眼または左眼で固視した時，偏位眼のずれが大きい時の固視眼が麻痺眼である（図10）．

A 眼球運動の診察

図10 右外転神経麻痺の第1偏位と第2偏位
A 左眼固視（第1偏位），B 右眼固視（第2偏位）．
右外転神経麻痺では，健側の左眼で固視した時の右眼の内斜視より（黄矢印），麻痺側の右眼で固視した時の左眼の内斜視のほうが大きい（赤矢印）

 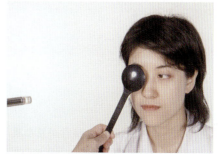

図11 眼球運動検査（version test）
両眼開放下で眼球運動制限の有無を観察する

図12 眼球運動検査（duction test）
version testで制限がみられたら，健眼を遮閉して片眼でも制限があるかを再度確認する

5 眼球運動制限の肉眼的観察

a) version test（図11）

- 両眼開放下で各注視方向に眼球運動を行わせて制限の有無を観察する．制限が軽度の場合は各注視方向にゆっくり動かし，一眼の動きが停止してもなお他眼に動きがみられれば，先に停止した眼に制限があることが分かる．

b) duction test（図12）

- version testで制限がある場合は，必ず健眼を遮閉して片眼でも制限があるかを再確認する．

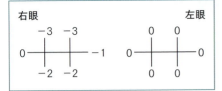

図13　眼球運動制限の記載法
検者が見た通り，右眼は向かって左，左眼は右に，それぞれ6方向の結果を制限の程度に応じて0〜-4の5段階で記載する．図は右動眼神経麻痺の症例で，右眼の内転，上転，および下転が制限されている

c) 眼球運動制限の記載法（図13）

- 可動範囲の程度から5段階で表記する．

  - 0〜10度 ：−4
  - 10〜20度：−3
  - 20〜30度：−2
  - 30〜40度：−1
  - 40度以上：　0

- 片眼ずつ6方向で，検者が見た通りに表記する．

6　複像検査（赤ガラス試験）（図14,15）

- 正面位を含む各注視方向における眼位の変化を自覚的に答えてもらい，眼筋麻痺を診断する検査である．

  - ①軽度の眼筋麻痺の診断
  - ②肉眼的に観察された眼球運動制限の再確認に用いる

a) 方法
- 一眼の眼前に赤ガラスを置き，ペンライトの光を両眼に当てる．
- 正面位と各注視方向でペンライトと赤い光の位置と間隔を尋ねる．

b) 要点
- 赤ガラスは左右どちらの眼前に置いてもよい．
- 視力差がある時は，視力良好眼に赤ガラスを置くほうが答えを得やすい．
- 最初から両眼に光を当てるのではなく，まず一眼ずつそれぞれの眼で見える光を確認させる．次に赤ガラスを置いた眼を遮閉し，遮閉を解除した直後に赤い光が今見えているペンライトのどの位置に見えるかを尋ねるとよい．

A 眼球運動の診察

図14 複像検査（赤ガラス試験）
被検者の一眼の眼前に赤ガラスを置き，両眼にペンライトの光を当てる．ペンライトの光と，赤ガラスを通して見える赤い光がどのような位置関係にあるかを，正面を含む9方向で問う

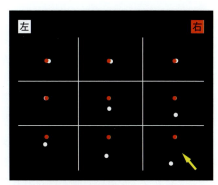

図15 複像検査の記載法
被検者が見た通り向かって右が右方視，左が左方視で，赤い光とペンライトの光の位置関係を被検者が見た通りに記載する．また，左右どちらの眼前に赤ガラスを置いたかを必ず明記する．図では，赤ガラスを右眼に置いた時，正面位で赤い光が上に見え（左眼上斜視），下方視で間隔が広がり，右下方視で最大になることから（矢印），左滑車神経麻痺の形である

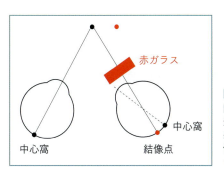

図16 複像検査の原理
図のように，赤ガラスを置いた眼が内斜視ならば，光は中心窩の鼻側網膜に映る．鼻側網膜は耳側から来る光を感じているため，赤い光はペンライトの右側（同側性）にあると答える．外斜視ならばペンライトの左側（交叉性）にあると答える

- 正面位での複像のずれをプリズムで中和すると，麻痺の程度や経過を定量的に観察できる．

c）判定
- 麻痺筋の作用方向を見た時にずれが最大となる．
- 麻痺眼で見た光が周辺に位置する．

d）原理（図16）
- 各注視方向の眼位のずれを自覚的に答えてもらう検査である．
  ❶内斜視
- 右眼の眼前に赤ガラスを置く．
- 赤ガラスを通して右眼に入った光は中心窩より鼻側の網膜に映る．

- 鼻側網膜は本来耳側の物体を見ているため,被検者は赤い光が正面より耳側,すなわちペンライトの右側にあるように自覚する.
- 眼位が内斜視となっていれば,赤ガラスをどちらの眼の前に置いても赤い光は赤ガラスを置いた眼と同じ方向,すなわち同側性に位置すると答える.

❷外斜視
- 右眼の眼前に赤ガラスを置く.
- 赤い光は中心窩より耳側の網膜に映るため,ペンライトの左側に見える.
- 眼位が外斜視となっていれば,赤ガラスをどちらの眼の前に置いても赤い光は赤ガラスを置いた眼と反対の方向,すなわち交叉性に位置すると答える.

❸上斜視
- 右眼の眼前に赤ガラスを置く.
- 右眼が上斜視の場合,赤い光は中心窩より上方の網膜に映るため,ペンライトの下方に見えると答える.
- 赤ガラスを左眼に置いた時はペンライトの上方に見えると答える.

❹下斜視
- 右眼の眼前に赤ガラスを置く.
- 右眼が下斜視の場合,赤い光は中心窩より下方の網膜に映るため,ペンライトの上方に見えると答える.
- 赤ガラスを左眼に置いた時はペンライトの下方に見えると答える.

e) 長所と短所

❶長所
- 肉眼的には検出が困難なごく軽度の眼筋麻痺も診断できる.特に滑車神経麻痺やskew deviationの診断には絶対に必要である.
- 距離を変えて遠方と近方での眼位の違いを測定できる.開散麻痺や調節輻湊痙攣,輻湊麻痺は本検査法を利用しないと診断できない.

❷短所
- 小児や応答が得られない患者では施行できない.
- 両眼視機能が欠如している患者では答えが一定せず,得られた結果は不正確である.
- 定量的観察がやや不十分である.
- 両眼性の眼筋麻痺でも診断可能であるが,結果の解釈が難しくなる.

7 Hess赤緑試験（図17～19）

- 末梢性眼筋麻痺では，健眼で固視した時の麻痺眼の偏位（第1偏位）より，麻痺眼で固視した時の健眼の偏位（第2偏位）のほうが大きい．Hess赤緑試験は，この第1偏位と第2偏位の違いを自覚的に答えてもらう検査法である．

> - ①軽度の眼筋麻痺の診断と麻痺の程度の定量的な観察
> - ②肉眼的な観察や複像検査で診断された軽度の眼筋麻痺の再確認に用いる

a) 方法

- プロジェクターを用いてスクリーンに赤い格子を投影し，被検者は一目盛りが5度の視角になる距離に座る．
- 赤フィルターを一眼に，緑フィルターを反対眼の前に置く．
- 赤フィルターを通して見える赤い格子に映された15度の範囲の9点を，手に持ったトーチの緑の矢印で順に指させ，その位置をHess chartに記載する．
- 緑フィルターを右眼に置いた時は向かって右側のGrünglas rechtsと表示されている図（右眼）に，左眼に置いた時は向かって左側のGrünglas linksと表示されている図（左眼）に記入し，各測定点を線で結びチャートを作成する（注：図19では日本語で表示している）．
- 可能ならば，周りの30度の位置の12点を緑の矢印で指させて同様に記載するが，過動を示す健眼では緑の矢印がスクリーンから外れてしまうことが多く，無理に測定する必要はない．
- フィルターを左右逆にして同様に検査を行う．

b) 判定

- 左右の四角の面積を比較し，面積の狭いほうが麻痺眼である．
- 面積の狭いほうの図で，固視点と測定点の距離が最も離れている点が麻痺筋である．
- 面積の広いほうの図で，固視点と測定点の距離が最も離れている点が麻痺筋の共同筋である．

c) 原理（図20）

- 赤フィルターを置いた眼が固視眼で，緑フィルターを置いた眼の偏位を測定する．
- 右側の図（右眼またはrechtes Auge）は赤フィルターを置いた左眼で固視した時の緑フィルターを置いた右眼の偏位，左側の図（左眼またはlinkes

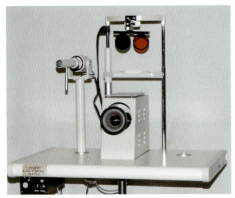

図17　Hess赤緑試験の視標投影用のプロジェクター

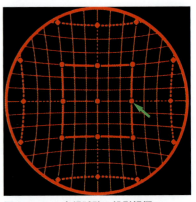

図18　Hess赤緑試験の投影視標

赤い格子状の投影視標は，1mの検査距離では一目盛りが5度の視角となる．赤フィルター側の眼で見える赤い格子の中心から15度の9点と30度の12点を，緑フィルター側の眼で見えるトーチの緑の矢印で指してもらい，結果をHess chartに記載する．その後，赤フィルターと緑フィルターを左右逆にして同様に検査を行う．赤フィルター眼が固視眼である

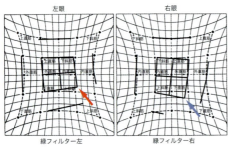

図19　Hess赤緑試験の記載法

緑フィルターを右眼に置いた時は右の図に，左眼に置いた時は左の図に緑の矢印で指した位置を記載する．図では，右眼で固視した時の左眼の面積が狭いことから右眼が健眼で左眼が麻痺眼であり，上斜筋方向のずれが最大で（赤矢印），しかも右眼の下直筋方向のずれが過動症のために最大となることから（青矢印），左滑車神経麻痺の形である

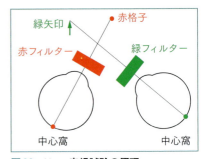

図20　Hess赤緑試験の原理

赤フィルターを置いた眼が固視眼で，緑フィルターを置いた眼の偏位を調べる．健眼で固視した時の第1偏位と，麻痺眼で固視した時の第2偏位を測定している

Auge）は赤フィルターを置いた右眼で固視した時の緑フィルターを置いた左眼の偏位を表している．

- 健眼で固視した時の麻痺眼の偏位（第1偏位）より，麻痺眼で固視した時の健眼の偏位（第2偏位）のほうが大きい：面積の狭いほうが麻痺眼．
- 麻痺筋の作用方向を見た時に両眼のずれが最大となる：固視点と測定点の距離が最も離れている点が麻痺筋．

d) 長所と短所

❶ 長所
- 麻痺の程度を定量的に測定できる．
- 経過観察に有用である．

❷ 短所
- 特別な装置が必要である．
- 検査が理解できない小児や応答が得られない患者では施行できない．
- 両眼視機能が欠如している患者では結果は不正確である．
- 麻痺の程度が強い場合は，緑の矢印が固視点から大きく離れてしまうために測定が困難であり，本検査法の適応にならない．
- 陳旧例では第1偏位と第2偏位の差が不明瞭となるため，結果の解釈が難しくなる．
- 両眼性の眼筋麻痺は対象にならない．

8 Bielschowsky頭部傾斜試験（図21）

- 上下偏位がある場合の麻痺筋の同定，特に滑車神経麻痺の診断に有用である．

> - 頭部を左右に傾けた時の上下偏位の程度差を測定する．他覚的判定はHirschberg試験や交代遮閉試験で行い，自覚的判定には赤ガラス試験を用いる
> - 麻痺筋の回旋作用方向に頭部を傾けると複視は軽減する
> - Parks-Bielschowsky 3-step test：Bielschowsky頭部傾斜試験を応用した垂直麻痺筋の診断で，赤ガラスを用いてずれを確認すると判定がより容易となる
> 1st step：左右どちらの眼が上斜視か……上斜視眼の下転筋か下斜視眼の上転筋が麻痺筋である（左右2筋ずつに限定される）
> 2nd step：左右どちらの側方視で上斜視が増強するか……外転眼の上下直筋か内転眼の上下斜筋が麻痺筋である（左右1筋ずつに限定される）
> 3rd step：頭部を左右のどちらかに傾けると上斜視が軽減するか……頭部の傾きと同じ方向へ回旋作用を持つ上下筋が麻痺筋である（麻痺筋が決まる）

- ただし，2nd stepは上方視と下方視のどちらで上下斜視が増強するかを調べてもよく，むしろそのほうが分かりやすい．上方視で増強すれば下斜視眼の上転筋，下方視で増強すれば上斜視眼の下転筋麻痺となり，麻痺眼の2筋に限定できる．

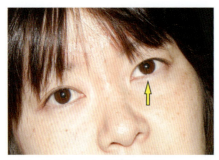
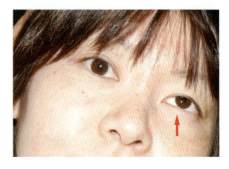

図21　Bielschowsky頭部傾斜試験
頭部を左右に傾け，眼球の上下偏位に差があるかを調べる．図のように，左滑車神経麻痺では頭部を健側の右に傾けると左上斜視は軽減し（黄矢印），患側の左に傾けると増強する（赤矢印）．肉眼では判断できない場合は，赤ガラス試験で自覚的に差があるかを調べる

図22　牽引試験（forced duction test）
点眼麻酔を行い，制限方向と反対側の輪部付近の結膜とテノン嚢を固定鑷子や有鈎鑷子で把持し，制限方向に注視を促しながら制限方向に牽引した時の抵抗の有無を調べる．機械的眼球運動制限の診断に必須の検査である

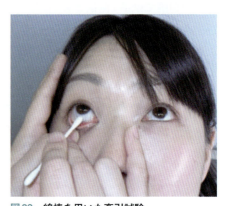

図23　綿棒を用いた牽引試験
点眼麻酔を行い，綿棒で制限方向へ球結膜を押し動かした時の抵抗の有無でも調べることができる

9　牽引試験（図22, 23）

- 眼窩吹き抜け骨折や甲状腺眼症などの機械的眼球運動制限の診断法である．

  - 点眼麻酔を十分に行い，有鈎または固定鑷子で輪部付近の球結膜とテノン嚢を把持し，制限方向へ牽引して抵抗の有無を調べる
  - その際，被検者には制限方向を向き続けてもらう必要がある
  - 鑷子で把持する代わりに綿棒で球結膜を押し動かし，抵抗の有無を調べる方法でも判定できる
  - わずかな抵抗ではなく，ほとんど動かないのが陽性である

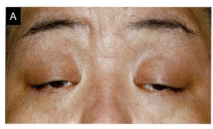 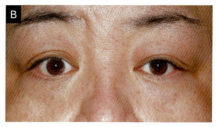

図24 テンシロン試験
A テンシロン静注前，B テンシロン静注後．
重症筋無力症では，テンシロン静注1〜1分半後に，Bのように眼瞼下垂や眼球運動制限が消失する

10 テンシロン試験 (図24)

- 重症筋無力症の確定診断に用いる．

a) 方法

- 生理食塩水の点滴で血管を確保する．
- 側管からテンシロン（エドロホニウム塩化物：アンチレクス®）0.3〜0.5 mLを静注する．
- 効果は1〜1分半後に最大となり，5分で消失する．
- 硫酸アトロピンを常に準備し，頻度はきわめて低いがムスカリン作用による徐脈や血圧低下，呼吸困難が出現したら0.4 mgを静注する．

b) 判定

- 重症筋無力症では眼球運動制限や眼瞼下垂が消失する．
- 改善は偽陽性であり，海綿静脈洞病変や慢性進行性外眼筋麻痺でみられることがある．
- まれに3分位と遅れて効果が出現することがあるため，5分間は観察が必要である．

11 核上性眼球運動検査

a) 人形の目現象（頭位変換眼球反射）(図25)

- 眼球運動制限が核上性か核下性かを鑑別する検査である．

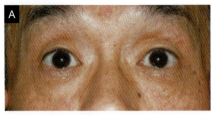

図25 人形の目現象
A 上方視,B 人形の目現象.
検者の鼻尖を固視させて,他動的に被検者の頭部を左右に回転または顎を上げ下げし,眼球が頭部の動きと逆方向へ動くかを調べる.核上性眼球運動障害の診断の決め手となる.Aに示す上方視時に両眼とも上転が制限されているが,Bのように顎を下げると上方へ動くことから,核上性病変による上方注視麻痺である

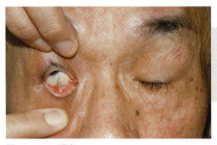
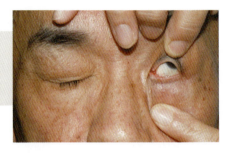

図26 Bell現象
閉瞼させて他動的に開瞼するか,他動的に開瞼を維持して閉瞼を行った時,眼球が上転するかを調べる.上転障害がある場合,核上性か核下性障害かの鑑別に役立つ.核上性障害ではBell現象は保たれる

> - 他動的に頭部を左右上下に動かし,反対方向へ眼球が動くかどうかを観察する
> - 水平注視麻痺や垂直注視麻痺などの核上性眼球運動制限では保たれるが,核下性眼球運動制限では起こらない

b) Bell現象(図26)

- 核上性病変による上方注視麻痺と核下性病変による上転制限の鑑別に役立つ.

> - 閉瞼した時の眼球の上方への偏位を観察する
> - 観察方法には,閉瞼状態で他動的に開瞼した時と,開瞼を他動的に維持した状態で閉瞼を指示した時の2種類がある
> - 核上性の上方注視麻痺では保たれるが,核下性病変による上転制限では起こらない

c) 滑動性追従運動

- 中枢性眼球運動障害の診断に用いる．

> - 眼前の視標を左右上下に等速度でゆっくり動かし，これを追視した時の眼球の動きを観察する
> - 滑らかに動かなければ小脳や脳幹病変が疑われる

d) 衝動性眼球運動

- 中枢性眼球運動障害の診断に用いる．

> - 左右または上下に固視目標を置き，瞬時に視線を変えた時の眼球の動きを観察する
> - 小脳病変では，固視目標を越えてしまうhypermetria(overshoot)や，手前でいったん止まった後にあらためて固視目標に達するhypometria(undershoot)がみられる
> - 核間麻痺では内転方向への速度低下が必ずみられる．動眼神経麻痺などの内転制限を示す他の疾患との重要な鑑別点となる
> - 前頭葉病変の急性期には，両眼が患側方向へ偏位する共同偏視が起こる．回復期になると，健側方向の衝動性眼球運動が目標に1回では届かないhypometriaと，軽度の速度低下がみられる

e) 視運動性眼振（図27, 28）

- OKNドラムや検影法に用いる板付きレンズで解発させる．正常では，刺激方向とは逆の方向へ眼振が解発される．中枢性眼球運動障害の診断に用いる．

> - 注視麻痺では麻痺方向への解発が不良となる
> - 核間麻痺では麻痺眼の内転方向への解発が不良となり，左右眼で非対称を示す
> - 頭頂葉病変では健側方向（同名半盲側）への解発が不良となる．頭頂葉病変と後頭葉病変の鑑別に役立つ
> - 先天眼振では，正常とは逆に刺激方向に解発される錯倒現象がみられ，後天眼振と区別できる

図27　OKNドラムによる視運動性眼振の観察
被検者の眼前でOKNドラムを左右上下に回転させ、縞模様を追う時に出現する視運動性眼振を観察する

図28　板付きレンズによる視運動性眼振の観察
OKNドラムの代わりに板付きレンズを用いても、視運動性眼振の観察は可能である。左右または上下に動かし、正面を通過するレンズを数えてもらうと解発できる

12 眼振の観察

- 正面位と左右上下の各注視方向で観察する．
- 眼振の方向が肉眼では判断できない場合は，細隙灯顕微鏡や＋10Dのレンズを装着した眼鏡装用下で拡大して観察すると分かりやすい．
- 側方注視眼振がある時は，10秒間側方注視を維持させた後，素早く正中位に戻して反跳眼振（rebound nystagmus）の有無を必ず確認する．

B　眼瞼の診察

1　瞼裂幅測定（図29）

- 正面視を指示し，定規で上眼瞼縁と下眼瞼縁の間の距離を測定する．
- 代償性に前頭筋を用いて眉毛部を挙上している場合は，眉毛部の上方を検者の指で押さえて前頭筋の働きを抑制して測定する．
- 上下斜視がある場合は下斜視眼の瞼裂が狭く見えるため，片眼を遮閉して正面視の状態で測定する．
- 眼瞼下垂：神経性，筋性，腱膜性．
- 瞼裂開大：中脳水道近傍病変（Collier徴候），甲状腺眼症（Dalrymple徴候），Machado-Joseph病．
- plus-minus眼瞼徴候（一眼の瞼裂開大，反対眼の眼瞼下垂）：重症筋無力症．

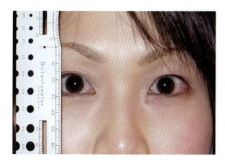

図29 瞼裂幅の計測
正面視を指示して定規を当て，上眼瞼と下眼瞼の間の最大距離で瞼裂幅を測定する

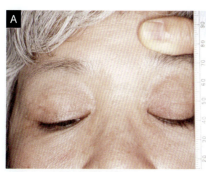
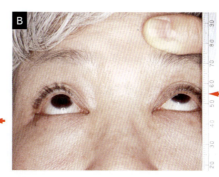

図30 上眼瞼挙筋力の計測
検者の指で計測眼の眉毛部の上方を圧迫して前頭筋の働きを抑え，下方視と上方視での上眼瞼縁の位置の差で上眼瞼挙筋力を測定する．Aの下方視時は目盛りの40mm（矢印），Bの上方視時は55mmの位置にあり（矢印），その差の15mmが上眼瞼挙筋力となる

2 上眼瞼挙筋力測定（図30）

- 眉毛部の上方を検者の親指で押さえ，前頭筋の働きを抑制する．
- 下方視時と上方視時の上眼瞼縁の高さの差を測定する．
- 10mm以上が正常である．
- 上眼瞼挙筋力が低下していれば，動眼神経麻痺と筋性眼瞼下垂（重症筋無力症，先天眼瞼下垂）を考えるが，軽症例では低下がみられないことがある．
- 上眼瞼挙筋力が正常ならば，Horner症候群と腱膜性眼瞼下垂である．

3 眼瞼の動きの観察

a) Graefe徴候（lid lag）

- 下方視を指示すると，上眼瞼の下がりが不十分で上方の球結膜が露出する．

図31　疲労現象
重症筋無力症では，正面視や上方視を維持させると，Bのように眼瞼下垂が増強する

- 甲状腺眼症に特徴的な徴候である．

b) 偽Graefe徴候
- 甲状腺眼症以外でlid lagがみられたら以下の疾患を考える．

> - 眼球の上転下転制限と散瞳を伴う眼瞼下垂眼にみられる時は，動眼神経麻痺後の異常神経支配である
> - 眼瞼下垂眼にみられる場合は先天眼瞼下垂である
> - 眼球陥凹眼に合併するのはsilent sinus syndromeしかない

c) 重症筋無力症でみられる徴候
- 特に疲労現象とlid twitch現象は，重症筋無力症の診断の決め手となる．

❶疲労現象（図31）
- 上方視を持続させ，しだいに上眼瞼が下がってくるかを観察する．
- 重症筋無力症では，上方視を維持した後，正面視を指示すると眼瞼下垂が増強する．

❷lid twitch現象
- 10〜15秒間下方視を命じた後ゆっくり上方視を行わせた時，上眼瞼が挙上する途中で一過性にピクピクと収縮する．
- 症状が強い場合は正面視でも出現することがある．
- 重症筋無力症に特異的な所見で，本徴候があればほぼ診断は確定する．
- 重症筋無力症の活動性所見であり，薬物治療が不良の所見でもある．

❸enhanced ptosis現象（図32）
- 一眼の上眼瞼を検者の指で他動的に挙げた時，反対眼の眼瞼下垂が増強する徴候である．
- 重症筋無力症の活動期にみられるが，特異性は低い．
- 慢性進行性外眼筋麻痺やFisher症候群でも出現することがある．

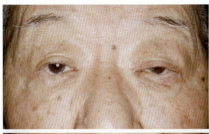
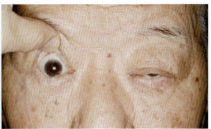
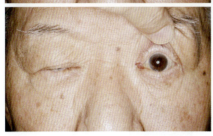

図32　enhanced ptosis現象
片眼の上眼瞼を他動的に挙上すると，反対眼の眼瞼下垂が増強する現象である．重症筋無力症でみられるが，他の疾患でも観察されることがある

4 テンシロン試験

- 重症筋無力症の確定診断に用いる．（☞基本診察：テンシロン試験）
- 重症筋無力症では注射後1〜1分半で眼瞼下垂が消失する．
- 閉瞼状態で5分間保冷剤を眼瞼に当て，眼瞼下垂の一瞬の改善の有無を観察するice pack testがある．眼瞼が冷却で痛くなるなど苦痛が大きく，閉瞼して安静に保つだけでも同じ効果が得られるため利用価値はあまりない．

C 眼球突出の診察

1 眼球突出の肉眼的観察（図33, 34）

- 被検者に顎を引いてもらい，前額方向から上眼瞼の位置を観察する．
- 閉瞼した状態で軽く眼球を押すと，眼球突出眼には抵抗がある．

2 定量的測定

- 三田式万能計測器：右眼用と左眼用があり，それぞれ眼窩骨外縁に直角に当てて角膜頂点の位置を計測する（図35, 36）．

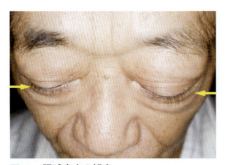

図33　眼球突出の観察
被検者に顎を引いてもらい，前額方向から両眼の上眼瞼の位置を観察する（矢印）．図では左眼に眼球突出があることが分かる

図34　眼球圧迫試験
閉瞼した状態で両手の示指で軽く眼球を押すと，眼球突出眼には抵抗がある

図35　三田式万能計測器
両端に，右眼と左眼の眼球突出計測用の目盛りがある

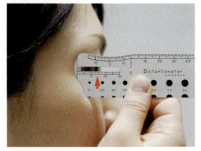

図36　三田式万能計測器を用いた眼球突出度の計測
右眼では右用の眼球突出計を眼窩骨外縁に当て，隙間を通して見える角膜先端の位置を目盛りで読む．図では，右眼の眼球突出度は14mmである（矢印）

図37　Hertel眼球突出計を用いた眼球突出度の計測
Hertel眼球突出計の幅を被検者の両側の眼窩骨外縁の距離に合わせて当て，鏡に映った角膜先端の位置を目盛りで読む

- Hertel眼球突出計：経過を観察する場合は眼窩骨外縁間距離を一定にして測定する（図37）．

D 瞳孔の診察

1 瞳孔径の測定（図38, 39）

- 遠方視を指示し，定規やHaab瞳孔計で測定する．
- 瞳孔不同があれば明所と，瞳孔が観察できる程度の暗所で観察する．
- 明所と暗所で瞳孔不同に差がない場合は生理的瞳孔不同を考える．
- 明所より暗所で瞳孔不同が著明になる場合は縮瞳眼のHorner症候群である．
- 暗所より明所で瞳孔不同が著明になる場合は散瞳眼の副交感神経障害である．

2 瞳孔の形の観察（図40）

- 細隙灯顕微鏡を用いると観察が容易となる．
- 不正円形であれば，外傷性散瞳，瞳孔緊張症，Argyll Robertson瞳孔，mid-

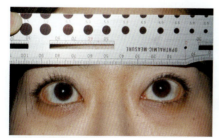

図38　瞳孔径の計測
遠方視を指示して瞳孔の上方に定規を置き，横径を測定する

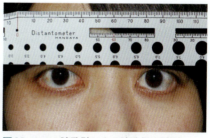

図39　Haab瞳孔計による瞳孔径の計測
Haab瞳孔計を瞳孔の上方に置き，瞳孔の大きさに一致した黒い半円の径で瞳孔径を測定するとより計測しやすい

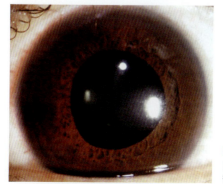

図40　瞳孔の形の観察
肉眼または細隙灯顕微鏡下で，瞳孔が正円か否かを観察する．図は瞳孔緊張症で不正円形となっている

brain corectopiaを考える．
- 瞳孔縁のiris ruffと呼ばれる濃い色素襞の部分的欠損も確認できれば瞳孔緊張症と診断できる．

3 瞳孔反射

a) 対光反射（図41）
- 遠方視を指示し，下方からペンライトの光を瞳孔に当てる．
- 光を当てた眼の瞳孔の収縮状態（直接反射）と，反対眼の瞳孔の収縮状態（間接反射）を観察する．
- 一眼の直接反射と反対眼への間接反射は同等である．
- 一眼の直接反射が減弱している場合，反対眼からの間接反射が正常ならば求心路系，すなわち視神経障害（Marcus Gunn瞳孔），反対眼からの間接反射も減弱していれば副交感神経障害を含む遠心路系の障害である．

b) 近見反射（図42）
- 眼前やや下方，15 cmの距離に視標を提示する．
- 注視を促しながら視標を鼻尖に向かってゆっくり近づけ，瞳孔の収縮状態を観察する．
- 対光反射が保たれていれば観察しなくてもよい．
- 対光反射が障害されていれば必ず観察し，light-near dissociationの有無を確認する．
- light-near dissociationが確認された場合は，近見反射を解除した時の散瞳（off反応）も観察する．瞳孔緊張症眼では散瞳が緩徐となる．

図41 対光反射
遠方視を指示して瞳孔の下方から瞳孔に光を投射し，直接反射と反対眼への間接反射を観察する

図42 近見反射
視標をやや下方からゆっくり鼻尖に近づけ，追視した時の縮瞳状態を観察する

4 swinging flashlight test

- 視神経障害によるMarcus Gunn瞳孔（視神経障害では直接対光反射が減弱）の検出法である．

a) 方法（図43, 44）
- 暗室で明るい刺激光源を使用する．
- 遠方視の状態で観察する．
- 光刺激を下方から当てて1〜3秒維持した後，素早く反対眼に当てて縮瞳の状態を観察する．
- この動作を左右交互に繰り返して判定する．
- 視神経障害があれば，健眼から患眼に光刺激を移した瞬間に散瞳する．

b) 要点（図45〜48）
- 障害が軽度で判定に迷う時は，刺激光を明るくするか，どちらか一方の眼で直接反射と反対眼からの間接反射を観察すると判定が容易になる．

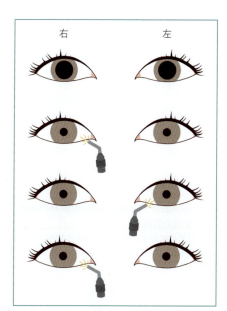

図43 swinging flashligh test（両側視神経正常）
両側視神経とも正常ならば，光刺激を左右交互に当てても両眼とも同程度に縮瞳する

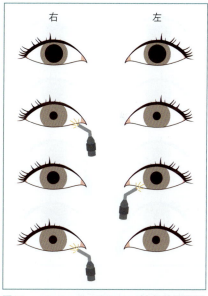

図44 swinging flashlight test（左視神経障害）
左視神経障害があると，正常な右眼からの間接対光反射より左眼の直接対光反射が弱くなるため，光刺激を左眼に当てると散瞳する

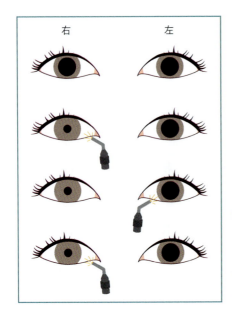

図45 swinging flashlight test（両側視神経正常，左遠心路障害）
左眼に動眼神経麻痺などの遠心路系の障害があると，左眼の対光反射は欠如する．しかし，両側視神経が正常ならば，右眼で観察される直接対光反射と，左眼に光刺激を与えた時の左眼からの間接対光反射が同等のため，右眼に散瞳はみられない

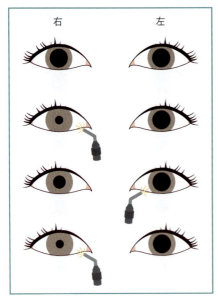

図46 swinging flashlight test（左視神経障害，左遠心路障害）
左眼に動眼神経麻痺などの遠心路系の障害があり，左視神経障害もあると，左眼からの間接対光反射が減弱するため，左眼に光刺激を当てると右眼が散瞳する

- 対光反射が観察不能の場合（角膜混濁，前房出血，片眼散瞳など）でも，観察可能な反対眼の直接反射と観察不能眼からの間接反射で判定できる．
- 一眼の対光反射が減弱している場合，求心路系の障害（視神経障害）か遠心

D 瞳孔の診察

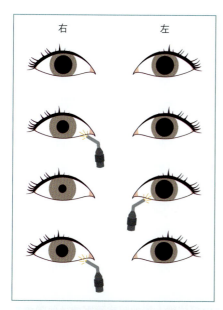

図47 swinging flashlight test（右視神経障害，左遠心路障害）
左眼に動眼神経麻痺などの遠心路系の障害があり，右視神経障害もあると，左眼からの間接対光反射より右眼の直接対光反射が弱いため，右眼に光刺激を当てると右眼が散瞳する．図45，46，47から分かるように，片眼の瞳孔反射が観察できない場合でも，反対眼の遠心路系に異常がなければ視神経障害の有無は診断できる

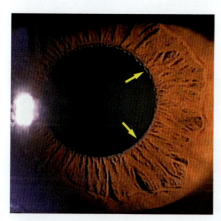

図48 偽落屑眼
瞳孔縁や水晶体前嚢表面に白色の物質が付着している（矢印）．遠心路系の障害となり，細隙灯顕微鏡でしか確認できないため，特に高齢者で対光反射を調べる時には注意する

路系の障害（動眼神経麻痺と偽落屑眼などの虹彩の障害）かを，反対眼への間接反射で確認する．
- 反対眼への間接反射も減弱していれば障害眼の視神経障害，減弱していなければ障害眼の遠心路系の障害である．
- 遠心路系の障害となる偽落屑眼は，細隙灯顕微鏡でしか確認できないため，特に高齢者で対光反射が障害されている場合は観察を怠らないよう注意する．

5 瞳孔の点眼試験（図49）

a）コカイン点眼試験
- Horner症候群の診断に用いる．
- 交感神経節後線維から放出されたノルアドレナリンの再吸収を阻害する作用を応用する．
- 5％コカインを点眼すると，90分後に正常眼は散瞳するが，Horner症候群では原則として無反応である．ただし，精神感覚刺激の一部は中枢線維を経由せずに節前線維に到達するため，中枢線維障害ではわずかに散瞳がみられる．
- 5％コカイン点眼は粉末を生理食塩水で溶解して調製する．

b）チラミン点眼試験
- Horner症候群の障害部位診断に用いる．
- 交感神経節後線維を刺激してノルアドレナリンの放出を促進する作用を応用する．
- 5％チラミンを点眼すると，45分後に中枢線維と節前線維障害では散瞳するが，節後線維障害では無反応である．

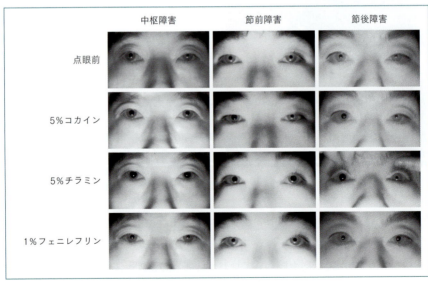

図49　点眼試験によるHorner症候群の部位診断（赤外線写真）
いずれも左眼がHorner症候群である．5％コカイン点眼では，中枢障害はわずかに散瞳するが，節前，節後障害は散瞳しない．5％チラミン点眼では，中枢，節前障害は散瞳するが，節後障害は散瞳しない．1％フェニレフリン点眼では，中枢障害は散瞳しないが，節前障害は軽度散瞳し，節後障害は強く散瞳する

- 5%チラミン点眼は試薬から調製する．

c) フェニレフリン点眼試験

- Horner症候群の障害部位診断に用いる．
- 交感神経節後線維障害では，低濃度の交感神経刺激薬に対し脱神経性過敏を示すことを応用する．ただし初期には脱神経性過敏は獲得されないため，観察できない．
- 1%フェニレフリンを点眼すると，1時間後に節後線維障害では強く散瞳し，節前線維障害でも軽度散瞳するが，中枢線維障害では無反応である．
- 1%フェニレフリン点眼は5%ネオシネジン点眼1に対し生理食塩水4を加え，5倍希釈にして調製する．
- 0.5%または1%アプラクロニジン点眼でも代用でき，1時間後に判定する．

d) メコリール点眼試験（0.125%ピロカルピン点眼試験）（図50）

- 瞳孔緊張症の診断に用いる．
- 副交感神経節後線維障害では，低濃度の副交感神経刺激薬に対し脱神経性過敏を示すことを応用する．
- 2.5%メコリールまたは0.125（1/8）%ピロカルピンを点眼すると，正常眼は縮瞳しないが，瞳孔緊張症では45分後に強く縮瞳する．
- 2.5%メコリール点眼は試薬から調製するが，0.125（1/8）%ピロカルピン点眼は1%ピロカルピン点眼1に対し生理食塩水7を加え，8倍希釈にして調製する．

e) 2%ピロカルピン点眼試験

- 絶対性瞳孔強直の原因診断に用いる．
- 瞳孔括約筋の受容体に直接結合して作用することを応用する．

図50　瞳孔緊張症のメコリール点眼試験
A　点眼前，B　点眼後45分．
2.5%メコリールや0.125%ピロカルピンを点眼すると，45分後に左眼の瞳孔は変化ないが，瞳孔緊張症の右眼が強く縮瞳する（矢印）．瞳孔緊張症の補助診断となる

- 2%ピロカルピン点眼で縮瞳すれば動眼神経麻痺，縮瞳しなければアトロピン散瞳や外傷性散瞳を考える．

E 視神経・視路の診察

1 視力測定

- 視力表を用いて遠方視力と近方視力を測定する．
- pinholeを用いて視力を測定する．視力が不変ならば視神経疾患，改善すれば網膜疾患を含む眼球自体の疾患が考えられる（図51）．

2 Marcus Gunn瞳孔の確認

- Marcus Gunn瞳孔またはrelative afferent pupillary defect（RAPD：相対的瞳孔求心路障害）は，swinging flashlight testで確認する．

3 視神経乳頭の観察

- 検眼鏡を用いて観察するが，＋78Dや＋90Dの高倍率前置レンズで拡大して立体的にみると，乳頭の突出などがより分かりやすい．
- 片眼性病変でも，大きさを含め必ず両眼の視神経乳頭を観察して比較する．

a）乳頭浮腫
- びまん性：うっ血乳頭，乳頭炎，視神経網膜炎．
- 分節状：前部虚血性視神経症，vitreopapillary traction optic neuropathy．
- optociliary shunt vessel，corpora amylacea：乳頭浮腫の遷延所見．

図51　pinhole試験
視神経障害ではpinholeを通しても視力は変化しないが，網膜病変では上昇することが多い

b) 視神経萎縮
- 単性：乳頭の境界は鮮明である……広範囲な網膜病変，球後視神経病変．
- 炎性：乳頭の境界は不鮮明である……乳頭浮腫の遷延．
- 陥凹性（緑内障性）：乳頭が陥凹し，乳頭上の血管が鼻側へ偏位する……緑内障，虚血性視神経症後．
- 帯状：乳頭の中央部が蝶ネクタイ様に蒼白になる……視交叉病変による耳側半盲眼．

c) 乳頭および周囲の形態異常
- 視神経乳頭とともに乳頭周囲の変化も観察する．

> - 視神経低形成（乳頭周囲に色素輪），乳頭部分低形成（低形成部にhalo）
> - 下方コーヌスを伴う傾斜乳頭
> - 近視による乳頭と周囲の網脈絡膜の変化

4 色覚検査

- 視神経障害があると色覚が低下する．
- 石原式色覚検査表の数字視標の判読数で評価する．
- 障害の程度や回復過程をある程度定量的に判断できる．

5 視野検査

a) 中心暗点の検出
❶赤鉛筆の先端（図52）
- 赤鉛筆の軸を手で隠して先だけを見せ，何色に見えるかを尋ねる．赤色と答えられなければ視神経病変による中心暗点を疑う．逆に，赤色と答えられれば視神経病変はほぼ否定できる．

❷ Amsler chart（図53）
- 中心暗点や半盲の検出に用いる．また，変視症の有無で網膜疾患との鑑別ができる．

b) 対座法視野検査
- 視神経，視路病変でみられる半盲（水平半盲，両耳側半盲，同名半盲）の検出と，視野狭窄の程度の判定に用いる．

図52　中心暗点の検出法
赤鉛筆の先が赤色と答えられなければ，視神経病変による中心暗点が疑われる

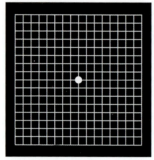 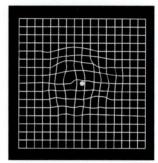

図53　Amsler chart
視神経疾患による中心暗点があると中心部分が見えないと答える．右図のように，中心部の線がゆがんで見える変視症は視神経疾患では起こらない

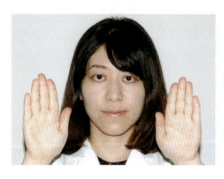

図54　手指を用いた対座法
片眼を遮閉して検者の鼻尖を注視させ，左右または上下等間隔に置いた手指が同じように見えるかを問う（静的検査）．手指の見え方に差があると答えた時は，片手をゆっくり左右または上下に動かし，垂直経線または水平経線を境に見え方が変化するかを尋ねる（動的検査）

❶手指視標を用いた対座法（図54）
- 水平半盲や同名半盲などの高度の半盲の検出と，視野狭窄の程度の判定に有用である．

方法1：半盲の検出
- 片眼を遮閉し，検者の鼻尖を注視させて眼を動かさないように指示する．

- 中心近くの左右または上下の等間隔に検者の手指を置き，見え方を比較する（静的検査）．
- 片方の手指を左右または上下にゆっくり動かし，垂直経線または水平経線を境に見え方が変化するかを確認する（動的検査）．

方法2：視野狭窄の程度の判定
- 周辺から手指を中心に向かってゆっくり動かし，見え始めた位置を答えてもらう．
- 周辺に両手指を等間隔に置いてわずかに動かし，どちらが動いたかを確認する．小児，特に求心性狭窄を示す心因性視野障害の診断に有用である．

❷赤視標を用いた対座法（図55〜57）
- 連合暗点や両耳側半盲などの前部視路病変でみられる軽度の半盲の検出に有用であり，量的視野検査よりはるかに簡便で検出感度も高い．

方法
- 片眼を遮閉し，検者の鼻尖を注視させて眼を動かさないように指示する．
- 中心近くの左右または上下の等間隔に同じ赤視標を置き，色調や色の鮮やかさを比較する（静的検査）．
- 一方の赤視標を左右または上下にゆっくり動かし，垂直経線または水平経線を境に色調や色の鮮やかさが変化するかを確認する（動的検査）．

要点
- 視神経病変では赤色の感度低下が著しい現象を応用する．
- 赤視標は，赤い点眼瓶の蓋など同じものなら何を用いてもよい．
- 半盲側の赤が灰色がかって見えると答えることが多い．

> **Column**
>
> **眼球運動は眼位で診る**
>
> 神経眼科では，眼球運動制限を眼球の動きではなく眼位で診るという得意技がある．制限があれば，正面視を含む各注視方向で必ず眼位に変化がみられる．この眼位変化はHirschberg法や交代遮閉法で肉眼でも観察できるが，赤ガラスを用いた複像検査で被検者自身に眼位の変化を答えてもらうと，ごくわずかな制限も検出できる．これを使いこなせれば，眼球運動障害の診断は鬼に金棒である．

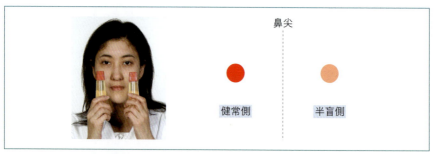

図55 赤視標を用いた対座法（静的検査）
片眼を遮閉して検者の鼻尖を注視させ，左右または上下等間隔に置いた赤視標が同じように見えるかを問う．右図のように，視野障害側の赤視標の鮮やかさが低下する

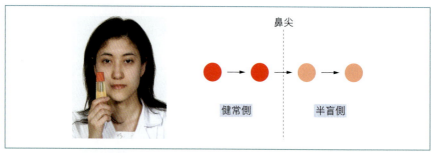

図56 赤視標を用いた対座法（動的検査）
静的検査で赤視標の色調に差がある時は，一方の赤視標をゆっくり左右または上下に動かして，垂直経線または水平経線を境に色調が変化するかを尋ねる．右図のように，視野障害側に移った瞬間に赤視標の鮮やかさが低下する

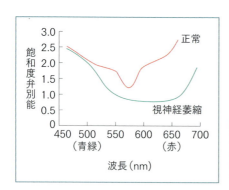

図57 赤視標を用いた対座法の原理
正常と視神経障害（視神経萎縮）では，650nmの波長で飽和度弁別能の差が最大となることから，赤視標が正常視野と異常視野とを区別するのに最適な色である

c）量的視野検査

- Goldmann視野計や，Humphrey視野計などの自動視野計で測定する．
- 視神経病変では中心暗点と，視野欠損部のマリオット盲点との連続性（弓状暗点），水平経線による上下の半盲の有無を観察する．
- 視路病変では垂直経線による半盲の有無を特に入念に調べる．
- Goldmann視野検査では内部イソプタで半盲の有無を確認する．半盲があれば，大きなイソプタでは異常がなくても内部イソプタでは必ず半盲が検出される．
- Humphrey視野検査では実測値で半盲の有無を確認する．垂直経線を境に連続する3つの対で2dB以上の差があれば半盲とする．
- 定量性があるため，視野障害の程度の判定や経過観察に有用である．

6 半側空間無視の検査（図58）

- 閉眼を指示する．
- 眼前の等距離に検者の両手を置き，眼を開けた瞬間に指の数を答えてもらう．
- 後頭葉病変では両手の指の数を正確に回答する．
- 頭頂葉病変で半側空間無視があると，同名半盲側（主に劣位半球病変による左同名半盲側）の指の数を無視する．
- 3本の横線のそれぞれの中点を指してもらう線分二等分試験も有用で，中点が患側へ偏位する．

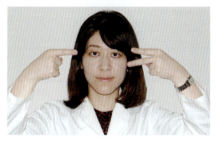

図58　半側空間無視の検出法
閉眼を命じた後，被検者の眼前の等距離に検者の両手を置き，両眼を開けた瞬間に指が何本見えたかを尋ねる．半側空間無視があると，無視側の指を数えない

F その他の神経症状の診察

1 三叉神経障害

- 海綿静脈洞病変や眼窩病変の診断の決め手となる．
- クリップやピンの先で，前額部，頬部，下顎の知覚の左右差を観察する．
- 角膜知覚は拭き綿の先で観察する．

2 顔面神経麻痺

- 眼球運動障害がある場合，橋病変の診断の決め手となる．
- 両眼を強く閉瞼させると麻痺側の閉瞼が障害され兎眼となる．
- 口角の位置を観察すると，麻痺側が下がる．
- 頬を膨らませると，麻痺側は口角から空気が漏れて膨らみにくい．
- 前額部に皺が寄るかを調べる．皺が寄れば前頭筋麻痺はなく中枢性障害，寄らなければ末梢性障害である．

3 顔面の発汗

- Horner症候群の障害部位診断に用いる．
- 手の甲で顔面を触り，湿り具合の左右差を観察する．
- 顔面の発汗が低下していれば中枢線維か節前線維の障害が考えられる．
- 発汗が低下していなければ，節後線維の障害が疑われる．ただし，節後線維障害でも前額部内側の発汗は低下することがある．

G 一般眼科検査

- 一般眼科疾患との鑑別のみならず，神経眼科疾患の診断にも多くの情報が得られる．

1 細隙灯顕微鏡検査

- 単眼に動揺視の訴えがあれば眼内レンズ振盪を観察する．
- 単眼性複視の原因の大部分は初発核白内障であるが，散瞳しないと分かりにくい（図59）．
- 眼振や異常眼球振動は結膜血管の動きで見ると分かりやすい．
- 瞳孔の形や瞳孔反射の遠心路系に異常がある場合，必ず虹彩後癒着や偽落屑眼の有無を確認する．

2 眼圧測定

- 圧平眼圧計（applanation tonometer）や圧入眼圧計（Schiötz tonometer）を用いて観察する．非接触眼圧計では有用な所見が得られない．

> - 頸動脈海綿静脈洞瘻などの静脈の還流障害や眼窩内占拠性病変では患側の眼圧が上昇し，眼圧の左右差が目立つ
> - 頸動脈海綿静脈洞瘻では眼球脈波の振幅が増大することが特徴的な所見であり，診断の決め手となる．圧平眼圧計で測定時，上下のフルオレセインの半円が拍動性に大きく揺れ動く
> - 甲状腺眼症などの機械的眼球運動制限では眼球運動方向で眼圧が変動することがある

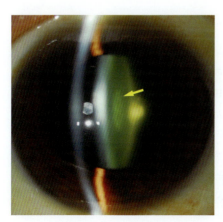

図59　初発核白内障
散瞳すると水晶体の核だけが混濁していることが分かる（矢印）．単眼性複視の最も多い原因である

Column

瞳孔点眼試験のコツ

瞳孔の点眼試験は，両眼に点眼して左右の瞳孔の状態を比較すること，下眼瞼を指で引いて下結膜囊に一滴ずつ点眼して10秒間そのままにすること，5分後にもう一度点眼することが大切である．しみたり泣いたりして流涙が起こると，点眼薬が薄まって判定に影響する．

また，眼を擦ると角膜上皮に傷ができて点眼薬の浸透性が増し，結果に影響が出る．さらに，脱神経性過敏をみる場合は発症初期では結果が得られないことなど，点眼試験を正確に行うのはなかなか難しい．

Chapter 4

眼球運動疾患

A 核・核下性眼球運動障害

1 動眼神経麻痺

a) 特徴

❶症状 (図1～3)
- 正面位で外斜視を示す．完全麻痺では健常な上斜筋の働きで下外斜視となる．
- 内転制限（内直筋），上転制限（上直筋，下斜筋），下転制限（下直筋）がある．
- 眼瞼下垂（上眼瞼挙筋）が起こる．
- 散瞳し，直接対光反射，間接対光反射，近見反射とも障害（瞳孔括約筋）される．

❷原因
- 虚血性：糖尿病，高血圧症．
- 脳血管障害性：中脳梗塞，中脳出血．
- 圧迫性：動脈瘤（内頸動脈後交通動脈分岐部動脈瘤，海綿静脈洞内内頸動脈瘤），腫瘍（中脳腫瘍，海綿静脈洞髄膜腫，下垂体腺腫，下垂体卒中），テント切痕ヘルニア．
- 炎症性：Tolosa-Hunt症候群，帯状疱疹，梅毒（第Ⅱ期）．
- 外傷性：頭部打撲．

b) 両側動眼神経麻痺 (図4)
- 両眼の眼瞼下垂と，正面位で高度の外斜視となるのが特徴である．
- 外転以外の全方向で制限があり，瞳孔障害も必発である．
- 頭部外傷が多いが，中脳出血でもみられる．

c) 瞳孔障害を伴わない動眼神経麻痺 (pupil-sparing oculomotor nerve palsy)
(図5)
- 動眼神経の単独麻痺で，瞳孔以外は完全麻痺となることが多い．
- 糖尿病による虚血性神経症が考えられ，1カ月後から回復し始め，3カ月で自然治癒する．
- 中脳被蓋の髄内線維（動眼神経根）障害による動眼神経部分麻痺でも起こることがある．支配筋の麻痺の程度に差があるのが特徴であり，下直筋麻痺による下転制限はなく，眼瞼下垂と内転制限，上転制限しか示さないことが多い．
- 海綿静脈洞病変による動眼神経麻痺でもみられることがあるが，眼神経領域の知覚低下を伴うことが多い．

A 核・核下性眼球運動障害

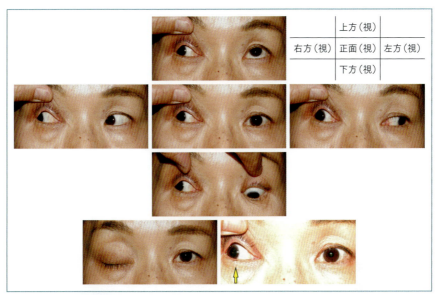

図1 右動眼神経麻痺
内頸動脈後交通動脈分岐部動脈瘤症例でみられた右動眼神経完全麻痺である．右眼に眼瞼下垂があり，正位で外斜視，眼球の内転，上転，下転が完全に制限され，最下段右に示すように瞳孔も散大して，対光反射も近見反射も欠如している（矢印）

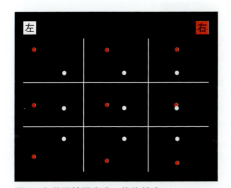

図2 右動眼神経麻痺の複像検査
右眼に赤ガラスを置いた時，赤い光は正面位で左上にあり，左方視でさらに左に離れ，上方視で上方，下方視で下方にある

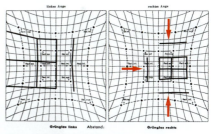

図3 右動眼神経麻痺のHess chart
右眼の面積が小さく，内直筋，上直筋，下斜筋，下直筋の方向で離れている（矢印）．これに伴い，左眼の外直筋，下斜筋，上直筋，上斜筋方向に過動がみられる

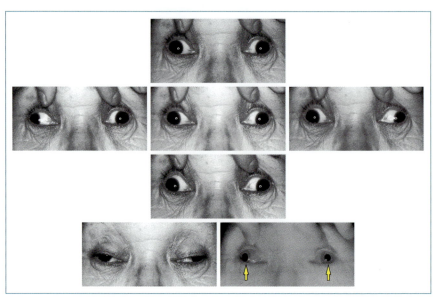

図4 両側動眼神経麻痺
頭部打撲が原因で,両眼の眼瞼下垂と高度の外斜視,外転以外の各方向で眼球運動制限がある.最下段右に示すように瞳孔も散大し,対光反射も近見反射も欠如している(矢印)

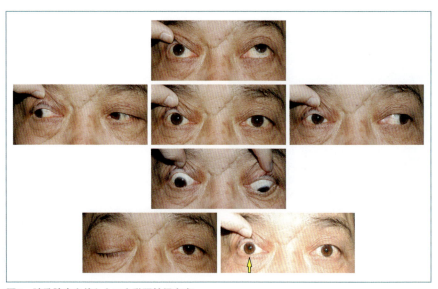

図5 瞳孔障害を伴わない右動眼神経麻痺
右動眼神経麻痺を示しているが,瞳孔不同はなく(矢印),対光反射,近見反射とも保たれている.糖尿病による虚血性動眼神経麻痺でみられる

d) 核性動眼神経麻痺（図6, 7）

- 上正中中脳枝の限局性の梗塞で起こるが，きわめてまれである．
- 両側に眼瞼下垂がある．
- 健側に上転制限がみられるが，患側の上転は保たれる．
- 患側の内転制限，下転制限，瞳孔散大，瞳孔反射の障害がある．下斜筋麻痺による内上転制限は，健常な上直筋の働きのために目立たない．
- 本症の所見から，動眼神経核と各支配筋との関係が分かる．

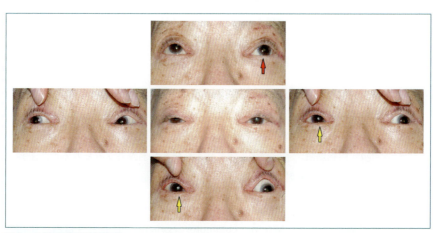

図6　右核性動眼神経麻痺
右中脳被蓋梗塞で，両眼の眼瞼下垂，左眼の上転制限（赤矢印），右眼の内転と下転制限がある（黄矢印）．上眼瞼挙筋は両側支配，上直筋は反対側支配，他の外眼筋は同側支配であることが分かる

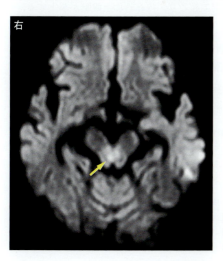

図7　右核性動眼神経麻痺のMRI拡散強調画像
右中脳被蓋の動眼神経核付近に，限局した高信号域がみられる（矢印）

e) 動眼神経部分麻痺（図8, 9）
- 中脳の髄内では各支配筋への線維は散開して走行する．
- 中脳被蓋病変による髄内線維（動眼神経根）障害では，動眼神経支配の各眼筋の障害程度に差がみられる．
- 下直筋線維と瞳孔括約筋への副交感神経線維が内側部を走行するため，内側部病変では両者，特に下直筋の障害が起こりやすい．
- 一方，病巣が内側部に及んでいない時は眼瞼下垂と内転制限，上転制限しか示さず，下転と瞳孔は障害されない．

f) 動眼神経上枝麻痺，動眼神経下枝麻痺（図10, 11）
- 海綿静脈洞前部で動眼神経は上枝と下枝に分岐するため，海綿静脈洞前部から眼窩内の病変では，それぞれの単独麻痺や，両者の障害程度に差がみられる．

  - **動眼神経上枝麻痺**：上直筋，上眼瞼挙筋の障害により，眼瞼下垂，下斜視，上転制限がみられる
  - **動眼神経下枝麻痺**：内直筋，下斜筋，下直筋，瞳孔括約筋の障害により，上外斜視，内転制限，下転制限，瞳孔散大，瞳孔反射障害がみられるが，下斜筋麻痺による内上転制限は目立たない

g) 動眼神経麻痺後の異常神経支配（図12, 13）
- 迷行性動眼神経再生（aberrant oculomotor regeneration）とも呼ばれ，圧迫性病変や外傷が原因で，麻痺が3カ月以内に軽快しないと出現する．

  - **眼瞼所見**：内直筋と上眼瞼挙筋との間で起こり，内転時に上眼瞼が挙上する．下直筋と上眼瞼挙筋との間にも起こり，下転時に上眼瞼が挙上（偽Graefe徴候）する．これらの眼瞼所見が最も観察しやすい
  - **眼球運動所見**：上直筋と下直筋との間に起こり，ほぼ完全な上転制限と下転制限，上転下転の努力時に内転と眼球陥凹がみられる
  - **瞳孔所見**：内直筋と瞳孔括約筋との間に起こり，内転時に縮瞳し，light-near dissociation（対光反射は欠如するが近見反射は保存される）がみられる．下直筋と瞳孔括約筋との間に起こると，下転時にも縮瞳がみられる

- 異常神経支配の症状が出現してしまうと，眼瞼下垂と正面眼位は改善することはあるが，上転制限と下転制限は固定して改善することはなく，治療法もない．

A 核・核下性眼球運動障害

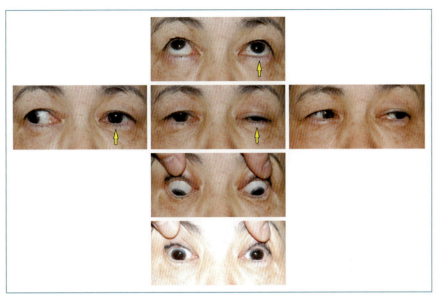

図8 左動眼神経部分麻痺
中脳被蓋梗塞による左動眼神経髄内線維（動眼神経根）の障害である．左眼の眼瞼下垂と上転と内転が制限されているが（矢印），下転制限と瞳孔障害はない．動眼神経支配の各眼筋の障害程度に差がみられる

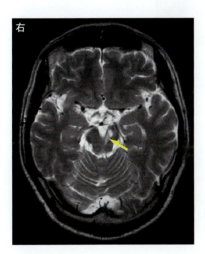

図9 左動眼神経部分麻痺のMRI T$_2$強調画像
左中脳被蓋外側部に梗塞巣が描出される（矢印）．病巣が内側部に及んでいないため，下直筋と瞳孔括約筋の障害はない

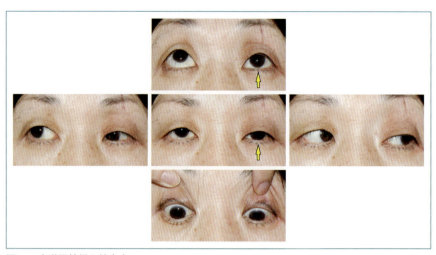

図10 左動眼神経上枝麻痺
Tolosa-Hunt症候群の症例である．左眼に眼瞼下垂があり，正面位で左眼が下斜視で上転制限があるが（矢印），内転と下転，瞳孔には異常ない

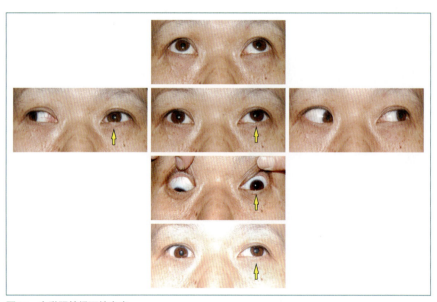

図11 左動眼神経下枝麻痺
頭部打撲の症例で，正面位で左眼が上外斜視，左眼の内転，下転制限と瞳孔散大はあるが（矢印），眼瞼下垂と上転制限はない

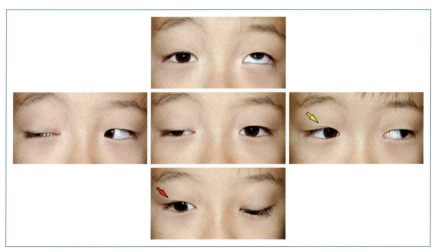

図12 右動眼神経麻痺後の異常神経支配
頭部打撲後3カ月を経過しても回復しない症例である．右眼内転時に上眼瞼が挙上し（黄矢印），下転時に上眼瞼が挙上する偽Graefe徴候がみられる（赤矢印）．右眼の上転と下転も制限されている

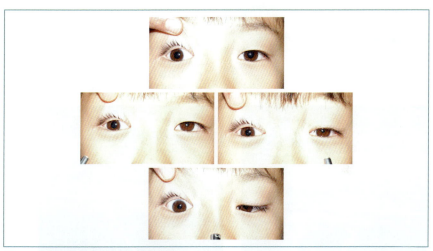

図13 右動眼神経麻痺後の異常神経支配
瞳孔括約筋への線維にも異常神経支配が起こり，右眼の瞳孔は散大して中段に示す対光反射は欠如しているが，下段の近見反射は保たれる light-near dissociation を示す

h) primary aberrant oculomotor regeneration
- 症状の出現時，既に異常神経支配の症状がみられる動眼神経麻痺をいう．
- 緩徐に進行する動眼神経麻痺が考えられる特異な症候である．
- 海綿静脈洞内内頸動脈瘤と海綿静脈洞髄膜腫が原因の大部分を占める．まれに蝶形骨洞嚢胞でもみられる．

i) 有痛性動眼神経麻痺
❶テント切痕ヘルニア（海馬鈎ヘルニア）（図14,15）
- テント上の頭蓋内膨隆病変で側頭葉下面の海馬鈎にヘルニアが起こり，動眼神経を内上方から圧迫する．
- 患側の瞳孔散大と対光反射障害（Hutchinson瞳孔）→反対側の瞳孔も散大→両側の眼瞼下垂と眼球運動障害の順に症状が進行する．
- 意識障害があり，テント上の頭蓋内膨隆病変の経過観察中に片眼の瞳孔散大が出現したら本症を疑う．

図14 海馬鈎ヘルニアによるHutchinson瞳孔
左側頭葉腫瘍の小児例．両眼，特に患側の左眼のほうがより散瞳している（矢印）．対光反射も減弱しており，生命に危険な徴候である

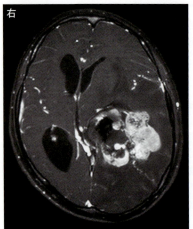 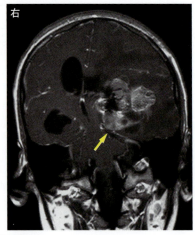

図15 海馬鈎ヘルニアのGd造影MRI T_1強調画像
左側頭部の脈絡叢乳頭腫でテント上の圧が高まり，側頭葉内側部の海馬回と鈎回がテント切痕を越えて下方へ陥入している（矢印）

- 頭部打撲後の中硬膜動脈の出血による硬膜外血腫で起こりやすい．
- 確認されたら速やかに脳神経外科に連絡し，マンニトールやグリセオールの点滴静注と頭蓋内膨隆病変の摘出術を依頼する．
- 生命予後不良の徴候であり，一刻の猶予も許されない．

❷内頸動脈後交通動脈分岐部動脈瘤 (図16)

- 動眼神経を内上方から圧迫する．
- 血管障害危険因子を有しない20～50歳に多い．
- 今まで経験したことがない，いいようのない異種の頭痛，特に眼の奥の痛みを訴えることが多いが，頭痛の訴えがないこともある．
- 動眼神経単独麻痺であり，他の神経障害を伴う場合は否定できる．
- 動眼神経内の線維走行から，散瞳→眼瞼下垂→眼球運動障害の順に症状が発現する．
- 散瞳が最初に起こるため，羞明や近見障害が初発症状のことが多い．
- 頭痛の有無にかかわらず，散瞳を伴った動眼神経麻痺の場合は必ず疑う必要がある．
- 瞳孔が正常でも，眼瞼下垂や眼球運動障害が軽度の場合は，数日後に瞳孔障害が出現することがあるため，注意深く経過を観察する必要がある．

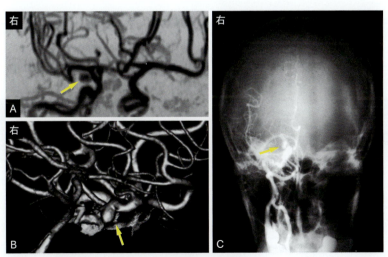

図16　右内頸動脈後交通動脈分岐部動脈瘤の画像所見
A　磁気共鳴血管造影 (MRA)，B　コンピュータ断層血管造影 (CTA)，C　頸動脈造影 (CAG)．右内頸動脈後交通動脈分岐部に動脈瘤が描出される (矢印)

- 眼瞼下垂と眼球運動障害が完全で瞳孔が正常な場合以外は，動脈瘤の可能性を常に考える．本症の生命予後を考えれば，たとえ間違っても全く恥じることはない．
- 診断には，まず造影剤を必要としない磁気共鳴血管造影（magnetic resonance angiography：MRA）を行い，その後必要ならば，造影剤を使うコンピュータ断層血管造影（computed tomography angiography：CTA）やSeldinger法による頸動脈造影（carotid angiography：CAG）を行う．放射線科に依頼する際，動脈瘤の有無を検索して欲しいと明確に伝えることが大切である．
- 脳神経外科での速やかなコイル塞栓術が必要である．
- 診断における眼科医の役割がきわめて高く，的確な判断が命を救うことになる．

❸ 再発性有痛性眼筋麻痺性ニューロパチー（recurrent painful ophthalmoplegic neuropathy）（眼筋麻痺性片頭痛）（図17,18）

- まれな疾患であるが，10歳以下の小児，特に5歳以下に発症する．
- 片頭痛の最初の発作が起こってから1年以降に出現し始めることが多い．
- 大部分の症例が動眼神経麻痺を示す．
- 頭痛や嘔吐を伴う片頭痛の発作後に，同側性に瞳孔障害を伴う動眼神経麻痺が出現するが，発作によっては瞳孔障害しかみられないこともある．
- 数時間から数週間で完全寛解する．

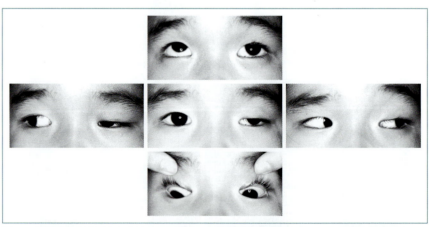

図17　再発性有痛性眼筋麻痺性ニューロパチー（眼筋麻痺性片頭痛）による左動眼神経麻痺
4歳女児で，2歳半から時々嘔吐とその後の眠気の既往があり，4歳になり前頭部痛と嘔吐後に数日で軽快する左眼の眼瞼下垂と複視が4回出現している．5回目の発作時の眼球運動で，瞳孔障害を伴った左動眼神経麻痺の所見を示している

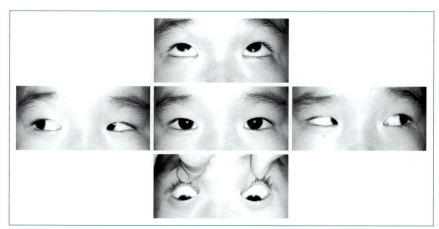

図18 再発性有痛性眼筋麻痺性ニューロパチーによる左動眼神経麻痺の回復後
2日後には左動眼神経麻痺は完全に軽快している．以降，左動眼神経麻痺を繰り返していたが，10歳頃までに発作は消失した．その間，瞳孔障害しか示さない発作もあった

- 回復に時間がかかる症例では，小児科と相談して副腎皮質ステロイド薬内服も考慮する．
- 5年以内に消失することが多いが，まれに成人まで時々発作が起こることがある．

❹下垂体卒中（☞視路疾患：下垂体卒中）

- 下垂体腺腫内に出血や梗塞が起こって急激に腫瘍が増大し，視神経と視交叉，両側動眼神経を圧迫する．
- 激しい頭痛とショック状態が起こる．
- 両眼の視力低下と眼瞼下垂も同時にみられる．
- 副腎皮質ステロイド薬や外科的処置を緊急に行わないと，生命予後が不良となる危険な疾患である．

❺下垂体腺腫（☞視路疾患：下垂体腺腫）

- 下垂体腺腫が上方ではなく側方に進展すると，視機能障害より先に動眼神経麻痺が起こる．
- 頭痛は必発であり，かなり激しい頭痛を訴える症例もある．
- 下垂体卒中とは異なり，全身状態に異常はない．

❻Tolosa-Hunt症候群（☞海綿静脈洞疾患：Tolosa-Hunt症候群）

- 海綿静脈洞内の非特異的肉芽腫性炎症である．

- 激しい眼窩深部痛がある．
- 大部分の症例が三叉神経障害を合併する．
- 副腎皮質ステロイド薬が著効を示す．

j) 髄内線維障害による動眼神経麻痺を示す中脳症候群

❶上正中中脳枝病変
- Benedikt症候群（動眼神経核，動眼神経根，赤核病変）：患側の動眼神経麻痺と反対側の企図振戦を伴った錐体外路性片麻痺がみられる．

❷下正中中脳枝病変
- Nothnagel症候群（動眼神経核下端，動眼神経根，上小脳脚病変）：患側の動眼神経麻痺と反対側の小脳失調などの共同運動障害がみられる．
- Claude症候群（動眼神経核下端，動眼神経根，上小脳脚，赤核下端病変）：患側の動眼神経麻痺，反対側の企図振戦を伴った錐体外路性片麻痺と反対側の小脳失調などの共同運動障害がみられる（Benedikt症候群とNothnagel症候群の合併）．

❸大脳脚病変（図19）
- Weber症候群（動眼神経根，錐体路病変）：患側の動眼神経麻痺と反対側の片麻痺がみられる．脳梗塞では起こりにくく，脳出血や圧迫性病変を疑う．

k) 先天動眼神経麻痺（図20）
- 必ず異常神経支配の症状を伴う動眼神経麻痺の形をとる．
- 瞳孔は散大することが多い．

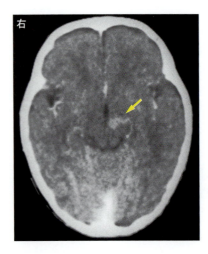

図19　Weber症候群の造影CT画像
左動眼神経麻痺と右片麻痺があるWeber症候群の小児例．左脚間窩から大脳脚にかけて造影剤で増強される病巣があり，神経膠腫と診断された（矢印）．Weber症候群は脳梗塞では起こりにくく，ほとんどが脳出血か圧迫性病変である

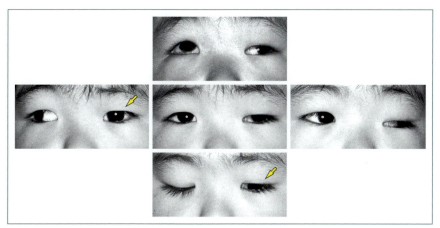

図20 左先天動眼神経麻痺
生下時からの左眼瞼下垂で受診したが，正面位の外斜視，左眼の内転制限，上転制限，下転制限に加え，内転時の瞼裂開大や下転時の偽Graefe徴候などの異常神経支配の症状もある（矢印）

- 多くは鉗子分娩後にみられる．
- 先天眼瞼下垂や外斜視と誤って診断されることがあるが，異常神経支配の症状で鑑別できる．改善は期待できず，眼球の上転下転制限も治すことができない．

l) **ヘルペス性眼筋麻痺**（図21）
- 動眼神経麻痺の頻度が最も高い．
- 帯状疱疹の発疹出現後に起こる．
- 瞳孔障害（散瞳，瞳孔反射障害）しかみられないことがある．
- 皮膚科の治療中が多く，連携してプレドニゾロン1日30mgの内服から開始し，1カ月間で漸減終了する．回復には半年くらい時間がかかる．

2 滑車神経麻痺

a) 特徴
- 滑車神経麻痺は自覚症状が強いにもかかわらず，肉眼では診断が難しい．診断には問診が重要であり，特徴のある症状を聞き出すことができれば診断はほぼ確定する．

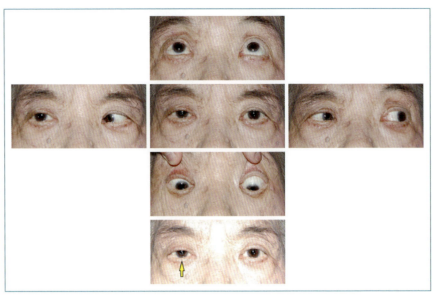

図21 ヘルペス性眼筋麻痺
右眼に軽度の眼瞼下垂と上転制限，下転制限があり，瞳孔も散大している（矢印）．右動眼神経麻痺に右外転神経麻痺も合併している

❶症状（図22〜24）

- 上下の複視を訴えるが，正面位の上斜視は軽度で肉眼では分かりにくい．
- 外方回旋となるため，麻痺眼で見た像が斜めに傾くと訴える．
- 上斜筋の作用方向である内下転が制限されるため，下方視で複視が増強し，階段が降りにくいと訴える．
- 左右側方視で複視の程度に差がみられる．健側方向を見ると複視が強くなるため，患側を下にして横になると複視が増強する．
- 頭部を健側に傾けると複視が軽減すため代償頭位をとるが自覚はなく，他人に指摘されることが多い．

❷診断

- 複像検査では，麻痺眼の内下転方向で上下の複視が最大となる．
- 麻痺眼が外方回旋となる．

> - Maddox杆では，右側の麻痺では右眼の像が左下がりとなり，左側の麻痺では左眼の像が右下がりとなる
> - 眼底写真では，麻痺眼の黄斑が乳頭下縁より下方に偏位する（図25）

A 核・核下性眼球運動障害

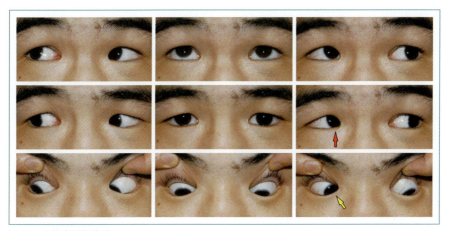

図22　右滑車神経麻痺
頭部打撲による右滑車神経麻痺で，右眼の内下転制限があるが肉眼的には分かりにくいことが多い（黄矢印）．本症例のように，むしろ左方視時の右眼の上斜視のほうが観察しやすいことがある（赤矢印）

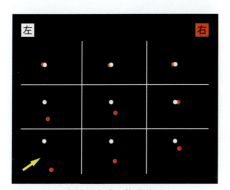

図23　右滑車神経麻痺の複像検査
右眼に赤ガラスを置いた時，正面位で赤い光が下に見え，左下方視で上下のずれが最大になる（矢印）．上方視では上下のずれが検出されない

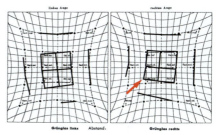

図24　右滑車神経麻痺の Hess chart
右眼の面積が小さく，上斜筋方向が最も離れている（矢印）．これに伴い，左眼の下直筋方向に過動がみられる

- Bielschowsky頭部傾斜試験：頭部を健側に傾けると複視が軽減し，患側に傾けると増強する．自覚的な応答と肉眼でも判断できるが，赤ガラス試験を用いるとより分かりやすい（図26）．

❸原因
- 滑車神経麻痺は虚血性と外傷性が大部分を占め，圧迫性や炎症性はほとんどない．

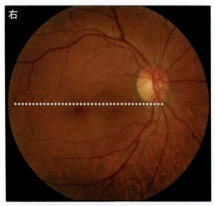
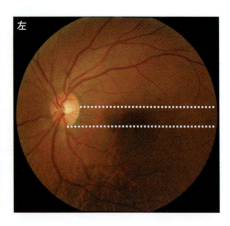

図25 右滑車神経麻痺の眼底写真
左眼は黄斑が乳頭中央部と下縁の間にあるが，麻痺眼である右眼は乳頭下縁より下方に位置しており，右眼が外方回旋していることが分かる

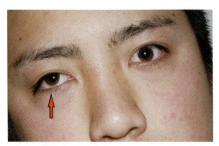
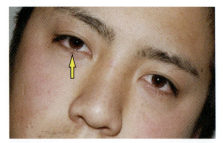

図26 右滑車神経麻痺のBielschowsky頭部傾斜試験
患側の右に頭部を傾けると右上斜視は増強し（赤矢印），健側の左に傾けると軽減する（黄矢印）．滑車神経麻痺では，複視を軽減させるために頭部を健側に傾ける代償頭位をとる

- **虚血性**：糖尿病や高血圧症が原因であり，ほとんどの症例が1カ月以降から回復し始め，3カ月以内に自然治癒する
- **外傷性**：両側性は予後良好であるが，片側性は予後不良で治りにくいため，患者への説明時に安易に治ると言ってはならない

b) 両側滑車神経麻痺（図27, 28）

- 頭部打撲や前髄帆病変（松果体部腫瘍の下方進展などの圧迫性病変，脳血管障害）で起こる．
- 両眼の内下転制限があり，左右内下転時に複視が増強する．

A 核・核下性眼球運動障害

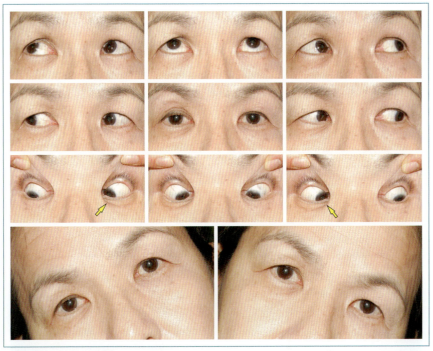

図27 両側滑車神経麻痺
頭部打撲後で，正面眼位はほぼ正位であるが，右側方視では左眼が上斜視，左側方視では右眼が上斜視となり，両眼とも内下転制限がある（矢印）．最下段のBielschowsky頭部傾斜試験では，右頭部傾斜で右眼が上斜視，左頭部傾斜で左眼が上斜視となる

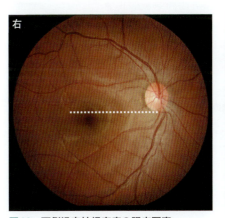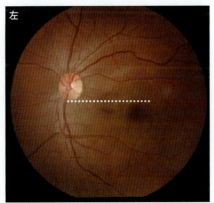

図28 両側滑車神経麻痺の眼底写真
両眼とも黄斑は乳頭下縁より下方に位置しており，両眼が外方回旋していることが分かる

- 右方視時に左眼が上斜視，左方視時に右眼が上斜視となる．左右側方視で複視が増強し，かつ上下が逆転するのが特徴である．
- Bielschowsky頭部傾斜試験では右頭部傾斜で右眼が上斜視，左頭部傾斜で左眼が上斜視となる．
- 両眼とも外方回旋となる．Maddox杆を用いて正面位で10°以上の外方回旋があれば本症の可能性が高い．

c) 陳旧性滑車神経麻痺（図29, 30）
- 複像検査では内上方視で複視が最大となり，健側の上直筋麻痺の形（同側下斜筋過動と反対側上直筋遅動）を示す．

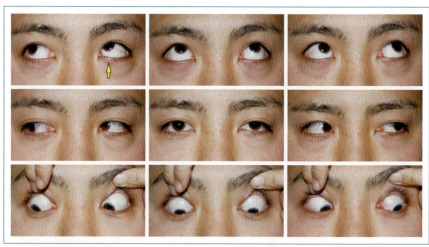

図29　左陳旧性滑車神経麻痺
頭部打撲後半年の状態で，右下方視より右上方視時の左上斜視が目立つ（矢印）．ただし，自覚的には右下方視時の複視の訴えが強い

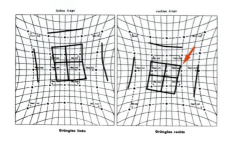

図30　左陳旧性滑車神経麻痺のHess chart
共動性の左上斜視の形となり，複像検査でも右上直筋麻痺（左下斜筋過動）の形を示す（矢印）

- ただし，自覚的にはやはり内下方視時の複視を強く訴え，外方回旋やBielschowsky頭部傾斜試験の結果も滑車神経麻痺と同様である．

d) 先天下斜筋過動症との鑑別（図31）

- 内転時に眼球が内上方へ偏位する先天性の下斜筋過動症は，滑車神経麻痺との鑑別が必要となる．滑車神経麻痺との鑑別点を下記に示す．

> - 内下転制限はない
> - 内下方視ではなく，内上方視で上下の偏位が著明となる
> - 外方回旋は軽度である
> - 小児期の写真で，健側へ頭部を傾斜する代償頭位が確認できれば診断が確定する

e) 動眼神経麻痺存在下での滑車神経麻痺の診断

- 厳密には困難である．
- 理論的には，上斜筋の回旋作用が最大となる外下転時に内方回旋がみられなければ滑車神経麻痺の合併と診断されるが，動眼神経麻痺による下転制限があるため，実際には判断できない．
- 臨床的には，正面位で麻痺眼が下斜視ならば滑車神経麻痺の合併はなく，正位か上斜視ならば滑車神経麻痺の合併と判断する．

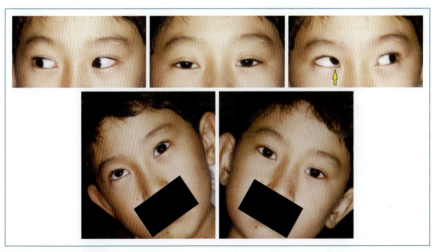

図31　右下斜筋過動症
先天性で，左方視時と左上方視時に右上斜視が目立つが（矢印）内下転制限はない．下段のように，頭部を健側の左に傾けると右上斜視が軽減するため，頭部を健側に傾ける代償頭位をとる．眼性斜頚の原因の大部分を占める

3 外転神経麻痺

a) 特徴

❶症状（図32～34）
- 正面位で内斜視となり，純水平性の同側性複視が特徴である．
- 外転が制限され，麻痺側方向への側方視時に複視が増強する．
- 遠方視で複視が増強する．

❷原因
- 虚血性：最も頻度が高く，糖尿病や高血圧症による．1カ月以降から回復し始め，3カ月以内に自然治癒する．
- 圧迫性：他の眼球運動神経麻痺に比べて圧迫性障害の占める頻度が高い．橋神経膠腫，小脳橋角部腫瘍，頭蓋内圧亢進，くも膜下出血，脊索腫，海綿静脈洞腫瘍，海綿静脈洞内内頸動脈瘤，頸動脈海綿静脈洞瘻，上咽頭腫瘍などがある．
- 脳血管障害：橋出血，橋梗塞．
- 外傷性：片側性，両側性．
- 炎症性：Tolosa-Hunt症候群．

b) 両側外転神経麻痺（図35, 36）
- 正面位で高度の内斜視を示す．
- 両眼の外転が制限される．
- 両側方視で同側性複視が増強し，遠方視でさらに強くなる．
- 橋神経膠腫，脊索腫，頭蓋内圧亢進，くも膜下出血，髄膜炎，頭部外傷，Wernicke脳症，Fisher症候群が代表的な疾患である．特にFisher症候群の眼球運動障害は，両側外転神経麻痺から始まる．

c) 外転神経麻痺を主症状とする重要な疾患

❶橋神経膠腫（図37）
- 小児の外転神経麻痺をみたら橋神経膠腫を疑う．
- 片側性または両側性に起こる．
- 進行すると顔面神経麻痺を合併する．
- CT，MRIで，橋が腫大して橋底部が脳底動脈を越える所見がみられる．

❷小脳橋角部腫瘍（図38, 39）
- 聴神経腫瘍や神経線維腫症（neurofibromatosis type 2）が大部分を占める．
- 難聴，三叉神経障害，顔面神経麻痺，小脳失調を伴うことが多い．

A 核・核下性眼球運動障害

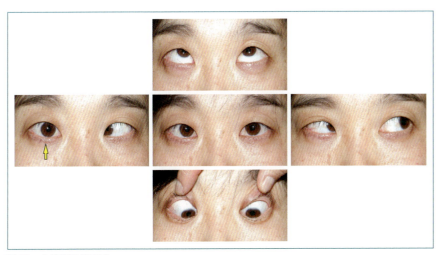

図32 右外転神経麻痺
頭部打撲による右外転神経麻痺で，正面位で右眼が内斜視となり，外転が制限されている（矢印）

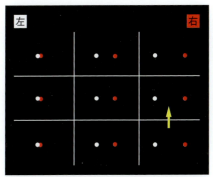

図33 右外転神経麻痺の複像検査
右眼に赤ガラスを置いた時，正面位で赤い光が右に見え，右方視でずれが最大になる（矢印）．上下のずれはなく，純水平性である

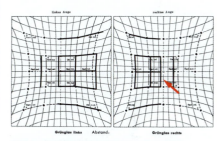

図34 右外転神経麻痺のHess chart
右眼の面積が小さく，外直筋方向で最も離れている（矢印）．これに伴い，左眼の内直筋方向に過動がみられる

- Bruns眼振（患側方向注視時は大打性，少頻打性，健側方向注視時は小打性，頻打性）がよくみられる．

❸頭蓋内圧亢進

- 必ず両側性に起こる．
- 本態性頭蓋内圧亢進症では30％にみられる．
- 小児では，両側外転神経麻痺による内斜視で発見されることが多い．

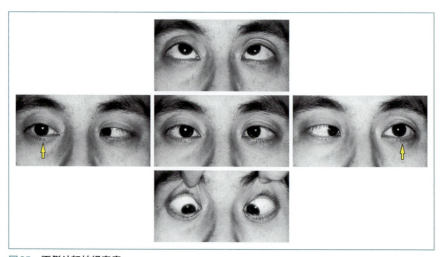

図35　両側外転神経麻痺
斜台部脊索腫の症例．正面位で高度の内斜視となり，両眼の外転が制限されている（矢印）

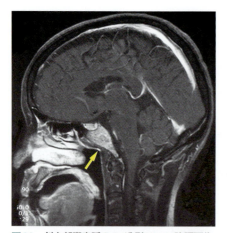

図36　斜台部脊索腫のGd造影MRI T₁強調画像
増強効果の強い斜台部の腫瘍（矢印）が両側外転神経麻痺を引き起こしている．脊索腫などの斜台部腫瘍は，矢状断が分かりやすい

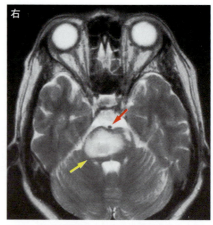

図37　橋神経膠腫のMRI T₂強調画像
両側橋被蓋から橋底部に及ぶ浮腫を伴った腫瘍が描出され（黄矢印），腫大のため橋底部が脳底動脈を越えて腹側へ進展する（赤矢印）．小児で外転神経麻痺をみた時は本症を念頭に置く

- 乳頭浮腫が頭蓋内圧亢進によるうっ血乳頭か迷った時，複像検査で両側外転神経麻痺がわずかでも検出されればうっ血乳頭と診断できる．

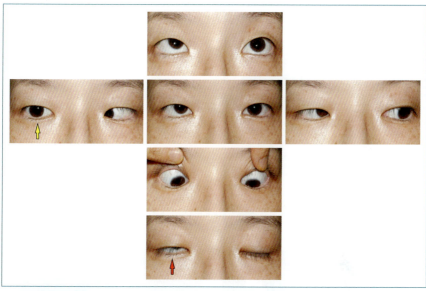

図38 小脳橋角部腫瘍
右小脳橋角部の髄膜腫．右外転神経麻痺（黄矢印）と右顔面神経麻痺がみられる（赤矢印）

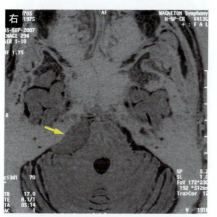

図39 小脳橋角部腫瘍のMRI CISS法画像
右小脳橋角部に腫瘤があり，橋を圧迫している（矢印）

❹くも膜下出血，髄膜炎（図40）

- 両側性に起こることが多い．
- 発熱や，頭痛などの髄膜刺激症状を伴う．
- 脳脊髄液検査で診断が確定する．

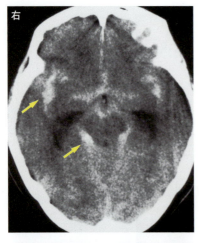

図40 くも膜下出血のCT画像
脳動脈瘤破裂によるくも膜下出血で，中脳周囲を中心に，くも膜下腔全体が高吸収域となっている（矢印）

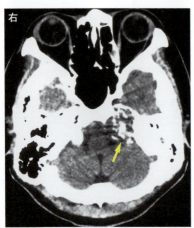 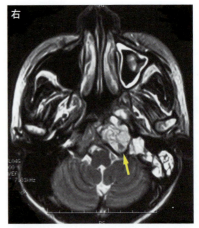

図41 Gradenigo症候群のCT画像とMRI T₂強調画像
左錐体骨岩様部腫瘍（矢印）により耳管が閉塞して滲出性中耳炎となり，左外転神経麻痺を主徴とするGradenigo症候群を引き起こしている

❺ Gradenigo症候群（図41）
- 中耳炎の側頭骨岩様部への波及で起こる．
- 難聴，三叉神経領域の疼痛，顔面神経麻痺を合併することが多い．

❻ 上咽頭腫瘍（図42）
- 中年男性に好発する．
- 激しい頭痛を伴い，Horner症候群も合併することが多い．

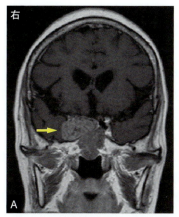
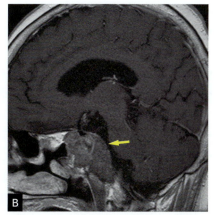

図42　上咽頭腫瘍のGd造影MRI T₁強調画像
右上咽頭腫瘍（矢印）が上方に進展して激しい頭痛と右外転神経麻痺を起こしている

❼**頸動脈海綿静脈洞瘻**（☞海綿静脈洞疾患：頸動脈海綿静脈洞瘻）
- 中年以降の女性に好発する．
- 頭痛と，心拍動に一致した耳鳴（bruit）が特徴である．
- 結膜血管拡張，眼球突出，眼圧上昇，眼球脈波の増大がみられる．
- 結膜血管の拡張を示す前部型は，外転神経麻痺の頻度が高い．

❽**海綿静脈洞内内頸動脈瘤**（☞海綿静脈洞疾患：海綿静脈洞内内頸動脈瘤）
- 中年以降の女性に好発する．
- 徐々に進行する外転神経麻痺が特徴である．
- Horner症候群も合併しやすい．
- 三叉神経障害は欠如するか軽度のことが多い．

d）髄内線維障害による外転神経麻痺を示す橋症候群

❶下外側橋枝病変
- Millard-Gubler症候群（外転神経根病変，顔面神経核または根，錐体路）：外転神経麻痺と顔面神経麻痺，反対側片麻痺がみられる．

❷下橋底枝と下橋被蓋枝病変
- Foville症候群（外転神経核と根，PPRF，顔面神経根，特に膝，錐体路病変）：水平注視麻痺（外転神経麻痺は隠されてしまう）と顔面神経麻痺，反対側片麻痺がみられる．病巣が外側に進展すると，三叉神経障害や聴神経障害，Horner症候群を合併する．

e) 外転神経麻痺と鑑別を要する疾患

- 甲状腺眼症：ほとんどの症例が上転制限も合併する．（☞外眼筋疾患：甲状腺眼症）
- 重症筋無力症：症状に変動がある．（☞外眼筋疾患：重症筋無力症）
- Duane眼球後退症：左眼が多く，正面眼位が正位のことが多い．（☞眼球運動疾患：Duane眼球後退症）
- 固定斜視：強度近視にみられる．（☞眼球運動疾患：固定斜視）
- 調節輻湊痙攣：遠視の小児や若年成人にみられ，内斜視が変動し，遠方視力の低下も伴う．（☞眼球運動疾患：調節輻湊痙攣）
- 眼窩内側壁骨折：眼部の打撲後に出現する．（☞p.眼窩疾患：眼窩吹き抜け骨折）
- 開散麻痺：両側方視で複視が増強せず，skew deviationによる上下の複視を伴うことが特徴である．（☞眼球運動疾患：開散麻痺）

4 全外眼筋麻痺

- 海綿静脈洞から眼窩にかけての病変では，動眼神経，滑車神経，外転神経のすべての眼球運動神経が障害される．

a) 特徴

❶症状（図43〜45）

- 正面眼位はほぼ正位である．
- 眼瞼下垂と全方向への眼球運動制限がある．
- 瞳孔散大や瞳孔反射障害を伴うことが多いが，海綿静脈洞病変では瞳孔障害を示さないこともある．
- 三叉神経障害，特に眼神経領域の知覚低下は必発である．

❷病巣局在

- 合併する症状から，病変部位が推定できる．

> - 海綿静脈洞病変では三叉神経（眼神経，上顎神経）障害を伴う
> - 眼窩病変では眼神経障害，視神経障害，眼球突出を伴うことが多い

❸原因

- 炎症：Tolosa-Hunt症候群，特発性眼窩炎症，帯状疱疹などがある．
- 腫瘍：上顎洞や篩骨洞など隣接部位の腫瘍の進展が最も多い．

A 核・核下性眼球運動障害

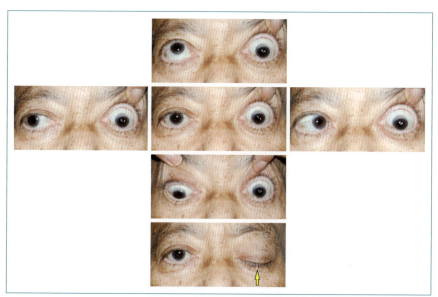

図43 左全外眼筋麻痺
肺癌の眼窩内転移で,左眼の眼瞼下垂(矢印)と全方向への眼球運動制限がみられる

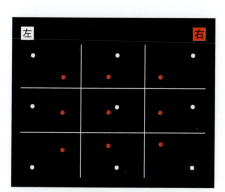

図44 左全外眼筋麻痺の複像検査
右眼に赤ガラスを置いた時,各注視方向で左眼の像が周辺に見える

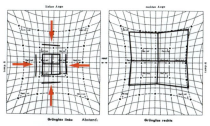

図45 左全外眼筋麻痺のHess chart
左眼の面積が小さく,すべての外眼筋の方向で離れている(矢印).右眼のすべての方向で過動がみられる

- 動脈瘤:巨大動脈瘤となる海綿静脈洞内,あるいは眼動脈分岐部の内頸動脈瘤で起こる.
- 副鼻腔炎:後篩骨洞や蝶形骨洞前部の炎症が波及する.
- 外傷:穿孔性外傷による直接障害より,打撲による眼窩尖付近の出血や炎症

で起こることが多い．

b) 全外眼筋麻痺と鑑別を要する疾患

- いずれの疾患も三叉神経障害がなく，両眼性であることと瞳孔所見が鑑別点となる．

> - Fisher症候群：両眼対称性で，瞳孔障害を伴うことも多い．必ずふらつきがある
> - 慢性進行性外眼筋麻痺：両眼対称性で緩徐進行性，瞳孔は正常である（☞外眼筋疾患：慢性進行性外眼筋麻痺）
> - 重症筋無力症：急性発症で，両眼性または片眼性，瞳孔は正常である（☞外眼筋疾患：重症筋無力症）

5 Fisher症候群（図46, 47）

- 全外眼筋麻痺，躯幹失調，および深部腱反射の消失を3徴とする．

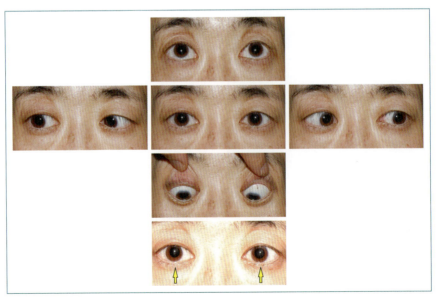

図46　Fisher症候群（初期）
両眼の羞明で来院した46歳女性．両眼が散瞳し（矢印），両眼対称性の軽度の外転制限と内転制限，上転制限があり，Fisher症候群の初期の所見である．本症例のように，瞳孔障害を初発症状とするFisher症候群もある

a) 特徴

❶眼症状
- 両眼対称性の外眼筋麻痺を示し，両眼対称性であることが絶対条件である．
- 両眼の外転制限から発症→内転制限→上転下転制限→全外眼筋麻痺の順に進行する．
- 回復は，上転下転制限→内転制限→外転制限の順に起こる．
- 眼球運動制限は両眼対称性のため複視の訴えは少ない．ただし，回復期に内転制限が軽快すると外転制限による複視が一時的に増強するため，患者が不安を訴えることがあり，回復の途中であることを説明して安心してもらう．
- 眼瞼下垂：原則的には両眼対称性であるが，軽度の左右差がみられることもある．enhanced ptosis現象を伴うことがある．
- 瞳孔障害：瞳孔不同や対光反射障害を合併しやすく，散瞳が初発症状のこともある．

❷躯幹失調
- ふらつきは必発であり，眼症状より強く訴える．

❸深部腱反射の消失
- 診断的な意義は薄い．

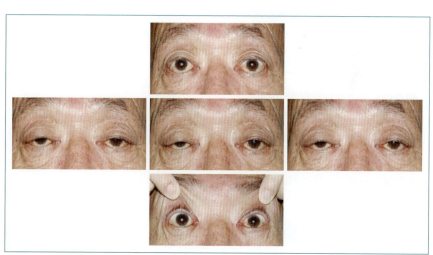

図47 Fisher症候群（極期）
感冒罹患2週間後に歩行時のふらつきと眼瞼下垂が出現した61歳男性．両眼の眼瞼下垂と全方向へ高度の眼球運動制限があり，Fisher症候群の極期の所見である．Fisher症候群では眼球運動制限は必ず両眼対称性である

❹随伴所見
- 2週間以内の感冒様症状や下痢の既往がある.
- 脳脊髄液に蛋白細胞解離(細胞増多を伴わない蛋白増多)がみられるが,病初期には検出されないことが多い.
- 血清抗ガングリオシドGQ1bIgG抗体の上昇が80%以上にみられる.
- 病初期に鑑別を要するWernicke脳症とは異なり意識障害はなく,血中ビタミンB_1の低下もない.

❺治療
- 予後は良好で,無治療でも半年位で軽快する.
- 免疫グロブリン静注療法が回復を早めるが,適応になる症例はほとんどない.

b) 類縁疾患

❶ Guillain-Barré症候群
- 感染後の多発神経炎,特に下痢を起こす*Campylobacter jejuni*の感染後に発現しやすい.
- その他の先行感染には,サイトメガロウイルスやEpstein-Barrウイルス,マイコプラズマなどがある.
- Fisher症候群とは異なり眼症状は軽度である.
- 下肢から上肢へ進行する四肢麻痺と両側顔面神経麻痺が特徴である.
- 脳脊髄液の蛋白細胞解離もみられる.
- 重症例では,免疫グロブリン静注療法(1日400 mg/kg,5日間)や血漿交換療法が行われる.
- 補体阻害薬のエクリズマブが進行を抑制する.

❷ Bickerstaff型脳幹脳炎(図48)
- 外眼筋麻痺と失調を主徴とする予後良好な脳幹脳炎である.
- 意識障害や脳幹症状を伴うことがFisher症候群との鑑別点となる.
- 血清抗ガングリオシドGQ1bIgG抗体が上昇する症例もある.
- 治療はGuillain-Barré症候群に準じて行う.

6 Wernicke脳症(図49)

- 意識障害,眼筋麻痺,失調性歩行が3徴である.
- ビタミンB_1(チアミン)欠乏が原因で,アルコール依存症,食事摂取不良,胃切除後にみられる.

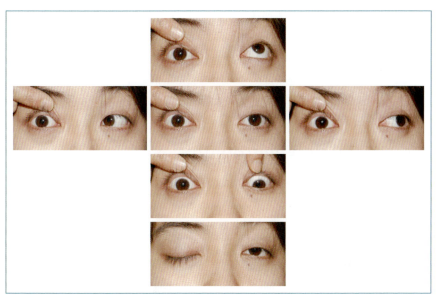

図48 Bickerstaff型脳幹脳炎
意識障害後に失調性歩行と複視が出現した23歳女性．右眼に全外眼筋麻痺があり，左眼の内転と外転も軽度制限されている

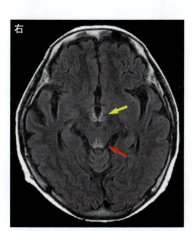

図49 Wernicke脳症のMRI FLAIR画像
30年前に胃全摘出術を受けている72歳女性．両側外転神経麻痺と側方注視眼振があり，軽度の意識障害や歩行時のふらつきも伴う．両側乳頭体（黄矢印）と中脳水道周囲の灰白質に高信号域がみられる（赤矢印）

- 眼球運動障害では，外転神経麻痺と注視麻痺性眼振の出現頻度が最も高い．
- 垂直眼振は上眼瞼向き眼振が特徴的であり，正面位で上眼瞼向き眼振をみた時はまず本症を考える．
- 全外眼筋麻痺や核間麻痺を起こすこともある．

- 画像所見では，MRIで乳頭体，中脳水道，第三脳室，第四脳室周囲の灰白質に病変がみられる．
- 大量のビタミンB_1（500 mg）静注で1～2週間以内に改善する．原因不明の意識障害をみた時は，血中ビタミンB_1の測定結果を待つことなく，直ちにビタミンB_1を点滴静注するのが鉄則である．

7　cranial polyneuropathy

- サルコイドーシスや糖尿病，頭蓋底腫瘍はなく，原因不明の多発性の脳神経障害である．
- 脳神経にのみ多発性に再発を繰り返すが画像所見では異常は検出されず，多発性硬化症とは鑑別できる．
- 眼球運動神経麻痺を示すことが多く，まれに視神経障害も出現する．
- 頭痛は訴えず，再発性のTolosa-Hunt症候群や肥厚性硬膜炎との鑑別点になる．
- 抗核抗体陽性例が多い．
- 副腎皮質ステロイド薬が有効だが，中止すると再発する傾向があり，プレドニゾロン10 mg程度の維持量が必要のことが多い．

8　ocular neuromyotonia（図50～52）

- 動眼神経，滑車神経，外転神経支配の外眼筋の拘縮により，発作性に片眼の眼球が偏位する特異な疾患である．
- 不随意または注視により誘発される．
- きわめてまれな疾患であるが動眼神経に起こりやすく，次いで外転神経，滑車神経の順にみられる．
- 動眼神経では異常神経支配の症状を合併する．
- 半数例が下垂体および近傍腫瘍の放射線治療後で，十数年後に出現することもある．
- 眼球運動神経軸索膜の安定性の低下が原因と考えられている．
- 膜の安定作用があるカルバマゼピン（テグレトール®）が有効なことが多い．

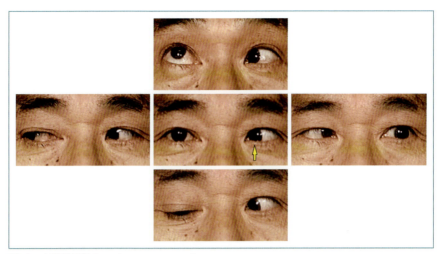

図50　左動眼神経のocular neuromyotonia
プロラクチン産生下垂体腺腫摘出術と放射線治療を受けて20年後に，複視と眼位異常が時々出現した59歳男性．右方視を持続させると左上眼瞼が徐々に挙上し，左眼が内転位のまま固定して（矢印）上転と下転，外転が不可能となり，眼球も陥凹し，動眼神経支配のすべての外眼筋が拘縮した状態となる．30秒後に眼位は正位に戻り，眼球運動制限も消失する

図51　左滑車神経のocular neuromyotonia
左特発性眼窩炎症で副腎皮質ステロイド薬治療を受けて5年後に，複視と眼位異常が時々出現した50歳女性．Bのように時々正面位で左眼が徐々に内下転して固定し（矢印），上転と外転が不可能となり，滑車神経支配の上斜筋が拘縮した状態となる．Aのように1分後には眼球は正位に戻り，眼球運動制限も消失する

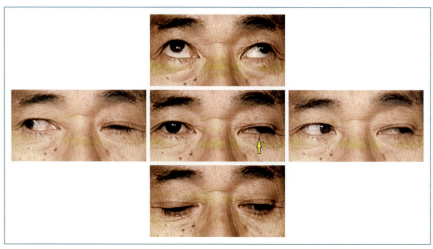

図 52　左外転神経の ocular neuromyotonia
図 50 と同一症例．左方視を持続させると左眼が外転位のまま固定し（矢印），内転が制限され，外転神経支配の外直筋が拘縮した状態となる．1 分半後に眼位は正位に戻り，眼球運動制限も消失する

9　代償不全型斜視

- 加齢による融像力の低下で斜位が斜視となる現象である．
- 成人，特に老視年齢以降に出現する複視のかなりの比率を占め，60 歳以降に目立つ．
- 水平性複視（主に外斜視）や垂直性複視（上下斜視）を訴えるが，垂直性複視の訴えのほうが強い．
- 複視は原則として共動性で，各注視方向で変化しない．
- 眼位の変化や複視のずれの程度は軽度で，わずかな上下斜視を伴う症例に起こりやすい．
- 眼球運動制限はない．
- 初期には複視は時々出現する間歇性であるが，しだいに恒常性へ移行する．後天眼球運動障害との最も重要な鑑別点である．
- 複視は徐々に慣れることが多いが，必要に応じ Fresnel 膜プリズムで対応する．

B 核上性水平眼球運動障害

1 水平注視麻痺（側方注視麻痺）（図53, 54）

- 水平注視中枢である橋下部の傍正中橋網様体（PPRF），介在ニューロン，外転神経核の病変でみられる．

a）症状

- 両眼とも患側方向への眼球運動が制限される．
- 上方視と下方視時に両眼ともやや健側方向に偏位する．
- 輻湊による内転は可能である．
- 注視麻痺性眼振を伴う．
- 前庭眼反射が保たれていればPPRF病変，障害されていれば外転神経核病変が疑われる．
- 急性期には正面位で健側方向への共同偏視がみられる．
- skew deviationを合併しない限り複視の自覚はない．
- 注視麻痺方向の視野が狭いと訴えて受診することがある．

b）原因

- 脳血管障害：下橋被蓋枝梗塞（Foville症候群）の主要症状の一つである．

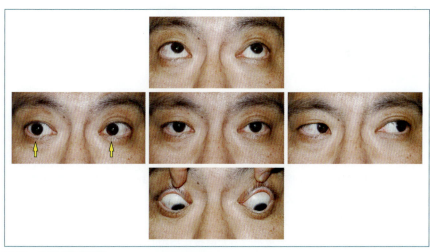

図53　右水平注視麻痺
眼位は正位であるが，両眼とも右方向への眼球運動制限がある（矢印）．上方視と下方視時に両眼ともやや左方に偏位する．心因性の随意性水平注視麻痺ではこの偏位はみられない

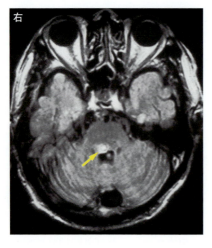

図54 右水平注視麻痺のGd造影MRI T₁強調画像
右橋下部被蓋背側傍正中部に,外転神経核から一部橋網様体に及ぶ梗塞巣が描出される(矢印)

- 腫瘍:橋部海綿状血管腫.

2 核間麻痺(図55〜59)

- 外転神経核から反対側の動眼神経内直筋核に刺激を伝える内側縦束の病変でみられる(核間は外転神経核と動眼神経核の間の意味).内側縦束症候群(MLF症候群)とも呼ばれている.

a) 特徴

❶症状

- 患側の内転が制限される.
- 健側に外転時の単眼性眼振(解離性眼振)がみられる.
- 輻湊による内転は可能である.

❷診断

- 内転速度の著明な低下が特徴であり,診断の決め手となる.動眼神経麻痺や他の内転制限を示す疾患との決定的な鑑別点である.左右に固視目標を置き,交互に瞬時に視線を変えた時に容易に観察できる.
- 内転速度の低下は,眼球運動制限が消失した後もしばらく持続する.
- 単眼性眼振は急速に側方視を行った直後に出現しやすく,すぐに減衰する.
- 輻湊は病初期に正面眼位が外斜視の時は不能であるが,健眼遮閉下では可能である.

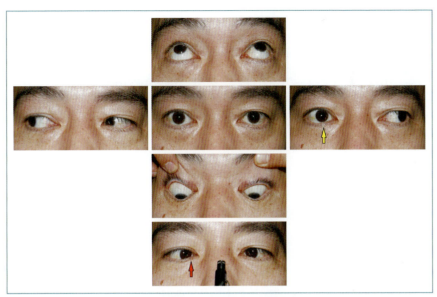

図55 右核間麻痺
正面眼位は正位で，右眼の内転が制限されているが（黄矢印），最下段に示す輻湊による右眼の内転は可能である（赤矢印）

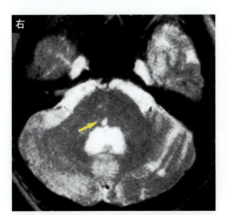

図56 右核間麻痺のMRI T₂強調画像
橋下部被蓋最背側の右内側縦束に小さな梗塞巣が描出される（矢印）

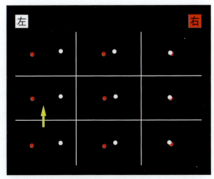

図57 右核間麻痺の複像検査
右眼に赤ガラスを置いた時，正面位で赤い光がわずかに左下に見え，左方視で左右のずれが最大となる（矢印）．動眼神経麻痺とは異なり上転制限と下転制限はない

- 内転速度の低下のため，健側方向への視運動性眼振の解発が麻痺眼で不良となり，左右の眼で非対称性を示す．

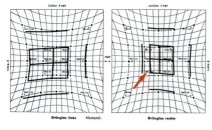

図58 右核間麻痺のHess chart
右眼の面積が小さく，内直筋方向が最も離れている（矢印）．左眼の外直筋方向に過動がある．上転制限と下転制限はない

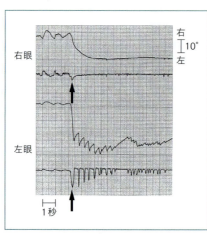

図59 右核間麻痺の眼球電図（electro-oculogram：EOG）
両眼とも上段は原波形，下段が速度波形で，上方が右向き，下方が左向きを示す．急速左方視時，右眼の内転制限（振幅低下）と内転速度の低下（矢印）が著明である．外転眼の左眼に解離性眼振（単眼性眼振）がみられる

❸原因
- 片側性：脳血管障害，多発性硬化症（若年成人），頭部外傷．
- 両側性：多発性硬化症（特に若年成人ならばほぼ診断が確定する），脳血管障害（片側の下橋被蓋枝梗塞でも出現することがある），Wernicke脳症（図60, 61）．

b）核間麻痺の正面眼位
- 核間麻痺では，時期や病巣の広がりにより，さまざまな正面眼位を示す．

❶正位
- 片眼性，両眼性ともにみられる．

❷麻痺眼が上斜視
- 合併するskew deviationにより麻痺眼が上斜視となる．この形が最も多い．

❸麻痺眼が外斜視（図62）
- 急性期にみられ，数日で正位になる．両眼での輻湊はできない．WEMINO（wall-eyed monocular internuclear ophthalmoplegia）とも呼ばれている．

B 核上性水平眼球運動障害

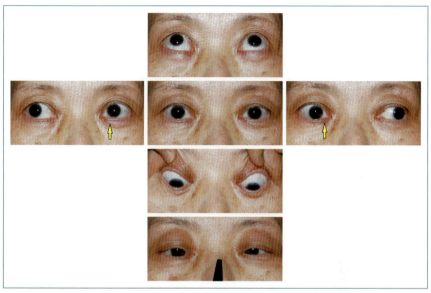

図60 両側核間麻痺
多発性硬化症の32歳男性．正面眼位は正位で両眼の内転が制限されているが（矢印），最下段に示す輻湊による内転は両眼とも保たれている．若年成人の両側核間麻痺は多発性硬化症の可能性が高い

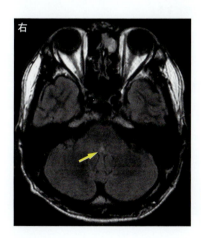

図61 両側核間麻痺のMRI FLAIR画像
橋下部被蓋最背側正中部に，両側内側縦束に及ぶ脱髄巣が描出される（矢印）

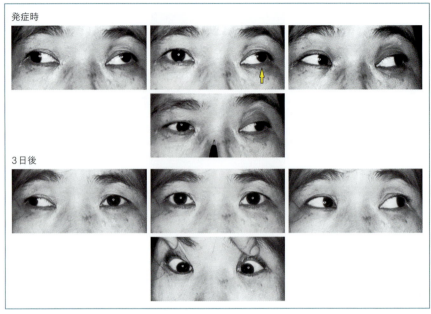

図62　麻痺眼が外斜視となる左核間麻痺（WEMINO）
左核間麻痺で，上段のように急性期には患側の左眼が外斜視となり（矢印），輻湊も障害されることがあるが，下段のように数日で正面眼位は正位となり，輻湊も可能となる

❹健眼が外斜視（図63）

- non-paralytic pontine exotropia（非麻痺性橋外斜視）．

  - 核間麻痺に軽度の同側水平注視麻痺が合併した形である
  - 水平注視麻痺は肉眼的には観察できないが，患側方向への衝動性眼球運動速度の低下と視運動性眼振の解発不良で確認できる
  - 急性期にみられ，数日で正位になる

- 健眼に視力低下があると麻痺眼で固視するため，健眼が外斜視となる．

❺両側核間麻痺で外斜視（図64）

- 正面位で外斜視を示す両側核間麻痺で，WEBINO（wall-eyed bilateral internuclear ophthalmoplegia）と呼ばれている．垂直眼振，特に上眼瞼向き眼振（upbeat nystagmus）を合併することが多い．

B 核上性水平眼球運動障害

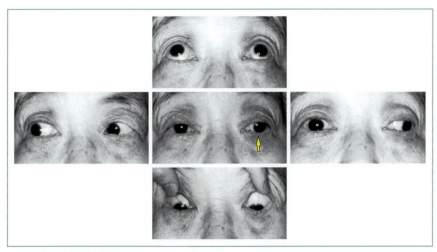

図63 非麻痺性橋外斜視
右核間麻痺で，正面位で健側の左眼が外斜視となっている（矢印）．ごく軽度の右水平注視麻痺の合併が考えられ，内側縦束を中心としたより広範囲な病巣が疑われる

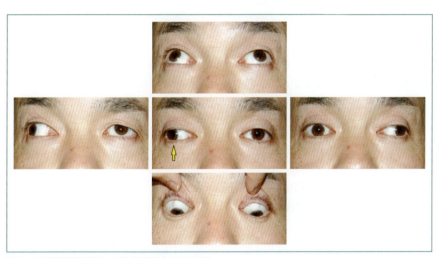

図64 両側核間麻痺による外斜視（WEBINO）
両眼の内転が制限される両側核間麻痺で，正面位でWEBINOと呼ばれる高度の外斜視となっている（矢印）

c）核間麻痺の病巣による亜型（図65）
❶前部型核間麻痺（中脳病変）
- 輻湊麻痺を合併する．局在診断上の価値は低い．

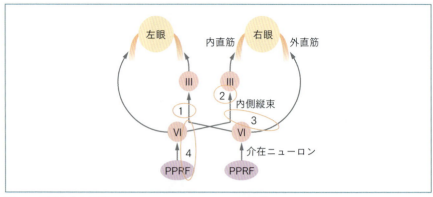

図65 核間麻痺と亜型,one-and-a-half syndromeの病巣
1 核間麻痺,2 前部型核間麻痺,3 後部型核間麻痺,4 one-and-a-half syndrome
核間麻痺は内側縦束,前部型核間麻痺は内側縦束と動眼神経核,後部型核間麻痺は内側縦束と外転神経髄内線維,one-and-a-half syndromeは内側縦束と外転神経核やPPRFを含む広範囲な病巣で起こる

❷後部型核間麻痺(橋下部病変)
- 外転神経麻痺を合併する.局在診断上の価値が高い.

d)偽核間麻痺
- 重症筋無力症やFisher症候群では,内転速度の低下を含め核間麻痺と全く同様の所見を示すことがある.特に重症筋無力症の頻度が高く,テンシロン試験による核間麻痺との鑑別が必要となる.

3 one-and-a-half syndrome(図66, 67)

- 片側の内側縦束とPPRF病変の合併で起こる.
- 患側の内転制限(核間麻痺)と両眼の患側方向への水平注視麻痺を示し,健側の外転のみ障害されない.
- 上方視と下方視時に両眼ともやや健側方向に偏位する.
- 健側に外転時の単眼性眼振(解離性眼振)がみられる.
- 両眼とも輻湊による内転は可能である.
- 正面位では必ず健側が外斜視となる:paralytic pontine exotropia(麻痺性橋外斜視).

B 核上性水平眼球運動障害

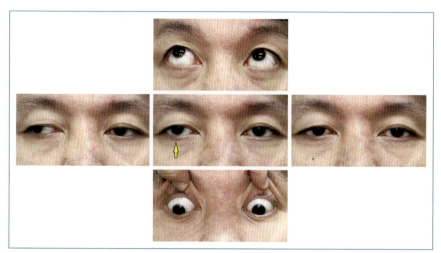

図66 左one-and-a-half syndrome
左眼の内転と両眼の左方注視が制限され，右眼の外転のみ可能な状態である．正面位で健側の右眼が外斜視となっており（矢印），麻痺性橋外斜視と呼ばれている．左水平注視麻痺のため，上方視と下方視時に両眼ともやや右方に偏位する

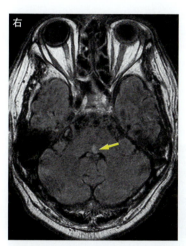

図67 左one-and-a-half syndromeのMRI FLAIR画像
橋下部被蓋背側正中部の左内側縦束とその腹側のPPRFに広がる梗塞巣が描出される（矢印）

4 開散麻痺

a）特徴

❶症状

- 遠方視で同側性複視が増強する．

- 側方視で複視は増強せず，むしろ減少することもある．
- 近方視では複視は訴えない．
- 複視の特徴に加え，肉眼的に眼球運動制限がないことが絶対条件である．
- 開散性融像の低下がみられる．大型弱視鏡で測定できるが，診断にはあえて測定する必要はない．

❷診断の要点（図68〜71）
- いずれも赤ガラスを用いた複像検査で容易に確認できる．
- 遠方視で内斜視が増強する．
- 側方視で内斜視は変化しないか，むしろ減少する．
- ほとんどの症例がskew deviationによる上下斜視を伴う．

❸原因
- 責任病巣は不明であるが，外転神経核近傍と中脳網様体が考えられている．
- 原因には，脳炎，脳血管障害，頭部外傷，多発性硬化症，頭蓋内圧亢進などがあるが，画像診断で病巣が確認できる症例はごくわずかしかない（図72）．

❹治療
- 複視が残存する場合は，基底斜め外方のFresnel膜プリズムが有効である．

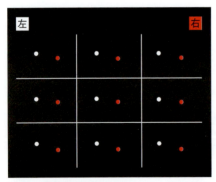

図68 開散麻痺の複像検査
右眼に赤ガラスを置いた時，正面位で赤い光は右下に見え，左右側方視でずれの程度に変化はない．合併する共動型skew deviationにより，各注視方向で常に右眼が軽度の上斜視となっている．開散麻痺ではskew deviationを伴うことが多く，左右側方視で内斜視が増強しないことを含め，純水平性の複視を示す外転神経麻痺との鑑別点となる

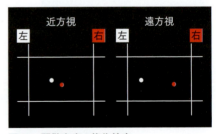

図69 開散麻痺の複像検査
開散麻痺では遠方視で内斜視が増強することを複像検査で確認する

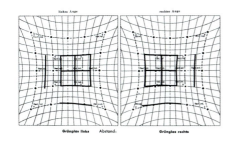

図70 開散麻痺の Hess chart
両眼の面積は等しく，外転制限もみられず，共同型の内斜視の形を示す．各注視方向で右眼がわずかに上斜視になっており，skew deviation を合併している

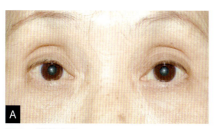 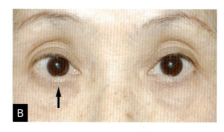

図71 開散麻痺
A 近方視，B 遠方視．
突然遠方視で複視が出現した68歳女性．眼球運動制限はないが遠方視で内斜視が増強する（矢印）

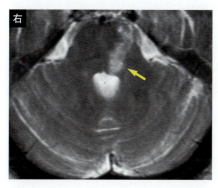

図72 開散麻痺の MRI T_2 強調画像
左橋下部被蓋背側の外転神経核付近に梗塞巣が描出され，下橋被蓋枝の梗塞である（矢印）．開散麻痺の責任病巣はまだ確定していないが，多くは橋下部被蓋病変で起こる

b) 鑑別を要する疾患

- いずれの疾患も遠方視で複視を訴えるが，軽度の場合は肉眼的な眼球運動制限はない．

  - **外転神経麻痺**：純水平性複視で，側方視で内斜視が増強する（☞眼球運動疾患：外転神経麻痺）
  - **輻湊痙攣**：内斜視の程度が変動し，縮瞳や近視化を合併する

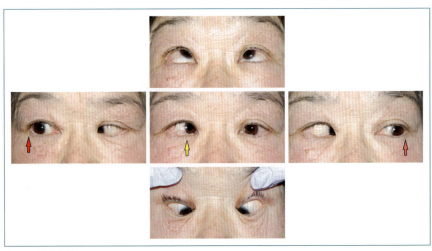

図73 固定斜視
両眼とも強度近視眼で，年齢とともに正面位で内斜視が増強し（黄矢印），両眼の外転も制限されるようになった（赤矢印）

> - 固定斜視：少なくとも−10ジオプトリー以上の強度近視眼で，年齢とともに内斜視と下斜視が増強する．初期には外転制限はないが，しだいに制限が目立つようになる（図73）（☞眼球運動疾患：固定斜視）
> - sagging eye syndrome：強度近視ではない高齢者にみられ，軽度の内斜視と上下斜視を示すが外転制限はない．上眼瞼の菲薄化や腱膜性眼瞼下垂を伴う（☞眼瞼疾患：腱膜性眼瞼下垂）

5 輻湊障害

a) 輻湊痙攣（図74, 75）

❶症状

- 同側性複視を示し，多くは遠方視力の低下や頭痛，眼痛を合併する．
- 遠方視で内斜視が増強するが，変動するのが後天内斜視を示す他の疾患との鑑別点である．
- 調節痙攣を合併し，同時に偽近視や縮瞳がみられる．
- 調節麻痺薬の点眼で劇的に改善する．
- 遠視の若年者に多いが，近視でコンタクトレンズを装用している老視直前の

B 核上性水平眼球運動障害

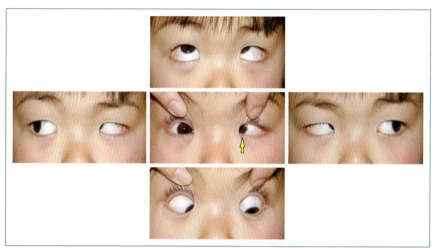

図74 輻湊痙攣
眼位異常と複視を訴えて来院した男児．正面位で程度が変動する内斜視があり（矢印），頭痛や眼痛，調節痙攣による縮瞳と近視化も伴う

図75 調節輻湊痙攣
A 調節麻痺薬点眼前，B 点眼後．
複視と視力低下で来院した22歳女性．正面位で内斜視があり，両眼とも縮瞳している（矢印）．調節痙攣を伴っている場合，調節麻痺薬のサイプレジン®を点眼すると，Aにみられた内斜視がBに示す点眼後には消失し，頭痛や眼痛などの自覚症状も軽快する

30歳台にも起こりやすい．

❷原因
- 大部分が過度の調節を行って近方視を続けることが原因である．
- 器質的原因には橋被蓋病変，中脳背側病変，視床病変（鼻尖を見つめる眼位：視床眼）がある．

❸治療
- 器質的原因がなければ近業の軽減と近用眼鏡装用，それでも改善しない場合はシクロペントラート（サイプレジン®）などの調節麻痺薬点眼を併用する．

b) 輻湊麻痺

❶症状
- 近方視で交叉性複視を訴える．
- 近方視で外斜視が増強する．
- 正常では鼻尖まで可能な輻湊近点が延長する．

❷原因
- 大部分が先天性または加齢による輻湊力の低下である．
- 器質的原因には中脳背側病変やParkinson病がある．

❸治療
- 器質的な原因がなく，調節障害もなければ輻湊訓練で軽快する．遠視や老視などの調節障害を伴っていれば，近用眼鏡装用が必要となる．

C 核上性垂直眼球運動障害

1 垂直注視麻痺

- 垂直注視中枢，特に衝動性眼球運動の中枢である内側縦束吻側間質核（riMLF）病変で起こる．

a) 症状

❶上方注視麻痺（図76〜78）
- 両眼とも上転が制限される．
- 側方視時に両眼ともやや下方に偏位する．加齢による上方注視不全や随意性

Column

急増する輻湊痙攣

コンピュータ画面やスマートフォンを見続けることによる輻湊痙攣が急増している．特にコンタクトレンズ装用者に多い．頭痛，眼痛，肩こりなどの眼精疲労や，内斜視による遠見時の複視と容貌的な悩みを訴える．

症状の変動や上下の複視を欠くことで診断は容易であり，近業の軽減と適切な近用眼鏡装用，時には調節麻痺薬点眼で改善を目指す．しかし，仕事や日頃の生活習慣を変えるのは難しいようで，治療に難渋する症例が多い．

C 核上性垂直眼球運動障害

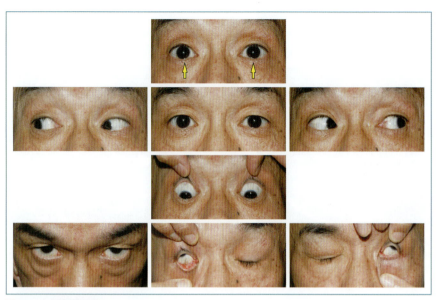

図76 上方注視麻痺
両眼とも上転が制限されているが（矢印），他の方向への制限はない．側方視時に両眼がやや下転位をとる．核上性病変のため，最下段に示す人形の目現象とBell現象による上転は保たれている

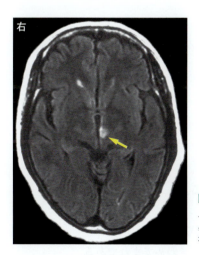

図77 視床穿通動脈梗塞のMRI FLAIR画像
上方注視麻痺症例で，間脳中脳移行部の左傍正中部に梗塞巣がある（矢印）．左視床穿通動脈梗塞で，高齢者の上方注視麻痺の主な原因である

上方注視麻痺との重要な鑑別点であり，加齢や随意性では下方への偏位はみられない．
- 人形の目現象とBell現象による上転は保たれる．

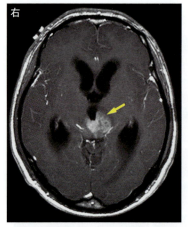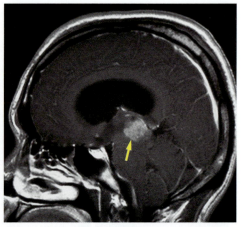

図78 松果体部腫瘍のGd造影MRI T₁強調画像
松果体部の胚細胞腫が中脳背側を圧迫し（矢印），上方注視麻痺を始めとする中脳水道症候群を引き起こす．中脳水道閉塞による水頭症も合併している．若年者の上方注視麻痺の主な原因である

- ゆっくり上方注視を促すと注視できる．
- 上方への視運動性眼振の解発が不良となる．
- 顎を上げる代償頭位をとる．
- skew deviationを伴わない限り複視は訴えない．
- 片側riMLF病変でみられる．

❷**下方注視麻痺**（図79, 80）
- 両眼とも下転が制限される．
- 側方視時に両眼ともやや上方へ偏位する．
- 人形の目現象は保たれる．
- ゆっくり下方注視を促すと注視できる．
- 下方への視運動性眼振の解発が不良となる．
- 顎を下げる代償頭位をとる．
- skew deviationを伴わない限り複視は訴えない．
- 両側riMLF病変がないと起こらないため，きわめてまれである．

❸**上方下方注視麻痺**（図81, 82）
- 両眼とも上転と下転が制限される．
- 人形の目現象とBell現象は保たれる．
- ゆっくり上方注視と下方注視を促すと注視できる．

C 核上性垂直眼球運動障害

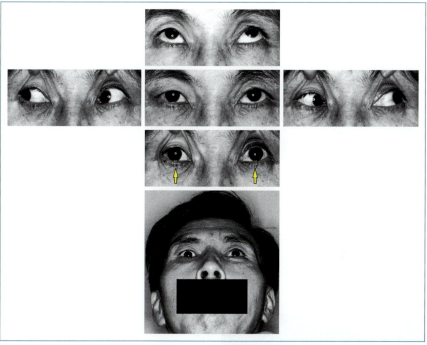

図79 下方注視麻痺
両眼とも下転が制限されているが（矢印），他の方向への制限はない．側方視時に両眼がやや上転位をとる．核上性病変のため，最下段に示す人形の目現象は保たれている

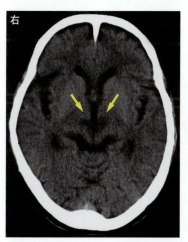 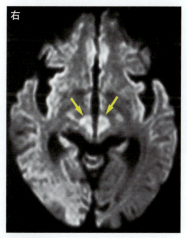

図80 下方注視麻痺のCT画像とMRI拡散強調画像
下方注視麻痺症例で，両側の視床穿通動脈流域に蝶の羽根様の特徴ある形の梗塞巣がみられる（矢印）．単独の下方注視麻痺は，両側の視床穿通動脈流域に病変がないと出現しないため，きわめてまれである

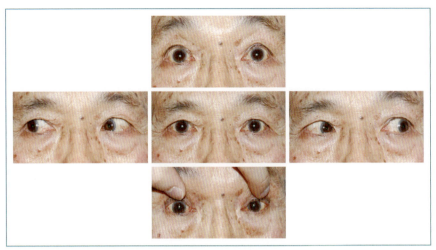

図81 上方下方注視麻痺
両眼とも上転と下転が制限されているが，水平方向への制限はない．核上性病変のため，人形の目現象やBell現象は保たれている

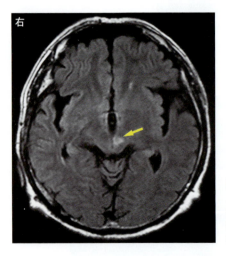

図82 上方下方注視麻痺のMRI FLAIR画像
上方下方注視麻痺症例で，左視床穿通動脈流域に梗塞巣がある（矢印）．単独の下方注視麻痺は片側性病変では起こらないが，上方注視麻痺と上方下方注視麻痺は片側視床穿通動脈病変でも起こる

- 上方と下方への視運動性眼振の解発が不良となる．
- skew deviationを伴わない限り複視は訴えない．
- 片側riMLF病変でみられる．

b）原因

- 視床穿通動脈梗塞，出血：特に梗塞では，画像診断で中脳から視床の正中部に特徴ある楔状の病変が検出される．下方注視麻痺を示す両側性病変では蝶の羽根のように見える．
- 松果体部腫瘍：若年者にみられ，小太りが多い．水頭症を合併しやすい．

c）垂直注視麻痺を伴う疾患

❶中脳水道症候群（図83）

- 中脳水道近傍病変でみられる多彩な眼症状を示す症候群である．中脳背側症候群，視蓋前域症候群，Parinaud症候群とも呼ばれている．

【症状】

- 垂直注視麻痺：特に上方注視麻痺が多い．
- 輻湊麻痺：数少ない器質的原因の一つである．
- 輻湊後退眼振：急速に上方注視を行った時や，上方への視運動性眼振解発時に誘発される．診断の決め手となる重要な症候である．（☞眼振：輻湊後退眼振）
- skew deviation：交代型skew deviation，特に内転眼が常に上斜視となる型が多い．中脳水道症候群では，これによる上下の複視を主訴に来院することが多い．（☞眼球運動疾患：skew deviation）
- 視蓋瞳孔：両眼散瞳とlight-near dissociationを示し，羞明を訴える．
- Collier徴候：両眼に瞼裂開大によるびっくり眼（まなこ）がみられる．

【原因】

- 発症年齢により原因が異なるが，若年者の松果体部腫瘍と中高齢者の脳血管障害が大部分を占める．

> - 1歳：先天中脳水道狭窄（後天性はどの年代でも起こる）
> - 10歳台：松果体部腫瘍
> - 20歳台：頭部外傷

図83　中脳水道症候群
中脳水道症候群では，上方注視麻痺を中心とした多彩な眼症状がみられる．図のように，両眼とも散瞳して対光反射が障害されるが近見反射は保たれるlight-near dissociationを示す視蓋瞳孔や，瞼裂が開大するCollier徴候もよくみられる

- 30〜40歳台：まれに多発性硬化症や脳動静脈奇形
- 50歳台：脳血管障害（視床穿通動脈梗塞や出血）

❷視床血管障害（図84, 85）

- 垂直注視麻痺：頻度は上方注視麻痺が最も高く，上方下方注視麻痺，下方注視麻痺が次ぐ．
- 視床眼：pseudo-abducens palsyとも呼ばれ，病初期に短期間両眼とも下転して鼻尖を見つめる特徴ある眼位を示すが，開散位のこともある．
- 内側型視床出血では急性期に健側方向への共同偏視がみられることがあり，wrong-way deviationと呼ばれている．
- 瞳孔障害：軽度の縮瞳，瞳孔不同，対光反射障害を伴うことが多い．
- これらの眼症状は，梗塞では視床穿通動脈流域の視床内側核病変で，出血では外側後脈絡叢枝流域の視床背側外側核病変を中心とした内側型出血で起こることが多い．
- 反対側半身知覚低下：ほぼ必発の合併症状である．
- 反対側片麻痺：内包への進展例でみられる．

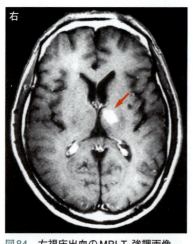

図84　左視床出血のMRI T₁強調画像
視床血管障害による垂直注視麻痺や瞳孔異常は，出血では外側後脈絡叢枝流域の視床背側外側核病変を中心とした内側型出血（矢印），梗塞では視床穿通動脈流域の視床内側核病変で起こることが多い

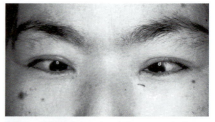

図85　視床眼（pseudo-abducens palsy）
上方注視麻痺を伴う視床出血でみられる，鼻尖を見つめる眼位である

C 核上性垂直眼球運動障害

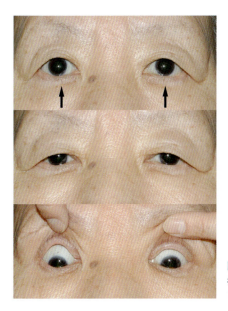

図86 Parkinson病でみられる垂直注視麻痺
病初期には，上方注視麻痺優位の垂直注視麻痺を示す（矢印）

- 同名半盲：外側膝状体や視放線起始部への進展例でみられる．

❸ Parkinson病（図86）

- 眼球運動異常，特に垂直注視麻痺の所見が，病初期での進行性核上性麻痺との鑑別に役立つ．

> - 垂直注視麻痺：初期には上方注視麻痺，進行すると上方下方注視麻痺となる
> - 衝動性眼球運動障害：潜時の延長，反応時間の延長，hypometria，最大速度の低下がみられ，垂直方向でより著明である
> - 滑動性追従運動障害：衝動性眼球運動が混入し階段状波形を示す
> - 輻湊麻痺も合併しやすい

- 抗パーキンソン薬でも眼症状の改善は期待できない．

❹ 進行性核上性麻痺（図87）

- 垂直注視麻痺：Parkinson病とは逆に初期には下方注視麻痺，進行すると上方下方注視麻痺となる．
- 正面位でsquare wave jerksが観察され，診断の決め手の一つになる．
- 衝動性眼球運動障害：hypometriaと最大速度の低下がみられるが，潜時は正常である．

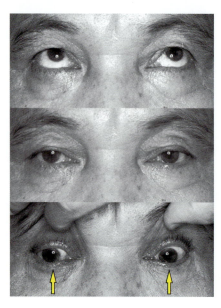

図87 進行性核上性麻痺でみられる垂直注視麻痺
病初期には，下方注視麻痺優位の垂直注視麻痺を示し（矢印），病初期におけるParkinson病との鑑別に役立つ

- 滑動性追従運動障害：衝動性眼球運動が混入し階段状波形を示す．

2　skew deviation（斜偏位）

a）特徴
- 核上性病変により引き起こされる上下斜視である．
- 耳石器官から垂直注視中枢や垂直外眼筋への投射路の障害で起こる．
- 一般的には患側が下斜視，ただし核間麻痺では患側が上斜視となる．
- 回旋偏位は伴わない．
- 前庭眼反射の障害により，頭位変換時に動揺視やめまいを訴えることが多い．
- 病巣局在診断上の価値は低いが，核上性病変を裏付ける症候である．

b）分類
❶**共動型**（図88～90）
- 各注視方向で上下偏位が一定である．

❷**単筋麻痺型**（図91～93）
- 各注視方向で上下偏位があるが，特に単一の垂直筋の作用方向で偏位が目立つ（下直筋麻痺型が最も多く，下斜筋麻痺型が次ぐ）．

C 核上性垂直眼球運動障害

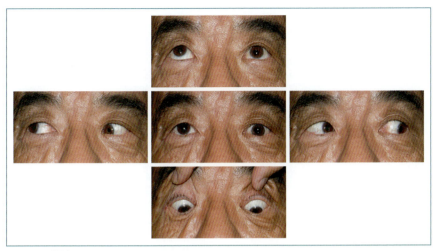

図88 共動型 skew deviation
左小脳出血症例で，眼球運動制限はなく，正面位を含む各注視方向でほぼ一定の右眼上斜視がみられる．患側が下斜視のことが多い

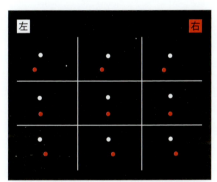

図89 共動型 skew deviation の複像検査
右眼の前に赤ガラスを置いた時，正面位を含む各注視方向で赤い光がほぼ一定の間隔で下方にみえる右眼上斜視となる

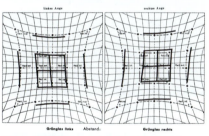

図90 共動型 skew deviation の Hess chart
両眼の面積はほぼ等しく，各測定点での右眼上斜視の程度も一定である

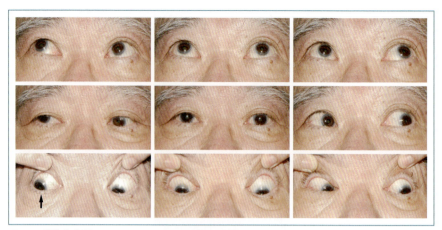

図91　単筋麻痺型 skew deviation（右下直筋麻痺型）
各注視方向で軽度の右眼上斜視があり，肉眼では右下方視時の右眼上斜視の増強は分かりにくい（矢印）

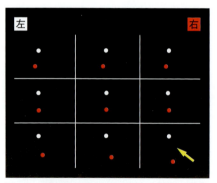

図92　単筋麻痺型 skew deviation（右下直筋麻痺型）の複像検査
右眼の前に赤ガラスを置いた時，正面位を含む各注視方向でほぼ一定の右眼上斜視があるが，右下方視時に軽度増強する（矢印）

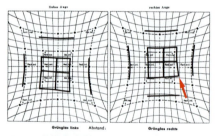

図93　単筋麻痺型 skew deviation（右下直筋麻痺型）の Hess chart
両眼の面積はほぼ等しいが，右下直筋に軽度の制限があり（矢印），左上斜筋に過動がみられる．下直筋麻痺との鑑別は，上方視でも右眼上斜視が検出されることである

❸交代型（図94〜99）

- 左右注視方向で上下偏位が逆転する．

  - 外転眼が常に上斜視となる型：脊髄小脳変性症などの下部脳幹や小脳病変で主にみられる

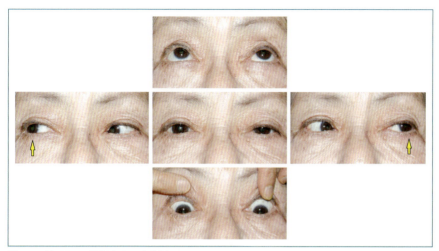

図94 外転眼が上斜視となる交代型 skew deviation
脊髄小脳変性症症例で，左右側方視で眼球の上下偏位が逆転し，常に外転眼が上斜視となる（矢印）．主に下部脳幹病変でみられる交代型 skew deviation の形である

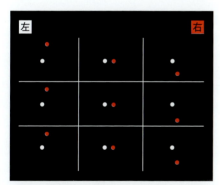

図95 外転眼が上斜視となる交代型 skew deviation の複像検査
右眼の前に赤ガラスを置いた時，右方視では右上方視と右下方視を含め赤い光が下に見え，右眼が上斜視となる．一方，左方視では左上方視と左下方視を含め赤い光が上に見え，左眼が上斜視となり，外転眼が常に上斜視となる形を示す

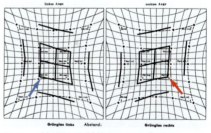

図96 外転眼が上斜視となる交代型 skew deviation の Hess chart
右方視では右眼が上斜視（赤矢印），左方視では左眼が上斜視となり（青矢印），外転眼が常に上斜視となる形を示す

- 内転眼が常に上斜視となる型：松果体部腫瘍などの上部脳幹病変で主にみられる

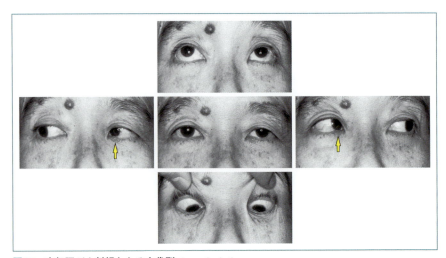

図97 内転眼が上斜視となる交代型 skew deviation
中脳梗塞症例で，左右側方視で眼球の上下偏位が逆転し，常に内転眼が上斜視となる（矢印）．主に上部脳幹病変でみられる交代型 skew deviation の形である

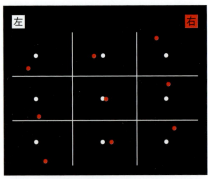

図98 内転眼が上斜視となる交代型 skew deviation の複像検査
右眼の前に赤ガラスを置いた時，右方視では右上方視と右下方視を含め赤い光が上に見え，左眼が上斜視となる．一方，左方視では左上方視と左下方視を含め赤い光が下に見え，右眼が上斜視となり，内転眼が常に上斜視となる形を示す

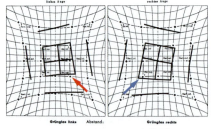

図99 内転眼が上斜視となる交代型 skew deviation の Hess chart
右方視では左眼が上斜視（赤矢印），左方視では右眼が上斜視となり（青矢印），内転眼が常に上斜視となる形を示す

c）治療

- 脳幹の微小梗塞では3カ月以内に半数が軽快するが，軽快しない場合は必要に応じ，正面視の複視を消失させる目的で Fresnel 膜プリズムを考える．

3 ocular tilt reaction（眼頭部傾斜反応）(図100〜103)

a) 特徴
- 眼球の上下偏位．
- 眼球の回旋偏位．

> - 下転眼は12時を中心に耳側に回転する外方回旋を示す
> - 上転眼は12時を中心に鼻側に回転する内方回旋を示す

- 頭部傾斜：下転眼方向へ傾斜する．
- 上記を3徴とする．自覚症状は上下の複視であり，回旋偏位はあるが外界が傾いて見えるとの自覚がないのが大きな特徴で，滑車神経麻痺との鑑別点の一つとなる．

b) 診断の要点
- 頭部傾斜を伴った眼球の上下偏位がある．
- 上下偏位は赤ガラス試験を用いると検出しやすい．
- 回旋偏位はMaddox杆や眼底写真で確認するが，下転眼の外方回旋に比べ上転眼の内方回旋が分かりにくいことが多い．
- skew deviationとの鑑別点は，頭部傾斜と回旋偏位を伴うことである．
- 回旋偏位の自覚の欠如と上転眼が内方回旋を示すことで，上転眼が外方回旋となる滑車神経麻痺とは鑑別できる．

c) 病巣
- 耳石器官から垂直外眼筋とCajal間質核への中枢性耳石投射路の障害が考えられている．上部脳幹病変と下部脳幹病変で眼球の上下偏位が異なる．

> - 末梢前庭から下部脳幹病変（延髄から橋下部病変）：患側が下転位で，患側へ頭部を傾斜する
> - 上部脳幹病変（橋上部から中脳病変）：健側が下転位で，健側へ頭部を傾斜する

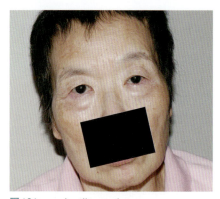

図100　ocular tilt reaction（眼頭部傾斜反応）
右卵形嚢からの経路に病変が起こると，あたかも垂直方向が左へ傾いているように脳が誤認し，頭部が左へ傾斜し，両眼とも時計回りに回旋し，右眼が上転，左眼が下転しているように感じる．この誤った垂直感を真の垂直方向へ戻そうとして頭部を右に傾け，両眼とも反時計回りに回旋し，右眼が下転，左眼が上転するocular tilt reactionが生じる

図101　ocular tilt reaction
右迷路炎症例で，頭部を患側の右に傾けている．右眼の下斜視は肉眼では確認できない

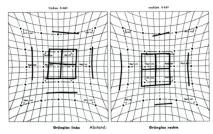

図102　ocular tilt reactionのHess chart
右迷路炎症例で，右眼が下転位となる共動型skew deviationの形を示す

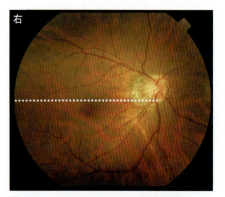

図103　ocular tilt reactionの眼底写真
右眼は黄斑が視神経乳頭下縁よりも下方に位置して外方回旋となり，左眼は黄斑が乳頭中央部の高さより上方に位置して内方回旋となり，両眼とも反時計方向へ回旋している

D その他の核上性眼球運動障害

1 ocular lateropulsion (図104〜106)

- 延髄外側症候群（Wallenberg症候群）でみられる，両眼が患側へ偏位する傾向を示す特異な症候である．めまいを必ず伴う．

  - 閉眼時両眼とも患側へ偏位：開眼すると両眼とも患側から正中に戻る動きがみられる
  - 垂直衝動性眼球運動異常：本症候の基本となる所見であり，患側へいったん偏位してから目標に到達する特徴ある動きがみられる

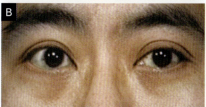

図104　ocular lateropulsion
A　閉眼，B　開眼直後，C　正面視．
左延髄外側梗塞（Wallenberg症候群）症例である．閉眼（A）から開眼を命じると，Bのように患側の左方に偏位していた両眼が，Cのように正中位に戻る動きがみられる

図105　ocular lateropulsion
上方と下方の視標を交互に急速に見させた時，Bに示すように，途中でいったん患側の左方向へ両眼が偏位してからCのように視標に達する．延髄外側梗塞で，垂直衝動性眼球運動時にみられる

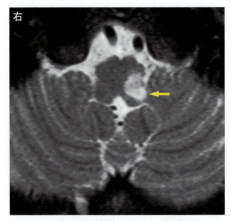
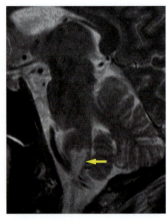

図106　左延髄外側梗塞のMRI T$_2$強調画像
左背側延髄枝と外側延髄枝の流域に梗塞巣があり（矢印），ocular lateropulsionや左Horner症候群を引き起こす

- 水平衝動性眼球運動異常：患側方向へはhypermetria（overshoot），健側方向へはhypometria（undershoot）を示す
- 自発眼振：健側向き水平性眼振，回旋眼振，半シーソー（hemi-seesaw）眼振がみられる
- 患側が下転位となるskew deviationやHorner症候群を合併する

2　ocular contrapulsion

- 吻側小脳病変でみられる両眼が健側に偏位する傾向を示す特異な症候である．

- 垂直衝動性眼球運動異常：健側へいったん偏位してから目標に到達するのが特徴である
- 水平衝動性眼球運動異常：患側方向へはhypometria，健側方向へはhypermetriaを示す
- 上小脳動脈流域の鉤状束付近の上小脳脚病変で起こる

3 小脳性眼球運動障害

- 小脳病変でみられる眼球運動異常は多いが，特異性には差がある．

  - 特異性がきわめて高い：反跳眼振（小脳病変以外では出現しないため，診断の決め手となる）
  - 特異性はやや高い：ocular dysmetria（hypermetria より hypometria のほうが特徴的である），下眼瞼向き眼振，ocular flutter，opsoclonus
  - 特異性はやや低い：交代型 skew deviation（外転眼が常に上斜視となる型が多い）
  - 特異性は低い：注視眼振（出現頻度は高い），滑動性追従運動障害，square wave jerks

4 ocular motor apraxia（図107, 108）

- 衝動性眼球運動の選択的障害で引き起こされる特異な症候である．
- 水平性では，注視を命じるとまず目標に向かって目標より先に頭部を急速に回転（head thrust）し，視線が目標に達した後にゆっくり頭部を視線の方向へ戻す動きがみられる．
- 垂直性では，急速に顎を上げ，その後ゆっくり戻す動きがみられる．
- ものを見る時，常に首を振る特異な頭部の動きで発見される．
- 先天性：ほとんどが水平性である．head thrust は年齢とともに減弱する．
- 後天性：垂直または水平注視麻痺を合併する．前庭眼反射は保存される．前

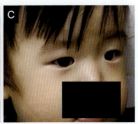

図107　先天 ocular motor apraxia
首振りを主訴に来院した1歳男児．A の正面視から左にある目標を注視するように命じると，B のようにまず目標より先の左方へ頭部を急速に回転し，その後，視線が目標に達すると C のようにゆっくりと頭部を視線の位置に戻す

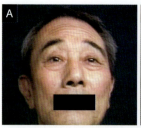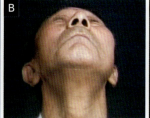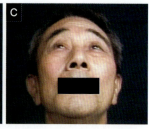

図108　後天ocular motor apraxia
大動脈瘤術後の前頭葉頭頂葉接合部梗塞症例．Aの正面視から上にある目標を注視するように命じると，Bのようにまず目標より先の上方へ頭部を急速に上げ，その後，視線が目標に達するとCのようにゆっくりと頭部を視線の位置に戻す

頭葉頭頂葉接合部の分水嶺（分水界）梗塞で起こりやすい．心血管や大動脈手術時の脳全体の虚血後が多い．

E　先天眼球運動制限

- 先天眼球運動制限は，成人になっても本人や周囲も気づかないことがある．小児期からの写真で代償頭位が確認できれば診断がつく．

1　Duane眼球後退症（図109）

- 完全外転制限が基本である．
- 外転が完全に制限されているのにもかかわらず正面眼位は正位のことが多く，診断の決め手となる．
- 内転時に眼球が後退し，瞼裂が狭小となる．
- 牽引試験で外転方向へ抵抗がみられることがある．
- 患側へ頭部を回転する代償頭位を示す．
- 左眼が多い．

2　上斜筋腱鞘症候群（Brown症候群）（図110）

- 内上転制限がみられる．

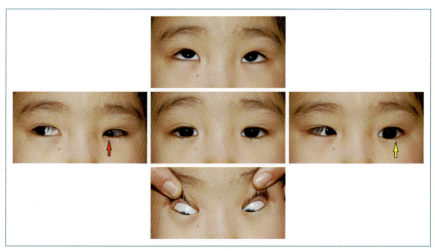

図109 左Duane眼球後退症
左眼の完全外転制限（黄矢印）と内転時の瞼裂狭小がみられる（赤矢印）．高度の外転制限にもかかわらず，正面眼位は正位である

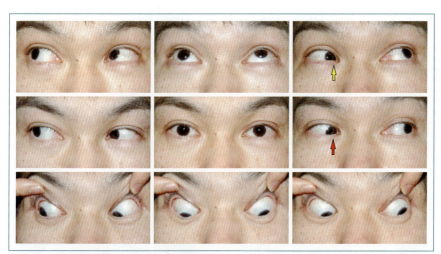

図110 右上斜筋腱鞘症候群（Brown症候群）
右眼の内上転が制限されており（黄矢印），左方視時に右眼が下斜視となる（赤矢印）

- 全例，牽引試験で内上転方向への抵抗がある．
- 右眼が多い．
- 眼窩内上方の滑車部の打撲，上斜筋の眼窩筋炎，前頭洞炎などで後天性に起こることがある．

3 double elevator palsy（図111）

- 片眼の上転が制限される（上直筋と下斜筋の運動制限）．
- 正面眼位は正位が多いが，患側が下斜視となることもある．
- 眼瞼下垂を伴うこともある．
- 牽引試験で抵抗はない．
- Bell現象は保たれるのが特徴で，動眼神経上枝麻痺との鑑別点となる．
- まれに，同側の視蓋前域病変で後天性にみられることがある．

4 Möbius症候群（図112）

- 両側水平注視麻痺が多いが，両側外転神経麻痺を示すこともある．
- 両側顔面神経麻痺があり，閉瞼時の兎眼が特徴的である．

5 general fibrosis syndrome（図113）

- 家族性にみられる両眼の全方向への眼球運動制限である．
- 両眼眼瞼下垂も伴う．
- 両眼が下方固定眼位となり，顎を上げる代償頭位をとる．
- 牽引試験で全方向へ抵抗がある．

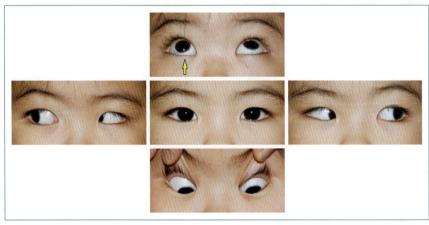

図111　右double elevator palsy
右眼の上転が制限されているが（矢印），他の方向への制限はない．Bell現象は保たれている

E 先天眼球運動制限

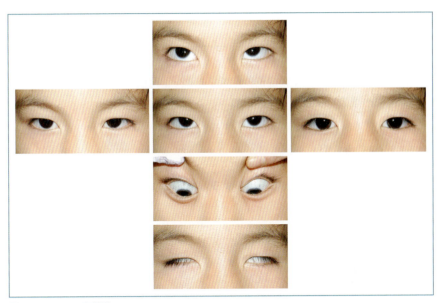

図112 Möbius症候群
両側水平注視麻痺により，両眼とも水平方向へ高度の制限がある．最下段に示すように両側顔面神経麻痺による兎眼もみられる

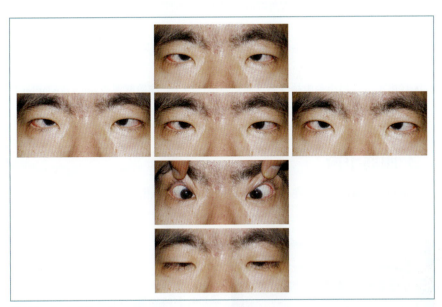

図113 general fibrosis syndrome
両眼眼瞼下垂と全方向への高度の眼球運動制限がある．最下段のように，下方固定眼位を示す

F 複視の治療

- 治療の目的は正面視での複視の軽減である．正面視で複視を自覚しない場合は治療の適応はない．

1 片眼遮閉

- 麻痺眼に眼帯をする（健眼を遮閉すると，定位の誤認のため距離感がつかみにくい）．
- 眼鏡レンズに遮閉膜を貼付ける：メンディングテープなどの半透明テープを利用する．

2 Fresnel膜プリズム（図114）

- 正面位の偏位が軽度の症例が適応となる．10プリズム以内が最適であるが，装用可能ならばさらに大角度のプリズムでも問題ない．
- 偏位眼に装用する．
- 遮閉効果も期待できる（プリズムレンズは遮閉効果が期待できないため，複視の治療には適さない）．
- 代償不全型斜視や末梢性眼球運動障害に加え，開散麻痺やskew deviationなどの核上性眼球運動障害による複視にも適応となる．

3 眼筋手術

- 正面位の偏位が中程度の症例では外眼筋の前後転術が適応となる．

図114 Fresnel膜プリズム
開散麻痺と左眼上斜視のskew deviationによる複視の軽減を目的に，左眼鏡レンズに基底を外下方に置いたFresnel膜プリズムを装着している

- 眼球運動制限の改善は期待できない．
- 効果には限界があり，正面位でFresnel膜プリズムが利用できる程度の眼位の矯正を目標とする．
- 外転神経の完全麻痺ではJensen法が最も効果がある．
- 核上性眼球運動障害では，前庭眼反射の異常により頭位変動時に揺れて見えることから，眼筋手術の満足度は低い．なるべくFresnel膜プリズムで対応した方がよい．

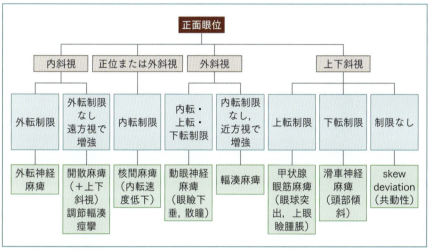

眼球運動障害の鑑別診断

Column

Fresnel膜プリズム

Fresnel膜プリズムは，灯台の光を遠距離まで到達させるために考案されたレンズが原理となっている．使用中の眼鏡に貼り付けるだけでよく，取り外しが可能である．また，水平と上下が混合した複視にも対応しやすく，プリズムレンズより大角度にも対応でき，しかもより安価である．

さらに，線条が入っているため多少の遮閉効果で複像を薄くできることから，眼筋麻痺や代償不全型斜視，sagging eye syndromeなどの後天斜視による複視の軽減により適している．

Chapter 5

眼振と異常眼球振動

A 眼振の分類

1 眼振の発生機序による分類

❶前庭系の異常
- 前庭眼反射の障害で眼振が発生する．
- 水平半規官障害では患側に，前半規管障害では下方に，後半規管障害では上方に眼球が偏位する傾向を補正しようとする急速眼球運動が眼振となる．
- 水平半規管障害：健側方向へ向かう眼振がみられる．
- 垂直半規管障害：前半規管障害では上眼瞼向き眼振，後半規管障害では下眼瞼向き眼振が起こる．

❷神経積分器の異常
- 眼球運動の速度成分を位置信号へ変換する神経積分器の異常で眼位の保持が障害され，それを補正しようとする急速眼球運動が眼振となる．
- 水平系神経積分器は前庭神経内側核と舌下神経前位核にある．
- 垂直系神経積分器はCajal間質核と舌下神経前位核にある．

❸滑動性追従運動の異常
- 障害された滑動性追従運動を補正しようとする急速眼球運動が眼振となる．
- 主に垂直眼振の発生機序と考えられている．

❹緩徐眼球運動の高利得化
- 高利得のため眼球が目標から行き過ぎた状態を戻そうとする急速眼球運動が眼振となる．
- 先天眼振の発生機序と考えられている．

2 眼振緩徐相速度による分類（図1）

- 眼球電図検査（electro-oculography：EOG）を用いないと判別できないが，得られる情報は多い．

❶速度一定型：前庭病変
❷速度減衰型（指数関数的に減衰）：脳幹や小脳病変（神経積分器の障害）
❸速度増大型（指数関数的に増大）：先天眼振

B 病的眼振

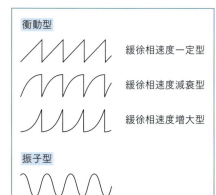

図1 緩徐相による眼振の分類
方向性をもつ衝動型眼振では，緩徐相速度が一定の型と，指数関数的に減衰する型，および指数関数的に増大する型の3型がある．振子型は緩徐相と急速相をもたない

3 眼振の方向性による分類

❶衝動型：急速相と緩徐相をもつ

- 急速相の方向が眼振の方向となる．

  - 水平性（右向き，左向き）
  - 垂直性（上眼瞼向き，下眼瞼向き）

- 後天眼振では，上方視と下方視では垂直眼振となるのが原則である．

❷振子型：急速相と緩徐相をもたない

4 眼振の振幅と頻度による分類

- 振幅が大きいのが大打性，小さいのが小打性である．
- 頻度が高く速いのが頻打性，低くて遅いのが小頻打性である．

B 病的眼振

1 uniplanar nystagmus（図2）

- 上方視と下方視で水平性となる眼振で，以下の3種類の眼振しかない．これら以外の眼振は，上方視と下方視では必ず垂直眼振となる．診断的価値の高い眼振である．

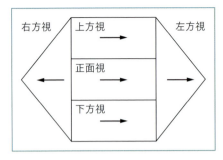

図2 uniplanar nystagmus
上方視と下方視で水平性となる眼振である．正面位で左向き眼振の場合，上方視と下方視でも水平性の左向きとなる．先天眼振と末梢前庭眼振，および周期性方向交代性眼振以外は，上方視と下方視では必ず垂直眼振となる

a) 先天眼振

- 動揺視を訴えない．
- 眼振が消失する静止位があるため（左方または右方15°付近），静止位を正面に移動するように頭部を回転する代償頭位をとる．
- 輻湊により抑制される．
- 視運動性眼振が正常とは逆方向へ解発される錯倒現象がみられる．両方向への刺激でともに逆方向に解発される完全型と，左右いずれの方向への刺激でも一定の方向に解発される不完全型がある．
- 片眼を遮閉すると遮閉眼とは逆の方向に向かう潜伏眼振を伴うことが多い．
- 眼振の軽減を目的に基底外方プリズムを装用するか，代償頭位を矯正するAnderson手術を行うことがあるが，効果は確実ではない．

b) 末梢前庭眼振

- 正面位を含む各注視方向で眼振の方向が一定の定方向性眼振を示す．
- 厳密には内耳から前庭神経核の間の病変では純水平性ではなく，回旋成分が加わった水平回旋眼振となる．
- 前庭神経核からは反対側の外転神経核に緩徐眼球運動の刺激が伝わるため，刺激期では健側へ偏位しやすい眼球を戻そうとして患側方向への，麻痺期では患側に偏位しやすい眼球を戻そうとして健側方向への眼振がみられる．
- 耳鳴や聴力低下，めまいを合併し，左右どちらにあるかで刺激期か麻痺期かが分かる．たとえば右方向への眼振がみられた場合，耳鳴が右耳にあれば刺激期，左耳にあれば麻痺期である．
- 原因はMénière病と前庭神経炎が多い．

c) 周期性方向交代性眼振

- 通常，90秒毎に眼振の方向が逆転する特異な眼振である．

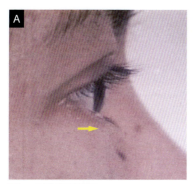 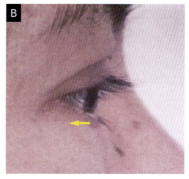

図3 輻湊後退眼振
急速に上方視を命じると，Bのように両眼の眼球が前後方向に陥凹を繰り返す眼振で（矢印），中脳水道症候群でみられる

- 先天眼振に合併する先天性が多く，前庭小脳の小節と虫部垂の病変，小脳片葉病変，延髄頚髄移行部病変による後天性はまれである．

2 輻湊後退眼振（convergence-retraction nystagmus）（図3）

- 両眼が輻湊しながら前後方向へ揺れる特徴ある眼振である．
- 上方注視麻痺がある場合，急速に上方注視を命じると出現する．
- 上方への視運動性眼振解発時に誘発される．
- 上方注視眼振が現れるとみられなくなる．
- 中脳水道症候群の主症候であり，病巣局在診断上の価値はきわめて高い．
- 視床穿通動脈梗塞や松果体部腫瘍でみられることが多い．

3 シーソー眼振（seesaw nystagmus）（図4）

- 振子様に，左右交互に一眼が上転しながら内方回旋，反対眼が下転しながら外方回旋する眼振である．
- 左右交互に，下転眼方向へ頭部を傾ける動き（眼頭部傾斜反応）を伴うこともある．
- 発生頻度はきわめて低いが，両耳側半盲を示す下垂体腫瘍や前交通動脈瘤クリッピング術後にみられることがある．
- Cajal間質核が責任病巣と考えられている．

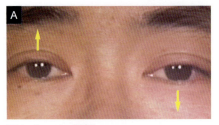
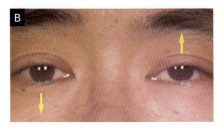

図4 シーソー眼振
前交通動脈瘤クリッピング術後に両耳側半盲が出現した44歳男性．Aは右眼が上方で左眼が下方，Bは右眼が下方で左眼が上方と，あたかもシーソーのように左右交互に上転と下転を繰り返す眼振である（矢印）．

- 半シーソー（hemi-seesaw）眼振：一眼は常に正中より上方，他眼は下方へと，互いに正中を越えることなく衝動性にシーソー様の上下動を繰り返す眼振である．延髄外側症候群（Wallenberg症候群）でみられる．

4 解離性眼振，単眼性眼振

- 左右の眼で眼振の程度に差がみられる眼振である．片眼にしか出現しない場合は単眼性眼振と呼ばれている．

a) 核間麻痺
- 健側の外転時に出現する（図5）．

b) 視交叉神経膠腫
- 小児にみられる．
- 水平性や回旋眼振が多い．
- 小児で単眼性眼振をみた時は，視交叉を中心とした画像診断が必須である．

c) spasmus nutans
- 生後半年〜1年頃に発症する単眼性または解離性眼振である．
- 主に水平性，低振幅，高頻度の振子様振動を示す．
- head nodding（点頭）を伴い，眼振よりも目立つ特徴的な症候である．
- 斜頸も伴う．
- 発症後数年で消失することが多い．
- 画像診断で，視交叉神経膠腫との鑑別が必要である．

d) 片眼視力低下（Heimann-Bielschowsky現象）（図6）
- 患側にみられる単眼眼球振動である．

B 病的眼振

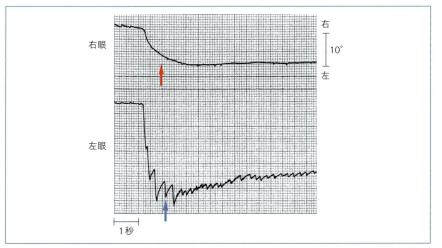

図5 解離性眼振のEOG
上段が右眼，下段が左眼で，上方が右向き，下方が左向きを示す．右核間麻痺では，左方視時に，右眼の内転制限と内転速度の低下に加え（赤矢印），外転眼の左眼に解離性眼振（単眼性眼振）がみられる．外転直後が明瞭で，すぐに減衰してしまう（青矢印）

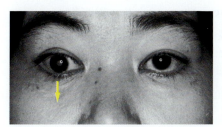 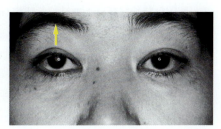

図6 右眼視力低下による単眼垂直振動
右眼は過熟白内障で光覚弁である．右眼が垂直方向へ大振幅で緩徐な往復運動を繰り返していたが（矢印），白内障術後の視力回復とともに速やかに消失した

- 垂直性，大振幅，緩徐な往復運動を示す．
- 後天性では視力が回復すると消失する．

5 Bruns眼振（図7）

- 小脳橋角部病変で出現する眼振で，局在診断上の価値が高い．
- 患側方向への注視時は大打性小頻打性眼振がみられる（神経積分器の障害による注視眼振：緩徐相速度が指数関数的に減衰する速度減衰型眼振）．

177

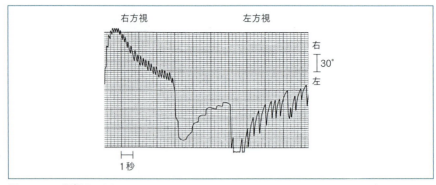

図7　Bruns眼振のEOG
右方視時は小さい振幅で頻度の高い眼振で緩徐相速度一定型，左方視時は大きい振幅で頻度の低い眼振で緩徐相速度減衰型である．小脳橋角部病変でみられる眼振で，振幅の大きいほうが患側である

- 健側方向への注視時は小打性頻打性眼振がみられる（前庭眼振：緩徐相速度が等速の速度一定型眼振）．
- 原因は聴神経腫瘍や神経線維腫症（neurofibromatosis type 2）が多い．

6　注視麻痺性眼振

- 注視誘発眼振または注視眼振とも呼ばれ，左右上下の注視時に注視方向へ急速相をもつ眼振である．
- 注視方向から少し正中位に戻しても出現し続けるのが特徴である（生理的な終末眼振は，注視方向から少し正中位に戻すと消失する）．
- 神経積分器の障害（眼振の緩徐相は速度減衰型）が原因で，脳幹や小脳病変でみられるが，局在診断上の価値はやや低い．
- 左右側方注視で振幅に差がある時は，脳幹病変では振幅の大きいほうが患側である．

7　反跳眼振（rebound nystagmus）（図8）

- 側方注視眼振がある場合，側方視を10秒以上持続させると眼振がしだいに減衰して急速相が逆方向へ変化するか，または正中位に戻すと急速相が逆転する眼振をいう．

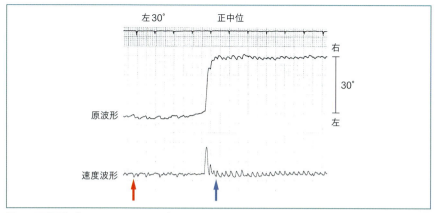

図8 反跳眼振(rebound nystagmus)のEOG
上段が原波形，下段が速度波形で，左方注視時にみられた左向きの注視眼振が(赤矢印)，正中位に戻すと反対側の右向きへの眼振となる(青矢印)．小脳病変以外ではみられない眼振で，病巣局在診断の決め手となる

- 小脳病変以外ではみられないため，病巣の局在診断にきわめて有用な眼振である．

8 下眼瞼向き眼振(downbeat nystagmus) (図9,10)

a) 特徴

- 下眼瞼方向へ急速相をもつ眼振である．
- 正面位でもみられる時はprimary position downbeat nystagmusと呼ばれている．
- 下方視と側方視で増強する特徴があり，この方向で観察すると分かりやすい．
- 後半規管からの垂直前庭眼反射経路の障害，または下方への滑動性追従運動の障害が考えられている．
- 大後頭孔付近の病変で起こりやすい．

b) 原因

- Arnold-Chiari奇形(図11)：成人発症はⅠ型(小脳扁桃が大後頭孔へ陥入)，または軽度のⅡ型(小脳虫部，延髄，第四脳室が大後頭孔へ陥入)で，後頭部痛や小脳失調を合併する．
- 頭蓋底陥入症：10～30歳台に発症し，大後頭孔縁が頭蓋内に隆起し，上部頸髄も陥入する．

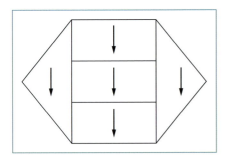

図9 下眼瞼向き眼振
急速相を下方に持つ眼振で，正面位を含む各注視方向でみられる場合，primary position downbeat nystagmus と呼ばれている

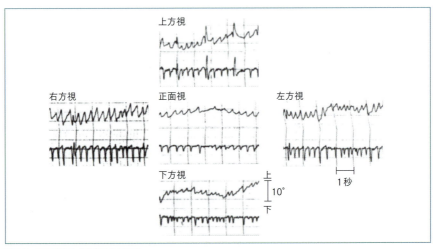

図10 下眼瞼向き眼振のEOG
上段は原波形，下段が速度波形で，上方が上向き，下方が下向きを示す．正面位を含む各注視方向で急速相を下向きにもつ眼振がみられる．側方視時に著明となるのが特徴である

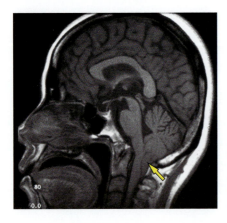

図11 Arnold-Chiari奇形のMRI T_1強調画像
頭痛と動揺視を訴えて来院した45歳女性．primary position downbeat nystagmus と交代型 skew deviation，反跳眼振がみられる．小脳扁桃が大後頭孔に陥入する所見がある（矢印）

- 小脳変性症：脊髄小脳変性症や傍腫瘍性小脳変性症（肺小細胞癌，抗Yo抗体を有する卵巣癌）の初期症状として診断に有用である．
- 小脳腫瘍：髄芽腫や星状細胞腫が多い．
- 小脳血管障害．
- 中毒性，代謝性疾患：抗痙攣薬，リチウム中毒，Wernicke脳症，マグネシウム欠乏．
- 内分泌疾患：抗グルタミン酸脱炭酸酵素（glutamic acid decarboxylase：GAD）抗体陽性のインスリン依存型糖尿病成人例でみられることがある．

9 上眼瞼向き眼振（upbeat nystagmus）(図12)

a) 特徴
- 上眼瞼方向へ急速相をもつ眼振である．
- 正面位でもみられる時は primary position upbeat nystagmus と呼ばれている．
- 前半規管からの垂直前庭眼反射経路の障害，上方への滑動性追従運動の障害，舌下神経前位核などの垂直方向の神経積分器障害が考えられている．
- 脳幹や小脳の正中部病変でみられる．

b) 原因
- 小脳虫部欠損（Joubert症候群），小脳腫瘍，小脳炎 (図13,14)．
- 延髄血管障害 (図15)．
- 延髄腫瘍．
- 多発性硬化症．
- Wernicke脳症：発生頻度は高くはないが，必ず念頭に置くべき疾患である．
- 中毒性疾患：抗痙攣薬，有機燐製剤，タバコ．

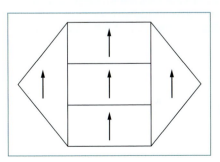

図12 上眼瞼向き眼振
急速相を上方にもつ眼振で，正面位を含む各注視方向でみられる場合，primary position upbeat nystagmus と呼ばれている

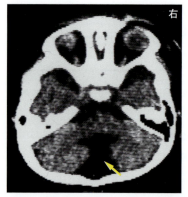
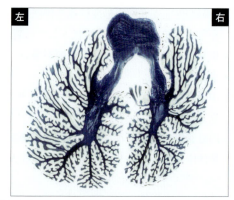

図13 小脳虫部欠損のCT画像と剖検切片標本(Klüber-Barrera染色)
6歳女児.小脳虫部欠損(矢印)によるJoubert症候群にprimary position upbeat nystagmusを合併している.小脳虫部が上眼瞼向き眼振の責任病巣の一つであることが分かる

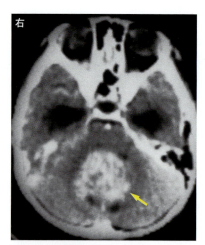
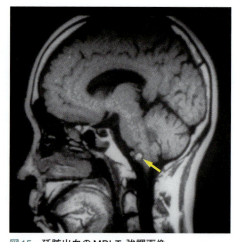

図14 小脳腫瘍の造影CT画像
3歳頃から嘔吐を繰り返していた10歳男児.歩行時に右への偏位とskew deviationによる複視,primary position upbeat nystagmusによる動揺視がある.小脳虫部に不均一に増強される腫瘤があり,髄芽腫と診断された(矢印)

図15 延髄出血のMRI T_1強調画像
突然の頭痛と嚥下障害が出現した症例である.primary position upbeat nystagmusも伴っている.延髄正中部に高信号と低信号が混在した病変が描出された(矢印)

10 後天振子様眼振

- 急速相と緩徐相をもたない往復運動で，垂直性が多い．
- 下オリーブ核の関与が考えられている．
- 橋病変や多発性硬化症でみられる．

11 随意眼振

- 随意に誘発と停止が可能な眼振である．
- 両眼共動性で，水平振子様の急速な眼球振動を示す．
- 高頻度（10 Hz），低振幅（5°），10～20秒しか持続できないのが特徴である．
- 正常人でも10％位に出現する．
- 神経学的所見に異常はない．
- 自覚症状は動揺視である．
- 随伴症状として輻湊位，眼瞼粗動，瞬目，顔面の緊張した表情があり，診断の参考になる．
- 仮病（詐病）を装うために誘発させることがある．

C 視運動性眼振 (optokinetic nystagmus：OKN)

- 板付きレンズや視運動性眼振ドラムで解発させて観察する．下記の疾患の診断に利用される．

1 頭頂葉病変

- 患側とは反対方向（同名半盲側）へ向かうOKNの解発が不良となる．後頭葉病変との鑑別に有用である．

  - 同名半盲でOKNが左右の方向で非対称ならば頭頂葉病変（占拠性病変が多い）である
  - 同名半盲でOKNが対称ならば後頭葉病変（血管障害が多い）である

2 注視麻痺

- 水平注視麻痺や垂直注視麻痺では，注視麻痺方向へのOKNの解発が不良となる．

3 核間麻痺

- OKNが左右の眼で非対称となる．
  - 麻痺眼の内転方向へのOKNは解発不良となる
  - 健眼の外転方向へのOKNは解発正常である

4 輻湊後退眼振

- OKNドラムを上方から下方に回転した時（上方向きOKN解発時）に誘発される．

5 先天眼振

- 正常とは逆方向へOKNが解発される錯倒現象（逆転現象）がみられる．
  - 完全型：左右両方向のOKNとも正常とは逆方向へ解発される
  - 不完全型：いずれのOKNも一定の方向へ解発される

6 機能性（心因性）弱視

- 機能性弱視では，高度の視力低下を訴える症例でも解発は良好である．皮質盲との鑑別点となる．

D 異常眼球振動

1 square wave jerks（矩形波眼球運動）（図16）

- 固視時に持続してみられる，5°以内と小振幅の両眼共動性の水平往復性衝動性運動である．
- 眼球電図検査（EOG）で，200ミリ秒の休止後に次の衝動性運動が開始する矩形波状を示す．
- 振幅は小さいが，肉眼で観察できる．
- 小脳病変や進行性核上性麻痺でみられ，特に進行性核上性麻痺では，病初期にParkinson病との重要な鑑別点となる．

2 ocular flutter（眼球粗動）

- 振幅5°，頻度10〜15 Hz，持続時間2〜3秒の水平眼球振動で，時々両眼がブルブルっと震えるようにみえる．

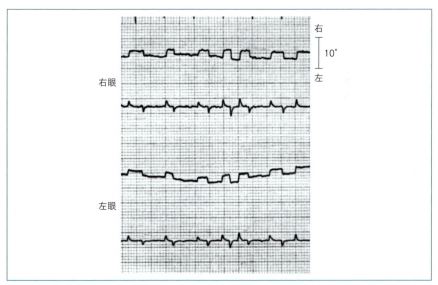

図16 square wave jerks の EOG
小脳腫瘍でみられた square wave jerks で，両眼共動性の振幅5°以内の矩形波状の水平往復運動である．左右眼とも上段が原波形，下段が速度波形を示す

- 視線を変えると誘発される．
- 著明な ocular dysmetria を伴う．
- 小脳病変，特に小脳炎や急性小脳失調で起こりやすい．

3 opsoclonus（眼球クローヌス）

- 両眼が共動性に水平，垂直，回旋と方向性を持たずにあらゆる方向に振動する．
- 小児では神経芽細胞腫や感染後脳炎が多い．
- 成人では傍腫瘍症候群を考える．
- 卵巣奇形腫があり，急性進行性に統合失調症様症状を示す若年女性にみられる抗NMDA（anti-N-methyl-D-aspartate）受容体抗体脳炎でも起こることがある．治療は，副腎皮質ステロイド薬や免疫グロブリン静注療法，血漿交換療法などの免疫療法に加え，腫瘍摘出術が行われる．
- 小脳室頂核病変で起こる．

4 ocular myoclonus（眼球ミオクローヌス）(図17,18)

- 脳幹病変発症数カ月後から出現する2〜3Hzの振子様運動で，垂直性が多いが，水平性や輻湊性のこともある．
- 赤核，下オリーブ核，反対側小脳歯状核を結ぶGuillain-Molllaretの三角（赤核→中心被蓋路→下オリーブ核→下小脳脚→反対側小脳歯状核→上小脳脚→上小脳脚交叉を経て赤核）の障害，特に橋の中心被蓋路病変が多い．
- 上橋被蓋枝病変により上小脳脚交叉と中心被蓋路が障害されるRaymond-Cestan症候群は，両側小脳症状に加え，本症候がみられる代表的な疾患である．
- 下オリーブ核の仮性肥大が起こり，高度の場合はMRIで確認できる．
- 口蓋，咽頭，喉頭，横隔膜にも同期した律動性の収縮を合併する：PPLOD myoclonus（palate-pharyngo-laryngo-oculo-diaphragmatic myoclonus）．
- 脳幹病変発症数カ月後から出始めるため，新たな脳幹病変が起こったと誤解しないように注意する．
- ミオクローヌスで用いられるクロナゼパムなどは，眼球ミオクローヌスには効果がない．

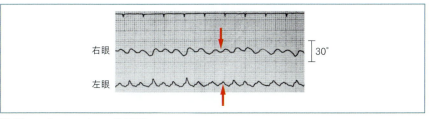

図17 ocular myoclonus の EOG
橋出血 4 カ月後から動揺視が出現した症例にみられた ocular myoclonus である．多くは両眼共同性の 2〜3Hz の振子様の垂直または水平眼球運動であるが，本症例のように輻湊方向への律動様眼球運動の形を示すこともある（矢印）

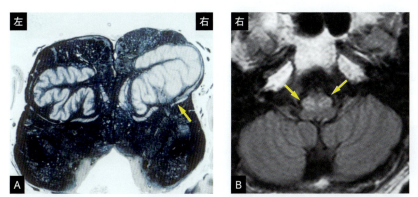

図18 下オリーブ核の仮性肥大の剖検切片標本（Klüber-Barrera 染色）と MRI FLAIR 画像
ともに PPLOD myoclonus がみられた症例で，A は中心被蓋路を含む右橋被蓋出血後の右下オリーブ核の仮性肥大である（矢印）．B は両側橋被蓋出血後で，延髄上部の両側下オリーブ核が肥大して外方へ膨隆している所見が MRI でも確認される（矢印）

5 ocular bobbing（眼球沈下運動）（図19, 20）

- 両眼が急激に下転した後，緩徐に上転し正中に戻る動きを繰り返す．
- 両側水平注視麻痺を合併するため真下に沈下するのが特徴である．
- 橋被蓋の広範囲な障害で出現することから，必ず意識障害，両側水平注視麻痺，橋縮瞳を伴う．

6 ocular dipping（眼球沈み運動）（図21）

- 両眼が緩徐に下方に沈んだ後，急速に正中位に戻る動きを繰り返す．

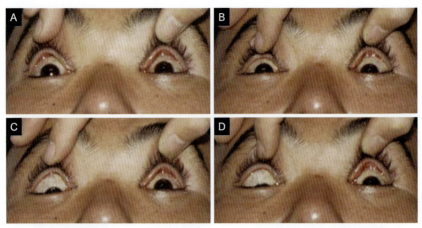

図19 ocular bobbing
左半身知覚低下と歩行障害の出現後，意識障害をきたした39歳男性．両眼が急速に下転した後，ゆっくり正中位に戻る眼球運動で，両側水平注視麻痺と橋縮瞳も伴う．このocular bobbingは5日間で消失した

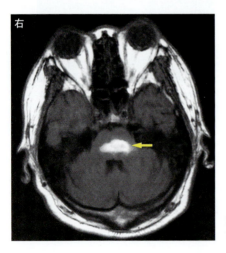

図20 ocular bobbingのMRI T_1強調画像
両側橋被蓋に及ぶ広範囲な出血巣がある（矢印）

- ocular bobbingとは異なり，側方への動きもみられる．
- 意識障害（昏睡）は必発である．
- 低酸素状態などの広範囲な大脳皮質障害でみられる．

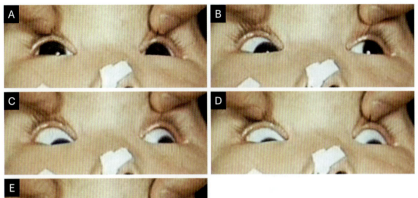

図21　ocular dipping
溺水後に意識消失をきたした7歳女児．両眼が緩徐に下転した後，急速に正中に戻る動きを繰り返す．側方への動きもみられる

7 lightning eye movement（稲妻様眼球運動）

- 中脳背側病変で起こる水平性の瞬間的な眼球振動である．
- まれではあるが，中脳水道症候群に伴ってみられる．

8 上斜筋ミオキミア（図22）

- 片眼が間歇性に，上斜筋の作用方向である下転しながら内方回旋し，やや外転方向に振動する．
- 低頻度と高頻度の2種類がある．
- 単眼性動揺視の主な原因であり，間歇性ならばほとんどが本症である．
- 細隙灯顕微鏡下で拡大し，結膜血管の動きを観察するのが診断のコツである．
- 閉瞼下で聴診器を眼瞼に当てるとザーザーという擦過音が聴取できる．
- 読書や近業で誘発されやすい．
- 原因不明であるが，小脳病変，滑車神経麻痺後，血管による滑車神経圧迫で起こる．
- カルバマゼピン（テグレトール®）が著効し，投与後短期間に消失することも多い．1日200mgの内服から開始し，効果をみて増減を考える．

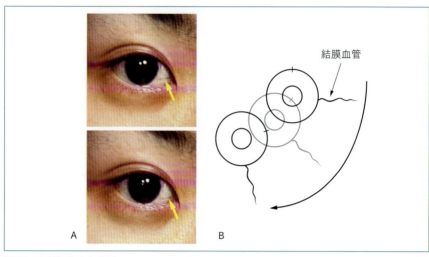

図22 上斜筋ミオキミア
Aのように，時々右眼が上斜筋の作用方向の外下転方向へ，内方回旋しながら動く．細隙灯顕微鏡下で結膜血管の動きを観察すると分かりやすい（矢印）．Bにシェーマを示す

- 低体重の若年者では，β遮断薬点眼（0.5％チモロールマレイン酸塩点眼液，1日2回両眼に点眼）が有効のことがある．

9 oculogyric crisis（眼球回転発作，眼球上転発作）(図23)

- 数秒から数十分間，両眼が不随意に上側方へ偏位する．
- 脳炎，脳炎後パーキンソニスム，てんかんなどの疾患や，ブレクスピプラゾールなどの統合失調症治療薬の副作用でもみられる．
- 小児では，ほとんどが精神的ストレスによる心因性である．

D 異常眼球振動

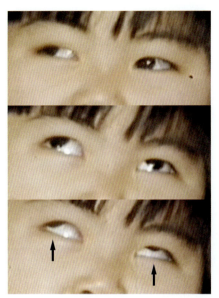

図23 oculogyric crisis（眼球回転発作，眼球上転発作）
両眼が不随意に数秒から数十分間上側方へ偏位する（矢印）

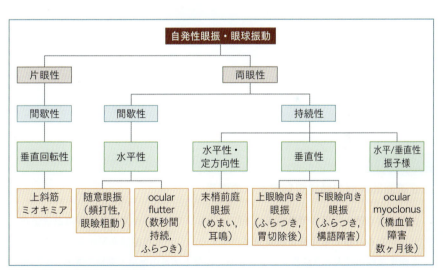

眼振と異常眼球振動の鑑別診断

Column

β遮断薬点眼の神経眼科疾患への応用

β遮断薬点眼を小児の閃輝暗点の予防に応用している．小児では体循環血液量が少ないため点眼でも体循環血漿濃度が高まり，しかも代謝酵素系が未発育のため血漿半減期が成人より延長することから，内服と同等の効果が期待できる．0.25％チモロールマレイン酸塩点眼を1日2回両眼に点眼し，効果を得ている．

また，上斜筋ミオキミアの治療でも，低体重の若年者ならば，副作用の多いカルバマゼピンやガバペンチンの代わりに，神経細胞膜安定効果のある0.5％チモロールマレイン酸塩点眼を利用している．ぜひ試みてほしい．

Chapter 6

外眼筋疾患

A 外眼筋肥大を示さない外眼筋疾患

1 重症筋無力症

a) 特徴
- 複視と眼瞼下垂が突然発症するのが特徴であり，発症日を必ず覚えている．
- 夕方以降に症状が強くなるなど，症状に日内変動がみられるのも特徴である．
- 75％が眼症状で発症する．
- 全身型への移行は眼症状発現後3カ月以内が多いが，2年間は可能性があり，注意が必要である．2年以降の全身型への移行はほぼない．
- 全身型への移行の危険因子には，女性，高齢発症，喫煙，抗アセチルコリン受容体抗体陽性，胸腺過形成や胸腺腫の合併，単一外眼筋麻痺がある．

b) 眼症状

❶眼瞼下垂
- 変動する．
- 疲労現象：上方注視を維持するとしだいに上眼瞼が下がってくる．
- plus-minus眼瞼徴候(図1)：一眼の瞼裂開大と反対眼の眼瞼下垂もみられる．
- lid twitch現象：活動性を示す所見であり，本症にしかみられない診断的な価値がきわめて高い徴候である．（☞基本診察：lid twitch現象）
- enhanced ptosis現象：活動性を示す所見ではあるが他の疾患でもみられ，特異性は低い．（☞基本診察：enhanced ptosis現象）

❷眼球運動制限
- 肉眼で観察できる程度の外眼筋麻痺を示すことが多い．
- 眼位の変動があり，特に小児の診断に有用である．
- 核上性，核下性眼球運動障害と同様の外眼筋麻痺を示すこともあり，特に偽核間麻痺の形をとることが多い(図2)．
- 眼球運動神経麻痺では説明できない外眼筋麻痺をみたらまず本症を疑う(図3)．
- いずれの外眼筋麻痺の形でも，常に本症の可能性を忘れないように心掛ける．
- 瞳孔が障害されることはない．

A 外眼筋肥大を示さない外眼筋疾患

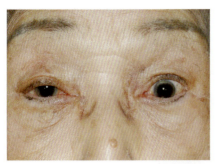

図1　plus-minus眼瞼徴候
右眼瞼下垂に左瞼裂開大があり，重症筋無力症に特異的ではないがよくみられる所見である

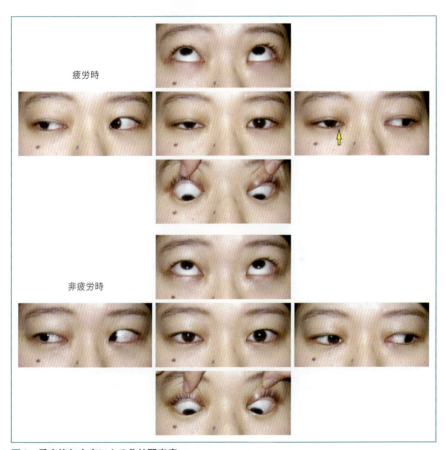

図2　重症筋無力症による偽核間麻痺
上段の疲労時には右眼の眼瞼下垂と内転制限があるが（矢印），下段の非疲労時には改善する．輻湊による内転はいずれの時期でも可能である

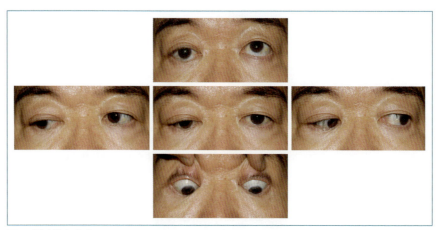

図3 重症筋無力症
右眼の眼瞼下垂と上転制限，下転制限，左眼の内転制限があり，瞳孔は異常ない．眼球運動神経麻痺では説明できない形を示し，重症筋無力症が強く疑われる所見である

c) 診断

- テンシロン試験（図4）：テンシロンの静注で，眼瞼下垂，眼球運動制限とも消失する．陽性ならば確定診断となり，陰性でも抗MuSK抗体陽性を疑う所見となる．治療を決める上でも必ず行うべきである．（☞基本診察：テンシロン試験）
- 抗アセチルコリン受容体抗体：全身型では80％以上が陽性となるが，眼筋型の陽性率は30％程度である．高齢者では陽性率が高いが，若年者では低い．陽性例は全身型へより移行しやすい傾向がある．
- 甲状腺機能検査：甲状腺機能異常が5％にみられ，特に甲状腺機能低下症の合併が多い．
- 胸部CT：胸腺腫の有無を検索する．眼筋型では頻度は低い．
- 全身型では，末梢神経（正中神経や顔面神経）の連続刺激を行うと，筋電図で振幅の漸減（waning）がみられる．
- 抗MuSK（muscle-specific receptor tyrosine kinase）抗体：抗アセチルコリン受容体抗体陰性（seronegative）例の30％が陽性となるが，すべて全身型であり，眼筋型では検出されない．陽性例はテンシロン試験が陰性である．嚥下障害，咀嚼障害，構音障害などの球麻痺症状が主体であるが，眼症状もみられ，日内変動もある．

A 外眼筋肥大を示さない外眼筋疾患

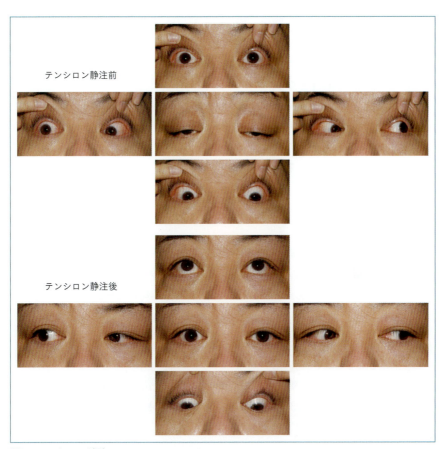

図4 テンシロン試験
上段のテンシロン注射前にみられた両眼の眼瞼下垂と両眼の上転制限，下転制限，右注視制限が，下段のようにテンシロン静注1分後にすべて消失する

> **Column**
>
> ### 免疫チェックポイント阻害薬の神経眼科的合併症
>
> 悪性腫瘍の治療に用いられている免疫チェックポイント阻害薬は，間質性肺疾患をはじめとする全身性の副作用に加え，両眼乳頭浮腫を示す視神経障害や外眼筋炎を含む炎症性眼窩疾患，重症筋無力症をきたす神経筋接合部障害，脳神経障害などの神経眼科的合併症を引き起こすことがある．
> 特に重症筋無力症はニボルマブで起こりやすく，投与後1カ月と早期に出現することもある．視神経障害以外の合併症は治りにくい．

- Lambert-Eaton症候群：腫瘍，特に肺小細胞癌の遠隔効果により下肢優位の重症筋無力症様症状を示し，眼症状を伴うこともある．重症筋無力症より進行は緩徐である．多くが抗P/Q型電位依存性カルシウムチャネル抗体（抗VGCC抗体）が陽性となる．
- 慢性関節リウマチ治療薬のD-ペニシラミンや，肺癌治療に用いられる免疫チェックポイント阻害薬のニボルマブなどの薬剤で引き起こされることがあり，投与後1カ月と早期でも出現する．
- 問診や症状に全身型を疑わせる所見がなくても，必ず全身型の有無を神経内科で確認してもらう．また，わずかでも全身型を疑わせる症状がみられたら，速やかに神経内科へ依頼する．

d) 治療
- 眼筋型の治療の第一選択は抗コリンエステラーゼ薬の内服であるが，両眼眼瞼下垂などの重症例では副腎皮質ステロイド薬の漸増漸減療法を考慮する．眼筋型ではステロイドパルス療法や胸腺摘出術は適応にならない．

> - 抗コリンエステラーゼ薬内服：ピリドスチグミン（メスチノン®）1日60〜180 mgを投与する．効果の持続は6時間であり，症状の強い時間に合わせて服用させてもよい
> - 副腎皮質ステロイド薬内服：プレドニゾロン1日5 mgから開始し，30 mgを上限に漸増後，症状が安定したら漸減する．漸減時タクロリムス3 mgの併用が副腎皮質ステロイド薬の離脱に有効である

- 眼瞼下垂は0.05％ナファゾリン点眼（プリビナ®点眼液）で数時間改善するが，連用による結膜充血に注意する．
- 眼筋型でも向精神薬，喘息治療薬，手術時の局所麻酔薬で症状が増悪することがあり，注意を要する．
- 全身型への移行を予防するために禁煙が必要である．

2 慢性進行性外眼筋麻痺（chronic progressive external ophthalmoplegia：CPEO）（図5, 6）

- ミトコンドリア脳筋症の一つである．
- 思春期前後に，緩徐進行性の両眼対称性眼瞼下垂と外眼筋麻痺で発症する．
- 複視の自覚はない．

A 外眼筋肥大を示さない外眼筋疾患

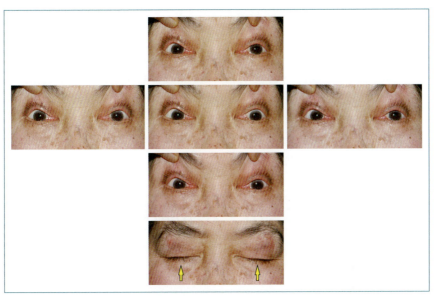

図5 慢性進行性外眼筋麻痺
両眼に，高度の眼瞼下垂（矢印）と全方向への眼球運動制限がみられる．両眼対称性で，眼が凹み，外斜視となるミオパチー様顔貌もみられる

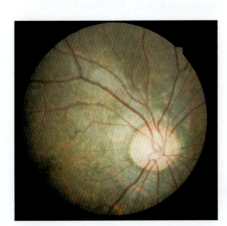

図6 慢性進行性外眼筋麻痺の眼底写真
網膜色素は粗造で，網膜変性の所見を示す

- 進行例では牽引試験で抵抗がある．
- 瞳孔は障害されない．
- 網膜変性の合併により，暗いところで見えない夜盲があることが多い．
- 目が凹み，外斜視を示すミオパチー様顔貌がみられる．

- 外眼筋の生検でragged red fiberが検出されるが,臨床症状だけで診断可能である.
- ミトコンドリアDNAの欠損(複合体Ⅰ,Ⅳ)が知られている.
- Kearns-Sayre症候群:慢性進行性外眼筋麻痺に心伝導障害と網膜色素変性が合併する.20歳以前の発症で,心伝導障害のため危険な疾患である.
- 眼瞼下垂の手術は,Bell現象を欠くため術後の兎眼が避けられないことから施行できない.要時,絆創膏で上眼瞼を吊り上げるか,装用可能ならばクラッチ眼鏡を利用する.

B 外眼筋肥大を示す外眼筋疾患

1 甲状腺眼症

a) 症状(図7〜11)

- 両眼対称性より,片眼性や症状の程度に左右差がみられることが多い.

❶軟部組織障害
- 上眼瞼腫脹が特徴的な症状で,下眼瞼の腫脹を伴わないのが原則である.
- 結膜充血や結膜浮腫もみられる.
- 上輪部角結膜炎や乾性角結膜炎を伴うこともある.

❷眼瞼異常
- lid retraction(瞼裂開大,Dalrymple徴候).
- lid lag(Graefe徴候):甲状腺眼症の診断に最も重要な症候である.

❸眼球突出
- 片眼性,両眼性ともみられる.

❹外眼筋障害
- 上転制限:下直筋腫脹で起こり,片眼の上転制限の最も多い原因である.
- 外転制限:内直筋腫脹で起こる.
- 牽引試験で抵抗がある.

❺眼圧上昇
- 上方視時により上昇する.

B 外眼筋肥大を示す外眼筋疾患

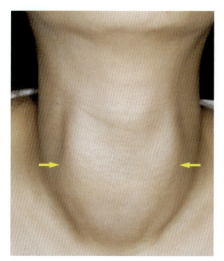

図7 甲状腺腫
甲状腺の腫大がみられる（矢印）

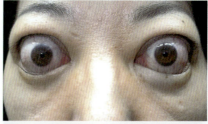
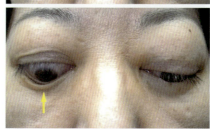

図8 甲状腺眼症
両眼の上眼瞼が腫脹し，瞼裂開大による角膜上部と下部の球結膜の露出，球結膜血管の拡張および眼球突出がみられるが，下眼瞼の腫脹はない．下方視時に瞼裂が開大するGraefe徴候もあり，右眼に目立つ（矢印）

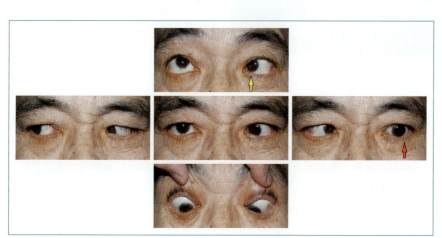

図9 甲状腺眼筋麻痺
正面位で左眼が下内斜視となり，左眼に上転制限と（黄矢印）外転制限があり（赤矢印），牽引試験で抵抗がある．典型的な甲状腺眼筋麻痺の形である

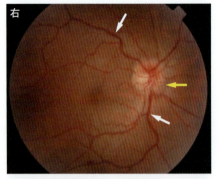
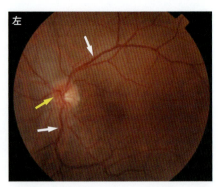

図10 甲状腺視神経症の眼底写真
両眼とも視神経乳頭の浮腫があり（黄矢印），網膜静脈の拡張もみられる（白矢印）

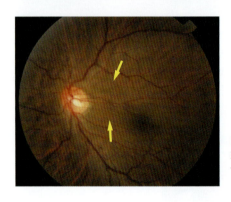

図11 甲状腺眼症でみられた網脈絡膜皺襞
球後の眼窩組織の圧迫による網脈絡膜皺襞で視力が低下するが（矢印），Marcus Gunn瞳孔は検出されない．甲状腺視神経症と誤りやすい所見である

❻ 視神経障害
- 発生頻度は低く，視力低下の原因としては，球後からの圧迫による網脈絡膜皺襞のほうが圧倒的に多い．Marcus Gunn瞳孔の有無と眼底検査で容易に鑑別できる．視力低下を起こす角膜障害の有無も細隙灯顕微鏡で確認する．

b）診断（図12, 13）
- CT：外眼筋の腫脹（下直筋，内直筋）がみられる．腱は腫脹しないのが特徴であり，眼窩筋炎との鑑別点となる．
- 甲状腺機能検査：Free T3, Free T4, TSH（thyroid-stimulating hormone），抗サイログロブリン抗体，抗マイクロゾーム抗体，甲状腺刺激抗体（TSAb）を調べるが，甲状腺眼症で最も検出されやすいのはTSAbである．
- 甲状腺機能検査で異常が検出されれば診断は確定するが，実際には甲状腺機能が正常なeuthyroid ophthalmopathyが多くを占める．したがって，甲状腺

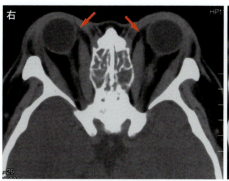
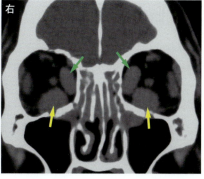

図12　甲状腺眼筋麻痺のCT画像
両眼とも下直筋（黄矢印）と内直筋の腫脹（緑矢印）があるが，眼球付着部付近の腱の腫脹はない（赤矢印）

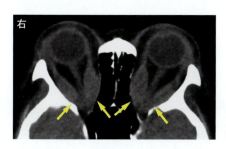

図13　甲状腺視神経症のCT画像
両眼とも眼窩尖付近で外眼筋の腫脹が目立ち（矢印），視神経を圧迫していることが考えられる

眼症の診断には，眼瞼症状などの理学的所見が重要である．
- 外眼筋の腫脹がなく，症状に変動がある時は重症筋無力症の合併を疑う．

c）治療

- まず内分泌内科による甲状腺機能の正常化が欠かせない．
- 活動期ならば，長期間の副腎皮質ステロイド薬の全身投与の適応となる．内分泌内科の管理下で，ステロイドパルス療法後1年かけて漸減終了する．
- 発症初期にはトリアムシノロンアセトニド40mgの球後注射も行われるが，効果は全身投与より低く，ステロイド緑内障の発現にも注意が必要である．
- 眼球運動障害は必要なら安定期になってから手術する．通常，発症3〜4年後が多い．急性期には絶対に行ってはならない．
- 視神経障害が出現したら，直ちに副腎皮質ステロイド薬の全身投与や眼窩減圧術を行う．
- 喫煙者は重症化しやすいため，禁煙を指示する．

2 眼窩筋炎 (図14〜18)

a) 症状
- 強い眼痛があり，障害筋の作用方向を注視した時に増強する．
- 眼球運動制限は障害筋の作用方向，または作用方向と逆方向にみられる．
- 障害筋の作用方向とは逆方向に制限がある場合，牽引試験で抵抗がある．
- 障害筋の走行に一致した結膜充血があり，診断の決め手となる．
- 眼瞼腫脹，眼瞼下垂，軽度の眼球突出も伴う．

b) 原因
- 非特異性：特発性眼窩炎症で亜急性に片眼に発症する．
- 特異性：成人では全身性エリテマトーデス (systemic lupus erythematosus：SLE) やサルコイドーシス，若年ではCrohn病が多く，急性に両眼に発症するのが特徴である．

c) 診断
- CT，MRIで外眼筋が紡錘状に腫脹する．
- 腱の腫脹もあり，甲状腺眼症との鑑別点となる．

d) 治療
- 眼痛が軽症例ではイブプロフェンなどの非ステロイド性消炎薬で経過をみる．

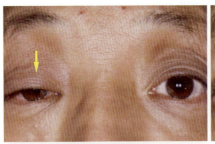

図14 右上直筋の眼窩筋炎
右眼瞼下垂と上転制限（黄矢印），強い眼球運動痛があり，右上直筋の走行に一致して充血がみられる（赤矢印）．障害筋の作用方向への眼球運動制限を示す型である

B 外眼筋肥大を示す外眼筋疾患

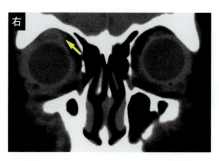

図15 右上直筋の眼窩筋炎のCT画像
右上直筋付着部に高吸収域が描出される(矢印)

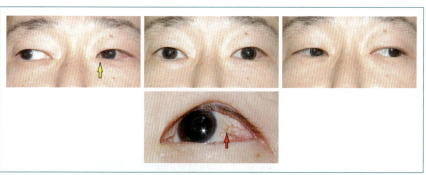

図16 左外直筋の眼窩筋炎
左眼の内転制限と強い眼球運動痛があり(黄矢印),外直筋の走行に一致して充血がみられる(赤矢印).障害筋の作用方向とは反対の方向への眼球運動制限を示す型で,牽引試験でも抵抗がある

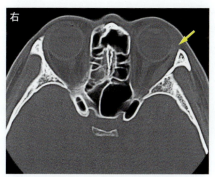

図17 左外直筋の眼窩筋炎のCT画像
左外直筋が腫脹し,眼球付着部付近の腱の腫脹もみられる(矢印)

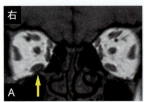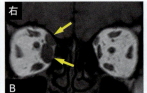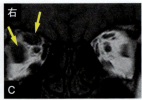

図18 relapsing migratory idiopathic orbital inflammationのMRI T_1 強調画像
A 初診時, B 2年後, C 5年後.
初診時66歳女性. 初回は右下直筋, 2年後に内直筋と上斜筋, 5年後に上直筋と外直筋の腫脹と障害筋が再発ごとに変化する（矢印）

- 重症例では副腎皮質ステロイド薬（1日プレドニゾロン30mg）の内服を考慮する.
- 副腎皮質ステロイド薬によく反応するが再発を繰り返し, 障害筋が次々に変わるrelapsing migratory idiopathic orbital inflammationでは, メトトレキサートなどの免疫抑制薬の併用が必要なことがある.

3 外眼筋肥大を示すその他の疾患（図19, 20）

- 血管性疾患：頸動脈海綿静脈洞瘻でみられる.
- 腫瘍性疾患.
  - 転移性……乳癌, 消化器癌（単筋性）が多い
  - 浸潤性……大部分がリンパ腫である. リンパ腫では, amphora signと呼ばれる外眼筋の後部2/3が著明に腫大する画像所見が特徴である

B 外眼筋肥大を示す外眼筋疾患

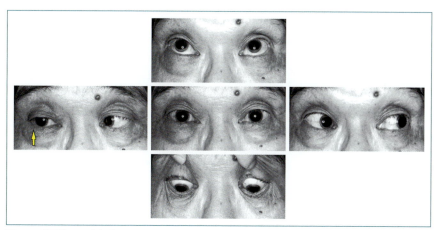

図19 外眼筋への癌転移
右内直筋に直腸癌が転移し，右眼の外転が制限されている（矢印）

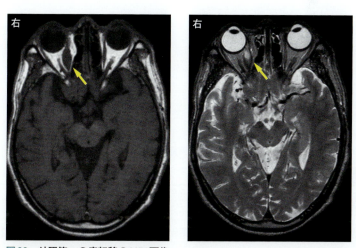

図20 外眼筋への癌転移のMRI画像
右内直筋の一部が腫脹し，左のMRI T_1強調画像で低信号，右のT_2強調画像で高信号を示す（矢印）

Column

甲状腺眼症治療の欧米の違い

甲状腺眼症の治療は欧州とアジアでは薬物療法が主流で，特に欧州では，12週のメチルプレドニゾロン点滴（1週間に一度500 mgを6週間，その後250 mgを6週間）が推奨され，軽症例では亜セレン酸ナトリウムの経口投与，発症初期や活動期ではトリアムシノロンアセトニドの眼球周囲注射も行われている．これに対し米国では，まず甲状腺切除術が選択されている。このように，地域で治療法が異なることは興味深い．

最近，増殖眼窩内軟部組織の縮小効果が期待できる，インスリン様増殖因子1受容体抗体のテプロツムマブによる分子標的療法が報告されているが，聴覚障害などの副作用と価格面で課題が残る．

Chapter 7

眼瞼疾患

A 眼瞼下垂

1 上眼瞼挙筋力による分類

- 上眼瞼挙筋力低下（10 mm未満）：動眼神経麻痺や筋性では低下するが，軽度の場合は正常のこともある．（☞基本診察：上眼瞼挙筋力測定）
- 上眼瞼挙筋力正常（10 mm以上）：Horner症候群や腱膜性では正常である．

2 先天眼瞼下垂（図1）

a) 筋性眼瞼下垂
- 上眼瞼挙筋形成不全：偽Graefe徴候（図2）を伴うことが多い．眼球運動制限のない眼瞼下垂眼に偽Graefe徴候がみられたら，本症以外は考えられない．
- 眼瞼狭小症（図3）：両眼性で内眼角解離や涙点の外方偏位を伴う．

b) 神経性眼瞼下垂
- 動眼神経麻痺：外斜視，上転制限，内転制限，下転制限，散瞳があり，異常神経支配の症状（内転時瞼裂開大，偽Graefe徴候）を必ず伴う．
- Horner症候群（図4）：縮瞳と虹彩異色症があり，下眼瞼の挙上もみられる．
- Marcus Gunn現象（図5）：三叉神経運動枝と動眼神経上眼瞼挙筋枝との間の異常神経支配で，口の開け閉めで上眼瞼が上下に動き，開けた時に挙上する．年齢とともに目立たなくなる．

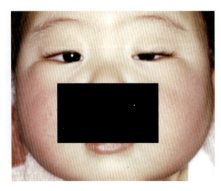

図1 左先天眼瞼下垂
生直後から左眼に眼瞼下垂がみられる．顎を上げて下目使いでものを見る

図2　左先天眼瞼下垂でみられる偽Graefe徴候
先天眼瞼下垂で，下方視時にむしろ患側の左眼の瞼裂が広くなり，偽Graefe徴候を示す（矢印）．眼瞼下垂眼に偽Graefe徴候がみられるのは，先天眼瞼下垂と動眼神経麻痺後の異常神経支配しかなく，診断的価値が高い

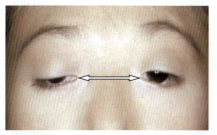

図3　眼瞼狭小症
両眼の瞼裂が狭く，内眼角解離（矢印）や涙点の外方偏位もある

図4　左先天Horner症候群
小児期から左眼瞼下垂があり，左眼に軽度の縮瞳と虹彩色素の脱色がみられる（矢印）

3 後天眼瞼下垂

a) 神経性眼瞼下垂

- 動眼神経麻痺：外斜視，上転制限，内転制限，下転制限，散瞳がある．上枝麻痺では上転制限しか伴わない．
- midbrain ptosis（図6, 7）：両眼対称性の眼瞼下垂で，急速に完全眼瞼下垂へ進行するのが大きな特徴である．眼球運動制限を伴わないこともある．中脳被蓋の動眼神経核群の最尾部の障害で起こる．
- Horner症候群：縮瞳を伴い，下眼瞼の挙上もみられる．

b) 筋性眼瞼下垂

- 重症筋無力症：日内変動，疲労現象，lid twitch現象，enhanced ptosis現象がみられる．
- 慢性進行性外眼筋麻痺：両眼性で，両眼対称性の全外眼筋麻痺を伴う．
- 筋緊張性ジストロフィー：四肢や顔面の筋萎縮，筋強直，前頭部禿頭，白内

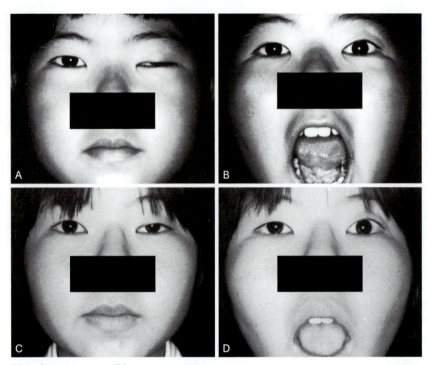

図5 左Marcus Gunn現象
A,Bの6歳時では左眼に眼瞼下垂が目立ち，開口すると左上眼瞼は挙上する．C,Dの12歳時には開口時の上眼瞼挙上は残るが，左眼瞼下垂は改善している．Marcus Gunn現象の眼瞼下垂は，年齢とともに改善することが多い

障（Vogt型，Fleischer型），黄斑変性，低眼圧などを合併する（図8〜10）．

c）腱膜性眼瞼下垂

- 加齢性：加齢による上眼瞼挙筋と瞼板の接着不良が原因であり，上眼瞼の菲薄化で上方の眼窩縁が明瞭となって目が凹んだように見え，二重瞼の延長を伴うのが特徴である．上眼瞼がもっこりした症例では起こらない（図11）．
- 術後性：眼科手術時の開瞼器使用が原因と考えられている．高齢者では30％程度にみられるが，若年者では起こらない．
- コンタクトレンズ：ハードコンタクトレンズの長期装用者に多く，短期間でも出現することがある．中年以降に目立つようになるが，若年者でも起こる．若年者でみられる後天眼瞼下垂の最も多い原因である（図12）．
- アトピー性角結膜炎でよく眼を擦る若年者で起こることがある．

A 眼瞼下垂

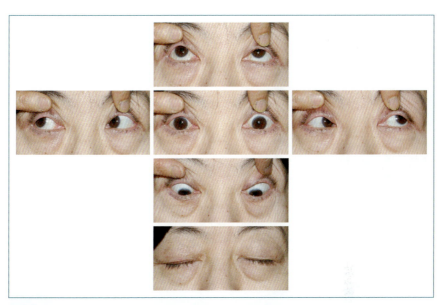

図6 midbrain ptosis
最下段に示す両眼に完全眼瞼下垂がみられた54歳女性．外転眼が上斜視となる交代型skew deviationやlightning eye movementを伴うが，眼球運動制限はない

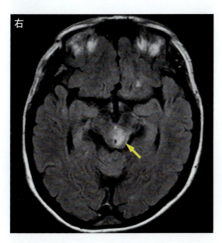

図7 midbrain ptosisのMRI FLAIR画像
左中脳被蓋から中脳水道周囲に及ぶ高信号域があり（矢印），中枢神経系原発悪性リンパ腫の疑いで副腎皮質ステロイド薬を投与したところ，画像所見，眼瞼下垂とも改善した．しかし，1年半後に新たな病変が出現している

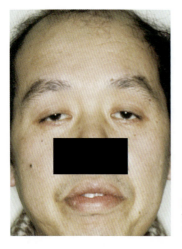

図8　筋緊張性ジストロフィー
両眼に眼瞼下垂があり，前頭部の禿頭や口を常に軽く開けている顔貌がみられる

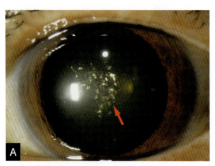
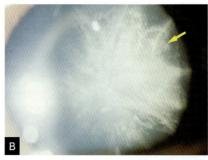

図9　筋緊張性白内障
Aの7色の混濁がみられるVogt型（赤矢印）と，Bのヒトデの形をしたFleischer型（黄矢印）の2種類がある

図10　筋緊張性ジストロフィーの筋強直
握った手指が開きにくいなど，収縮した筋が弛緩しにくくなる．拇指の付け根（拇指球）を叩くと，拇指が他の指と向き合う拇指の対立が起こる

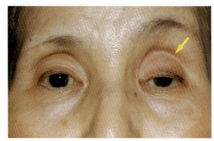

図11　加齢による左腱膜性眼瞼下垂
左眼の眼瞼下垂，上眼瞼の菲薄化により明瞭となった上眼窩縁と二重瞼の延長がみられる（矢印）．左眉毛の挙上も著明である．上眼瞼挙筋力は12mmと正常である

A 眼瞼下垂

図12 ハードコンタクトレンズ装用による左
　　腱膜性眼瞼下垂
5年前からハードコンタクトレンズを装用している28歳女性．徐々に左眼瞼下垂が出現し，軽度の上眼瞼の菲薄化と二重瞼の延長がみられる（矢印）．上眼瞼挙筋力は14mmと正常である

図13　左機械的眼瞼下垂
左上眼瞼の眼瞼膿瘍により眼瞼下垂が起こっている（矢印）

- 腱膜性眼瞼下垂はいったん発症すると改善は期待できない．眼精疲労や視野狭窄の訴えが強ければ，上眼瞼挙筋短縮術を考える．

d) 機械的眼瞼下垂

- 眼瞼浮腫や眼瞼腫瘍など，上眼瞼の腫脹をきたす疾患でみられる（図13）．

4 偽眼瞼下垂（図14〜16）

- 上眼瞼皮膚弛緩：高齢者にみられ，特に外側部が強い．上眼瞼縁は正常の位置にある．弛緩した皮膚に睫毛が隠れて正面からは確認できない．眼瞼下垂

図14　上眼瞼皮膚弛緩
両眼とも上眼瞼の皮膚が弛緩して上眼瞼縁を越えて垂れ下がり，外側部がより目立つ（矢印）．一見眼瞼下垂にみえるが，上段のように弛緩した皮膚で睫毛が隠れて正面からは確認できず，下段のように弛緩した皮膚を吊り上げると上眼瞼縁は正常の位置にあることが分かる

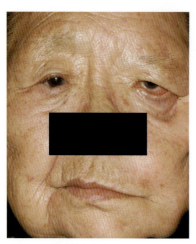

図15　左顔面神経麻痺
左上眼瞼は下がるが眉毛も下がり，下眼瞼も外反している．左口角の下方偏位もあり，左顔面全体が下方に偏位した状態である

図16　左偽眼瞼下垂
左眼瞼下垂を訴えて来院したが，下方視時に右眼にGraefe徴候があることから（矢印），右眼の瞼裂開大に伴う左眼の偽眼瞼下垂である．甲状腺機能検査で甲状腺機能亢進症が確認された

では睫毛が隠れることはなく，容易に区別できる．
- 顔面神経麻痺：眉毛が下がり，上眼瞼と外反した下眼瞼が下方へ偏位する．口角の偏位も伴う．
- 甲状腺眼症：瞼裂開大を示す眼の反対眼が下垂しているように見えるため，眼瞼下垂を主訴に来院することが多い．

B　瞼裂開大

1　神経性瞼裂開大

- Collier徴候：中脳背側病変（中脳水道症候群）で両眼にみられる．
- 異常神経支配：Marcus Gunn現象や，動眼神経麻痺後の異常神経支配で内転時にみられる．
- 眼窩吹き抜け骨折：下斜視により，上直筋と上眼瞼挙筋への刺激が増加して起こる．
- Machado-Joseph病：脊髄小脳変性症で最も多い3型で，びっくり眼（まなこ）と呼ばれる特徴的な徴候である．

2 筋性瞼裂開大

- 甲状腺眼症：Dalrymple徴候と呼ばれている．
- 甲状腺刺激ホルモン放出ホルモンとその誘導体：脊髄小脳変性症による運動失調の治療薬でも起こる．

3 機械的瞼裂開大

- 強度近視，眼球突出，コンタクトレンズ装用，緑内障に対する線維柱帯切除術眼でみられることがある．

4 偽瞼裂開大

- 眼瞼下垂の反対眼にみられる．特に重症筋無力症で目立ち，plus-minus眼瞼徴候と呼ばれている．
- 眼瞼下垂眼の眼瞼を他動的に挙上すると消失する．

C 眼瞼の痙攣性疾患と開瞼失行

1 眼瞼の痙攣性疾患 (図17)

a) 眼瞼ミオキミア (眼輪筋ミオキミア)

- 片側の眼瞼，特に下眼瞼外側部に起こる，さざ波状の収縮である．
- 通常，疲労がとれれば消失する．
- 片側顔面痙攣に移行することがある．
- 側方視時にのみ出現することがあり，注視誘発性眼輪筋ミオキミア呼ばれている．側方が見づらいとの視野狭窄様の訴えで来院する．

b) 眼瞼痙攣 (図18)

- 両眼の上下眼瞼に不随意の収縮が起こる．
- ほとんどが本態性であるが，向精神薬が原因のこともある．
- 50歳台以降の女性に多く，まれにParkinson病の初期症状のこともある．
- 就寝中には起こらない．
- 重症筋無力症でも時々眼瞼痙攣様の症状を示すことがあるが，午後になると

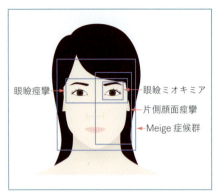

図17　眼瞼の痙攣性疾患
痙攣を起こす部位により，眼瞼ミオキミア（眼輪筋ミオキミア），眼瞼痙攣，Meige症候群，および片側顔面痙攣（片側顔面攣縮）の4種類に分類される

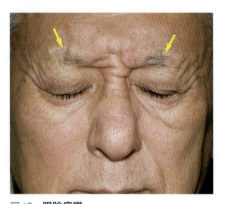

図18　眼瞼痙攣
両眼が強く閉瞼したままの状態になり，開瞼が困難となる．眉毛も下がる（矢印）

症状が強くなるのが大きな特徴である．

c) Meige症候群（図19）
- 眼瞼痙攣に口角の収縮が合併する．

d) 片側顔面痙攣（片側顔面攣縮）（図20）
- 片眼の上下眼瞼の不随意の収縮に，片側顔面筋の収縮が合併する．
- 就寝中も持続する．
- 顔面神経麻痺後にみられることがある．

2　開瞼失行（図21）

- 随意的な開瞼の開始が困難で，眉毛を吊り上げる動作を示す．
- いったん開瞼すると開瞼は維持できる．
- 眼瞼痙攣では眉毛は下がるが，開瞼失行では挙上することで鑑別できる．
- Parkinson病や進行性核上性麻痺などの核上性病変でみられる．
- 眼瞼痙攣性失行（blepharospastic apraxia）は開瞼失行とは全く異なる疾患で，瞼板前眼輪筋の収縮が瞬目後も持続した状態であり，眼瞼痙攣によくみられる．

郵便はがき

113-8790

料金受取人払郵便

本郷局承認

5161

差出有効期間
2023年
12月31日まで

（切手不要）

（受取人）
東京都文京区湯島2丁目31番14号

金原出版株式会社　営業部行

フリガナ		年齢
お名前		歳
ご住所	〒　　－	
E-mail	＠	
ご職業など	勤務医（　　　　　　　　　科）・開業医（　　　　　　　　科） 研修医・薬剤師・看護師・技師（検査/放射線/工学） PT/OT/ST・企業・学生・患者さん・ご家族 その他（　　　　　　　　　　　　　　　　　　　　　　　）	

※このハガキにご記入頂く内容は、アンケートの収集や関連書籍のご案内を目的とするものです。ご記入頂いた個人情報は、アンケートの分析やデータベース化する際に、個人情報に関する機密保持契約を締結した業務委託会社に委託する場合がございますが、上記目的以外では使用致しません。以上ご了承のうえご記入をお願い致します。

◆ 弊社からのメールマガジンを □希望する □希望しない
「希望する」を選択していただいた方には、後日、本登録用のメールを送信いたします。

金原出版　愛読者カード

弊社書籍をお買い求め頂きありがとうございます。
皆さまのご意見を今後の企画・編集の資料とさせて頂きますので，下記のアンケートにご協力ください。ご協力頂いた方の中から抽選で**図書カード1,000円分(毎月10名様)**を贈呈致します。
なお，当選者の発表は発送をもって代えさせて頂きます。
WEB上でもご回答頂けます。
https://forms.gle/U6Pa7JzJGfrvaDof8

① **本のタイトルをご記入ください。**

② **本書をどのようにしてお知りになりましたか？**
- □ 書店・学会場で見かけて　□ 宣伝広告・書評を見て
- □ 知人から勧められて　　　□ インターネットで
- □ 病院で勧められて　　　　□ メルマガ・SNSで
- □ その他（　　　　　　　　　　　　　　　　　）

③ **本書の感想をお聞かせください。**
- ◆ 内　容〔満足・まあ満足・どちらともいえない・やや不満・不満〕
- ◆ 表　紙〔満足・まあ満足・どちらともいえない・やや不満・不満〕
- ◆ 難易度〔高すぎる・少し高い・ちょうどよい・少し低い・低すぎる〕
- ◆ 価　格〔高すぎる・少し高い・ちょうどよい・少し低い・低すぎる〕

④ **本書の中で役に立ったところ，役に立たなかったところをお聞かせください。**
- ◆ 役に立ったところ（　　　　　　　　　　　　　　　　　　　）
  - → その理由（　　　　　　　　　　　　　　　　　　　　　）
- ◆ 役に立たなかったところ（　　　　　　　　　　　　　　　）
  - → その理由（　　　　　　　　　　　　　　　　　　　　　）

⑤ **注目しているテーマ，今後読みたい・買いたいと思う書籍等がございましたらお教えください。また，弊社へのご意見・ご要望など自由にご記入ください。**

ご協力ありがとうございました

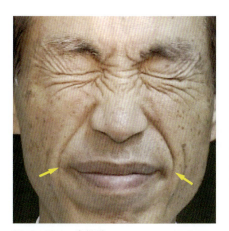

図19　Meige症候群
眼瞼痙攣に加え，口角の収縮もみられる（矢印）

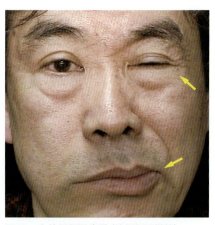

図20　左片側顔面痙攣（片側顔面攣縮）
左顔面神経支配の顔面筋に痙攣が起こり，左眼の強い閉瞼と左口角の収縮がみられる（矢印）

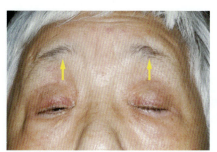

図21　開瞼失行
開瞼の開始が困難で，眉毛を吊り上げる動作を示すが（矢印），いったん開瞼すると維持できる

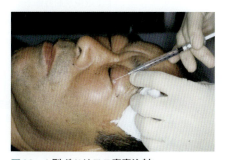

図22　A型ボツリヌス毒素注射
消毒用アルコール綿で注射部位の皮膚を消毒し，乾燥してから注射針をねかせて薄く皮下に刺入し，膨疹を作る．指で注射器と頭を軽く抑え，急な頭の動きに備える

3　ボツリヌス毒素治療（図22）

- 眼瞼痙攣，Meige症候群，片側顔面痙攣が適応になるが，眼瞼ミオキミアでも症状が持続する場合は適応となる．
- 効果は，眼瞼痙攣とMeige症候群では3カ月しか持続しないが，片側顔面痙攣では4カ月以上持続することも多い．眼瞼ミオキミアは1回の注射で治ることもある．
- 眼瞼痙攣では，両眼の上眼瞼と下眼瞼の内側部と外側部の4カ所と，外眼角

と下眼瞼外側部下方の2カ所の合計12箇所に，A型ボツリヌス毒素（ボトックス）2.5単位ずつ皮下注射する．

- 片側顔面痙攣では，患側の眼瞼痙攣と同部位の6ヶ所に加え，鼻唇溝の外側の1～2カ所に，2.5単位ずつ皮下注射する．内側に注射すると口が閉じにくくなり，水を含むと漏れてしまう危険性がある．
- 開瞼失行では効果はないが，眼瞼痙攣性失行では，上眼瞼縁のRiolan筋へ2.5単位ずつ2カ所に追加すると効果的である．
- 午後になると強くなる重症筋無力症による眼瞼痙攣様症状に対し，誤ってボツリヌス毒素治療を行ってはならない．

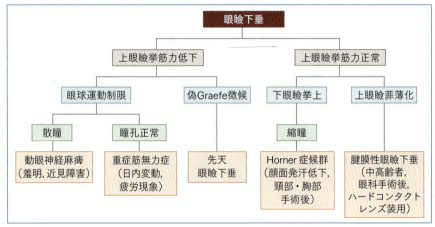

眼瞼下垂の鑑別診断

> **Column**
>
> ### コンタクトレンズによる腱膜性眼瞼下垂
>
> 若年者の後天眼瞼下垂の大部分が，コンタクトレンズ特にハードコンタクトレンズ装用による腱膜性眼瞼下垂である．閉瞼時のBell現象による眼球の上転に伴い，上方へ移動したコンタクトレンズが結膜円蓋部に当たり，この部位を走行している上眼瞼挙筋腱膜を損傷することが原因となる．
> いったん発症すると，装用を中止しても回復は期待できない．フェニレフリン添加の市販点眼薬による改善は一時凌ぎでしかなく，むしろ充血が持続する危険性もあり避けるべきである．

Chapter 8

眼窩疾患

A 眼窩腫瘍

1 血管性腫瘍

a) 毛細血管腫（図1）
- 小児，特に生後6カ月以内に発症することが多い．
- ほとんどが片眼性である．
- 表在型（赤色の苺状母斑）と深在型（結膜円蓋部にも病変）がある．
- 泣くと増大する特徴がある．
- CT，MRIで均質な腫瘤として描出される．
- 無治療でも7歳までに75％が縮小する．
- 治療は副腎皮質ステロイド薬の局所注射と全身投与が行われる．
- β遮断薬のプロプラノロール内服（1日0.25 mg/kgから開始）も縮小効果があるが，いずれの治療も小児科の管理下で行うべきである．

b) リンパ管腫（図2）
- 小児から若年にみられるが，多くが幼児である．
- 再発性出血が特徴であり，chocolate cystと呼ばれている．
- CT，MRIで境界やや不鮮明で不均質な腫瘤がみられ，造影剤による増強効果は軽度である．
- 出血が遷延して視力障害が出現したら，ドレナージや炭酸ガスレーザーによる亜全摘出術が行われる．

c) 海綿状血管腫（図3〜5）
- 成人（40〜50歳台）にみられ，最も多い血管性腫瘍である．
- 遺伝子異常が関与する症例もある．

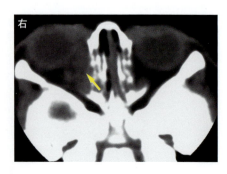

図1 毛細血管腫のCT画像
泣くと右眼球突出が起こる1歳女児．右眼の内側から球後にかけて均質な腫瘤がみられる（矢印）

A　眼窩腫瘍

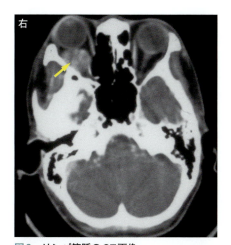

図2　リンパ管腫のCT画像
右眼球突出に気づき来院した3歳男児．右眼窩に境界やや不鮮明で不均質な腫瘤がみられる（矢印）

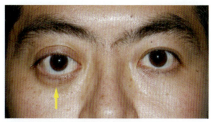

図3　海綿状血管腫のaxial proptosis
右海綿状血管腫で，他の眼窩腫瘍や副鼻腔疾患とは異なり，真正面へ眼球が突出するaxial proptosisを示している（矢印）

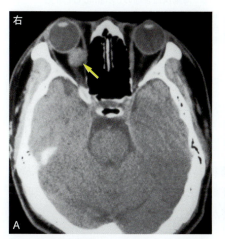

図4　海綿状血管腫のCTとMRI T_1 強調画像
AのCTで右筋円錐内に境界明瞭な腫瘤がみられ（黄矢印），BのMRI T_1 強調画像で栄養血管（赤矢印）をもつ円形の腫瘤が描出される

- 緩徐進行性の経過をとる．
- 真正面へ眼球が突出（axial proptosis）するのが特徴である．
- 注視方向で数秒間視力が低下する，注視誘発黒内障（gaze-evoked amaurosis）の最も多い原因である．

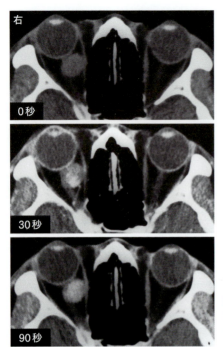

図5 海綿状血管腫のdynamic CT所見
腫瘤は造影剤でゆっくり濃染され，造影剤の消失も緩徐である．急速に増強される神経鞘腫との鑑別に有用な所見である

- CT, MRIでは筋円錐内に境界明瞭な円形腫瘤が描出され，造影剤で均一に増強される．
- 栄養血管が描出されることもある．
- dynamic CTやdynamic MRIでは濃染遅延（slow wash-in, slow wash-out）がみられ，早期から造影される神経鞘腫との鑑別点となる．
- 一般的には経過をみるが，視力障害が出現したら摘出術を行う．

d) 眼窩静脈瘤（図6, 7）
- 小児から中高年にみられるが，20～30歳台から症状が出現することが多い．
- 上鼻側に好発する．
- 頭位変換で眼球突出が変動し，うつ伏せで増強するのが特徴である．
- 座位ではむしろ眼球陥凹の傾向がある．
- CTでは腹臥位で腫瘤が増大し，腫瘤中に静脈結石がみられる．
- 摘出は困難であるが，n-butyl cyanoacrylateによる塞栓術後に摘出可能なことがある．

A 眼窩腫瘍

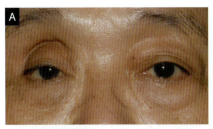 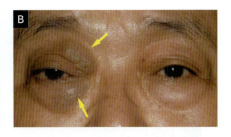

図6 右眼窩静脈瘤
Aの座位では右眼が陥凹しているが，Bの腹臥位になると右眼が突出して眼瞼の静脈も浅黒く拡張隆起する（矢印）

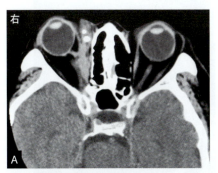 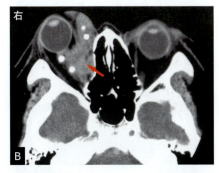

図7 眼窩静脈瘤のCT画像
Aの仰臥位で描出された右眼窩内側から球後に及ぶ腫瘤が，Bの腹臥位で撮影するとうっ血により増大し（矢印），眼球突出も増強する．腫瘤の中に静脈結石もみられる

2 涙腺腫瘍

a) **多形腺腫（混合腫瘍）（図8, 9）**
- 成人にみられ，無痛性である．
- 内下方へ眼球が偏位する．
- CTで骨圧排像がみられるが骨破壊像はなく，歯牙などの石灰化所見と合わせ悪性腫瘍との鑑別点となる．

b) **悪性腫瘍（腺様嚢胞癌）**
- 成人にみられ，有痛性である．
- CTで骨破壊像がみられる．

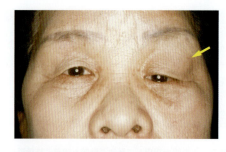

図8　左涙腺腫瘍（涙腺多形腺腫）
左上眼瞼外側部が隆起し（矢印），眼瞼下垂と左眼の内下方への偏位がみられる

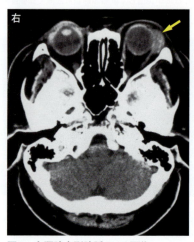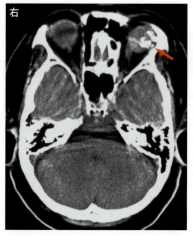

図9　左涙腺多形腺腫のCT画像
左眼球外上方に腫瘤があり（黄矢印），腫瘤の中に石灰化陰影が混在する（赤矢印）．骨の破壊像はない

c) IgG4関連疾患（Mikulicz病）（図10, 11）

- 60歳前後に好発し，20歳以下はまれである．
- 両側涙腺腫脹，耳下腺，顎下腺腫脹をきたし，無痛性が特徴である．
- 高IgG4血症（135 mg/dL以上）がある．
- 生検で，涙腺や唾液腺組織にIgG4陽性形質細胞浸潤が確認される．
- 自己免疫性膵炎，間質性肺炎，間質性腎炎を合併することがある．
- 下垂体炎，肥厚性硬膜炎，視神経炎も起こることがある．
- 画像診断で涙腺に加え，三叉神経（眼窩上神経，眼窩下神経）や外眼筋の腫脹もみられる．特に眼窩下神経の腫脹は特異性が高い．
- 副腎皮質ステロイド薬によく反応する．プレドニゾロン1日0.6 mg/kgの内服から開始し，再燃に注意しながら減量する．

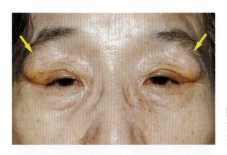

図10　IgG4関連疾患
両側涙腺の高度の腫脹があるが疼痛はない（矢印）．
両側顎下腺の腫脹も伴っている

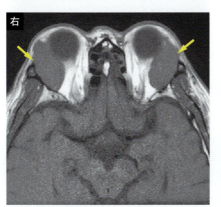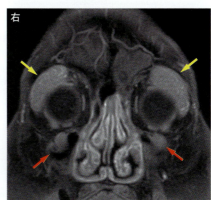

図11　IgG4関連疾患のMRI画像
左はMRI T_1 強調画像，右はGd造影MRI T_1 強調画像で，両側の眼球の外上方に境界明瞭で均質な大きな腫瘤がある（黄矢印）．両側の眼窩下神経の腫脹も特徴的である（赤矢印）

3　リンパ腫（図12）

- 50～80歳台に多くみられ，両側性もある．
- 大部分がmucosa-associated lymphoid tissue（MALT）リンパ腫である．
- 反応性リンパ球増生症からMALTリンパ腫へ移行することもある．
- 転移はまれである．
- CTでは低吸収域で，造影剤で均一に増強される．MRIでは T_1，T_2 強調画像とも低～等信号で，Gd造影で均一に増強される．
- 放射線治療が奏効するが，全身転移例には血液内科での化学療法が必要となる．

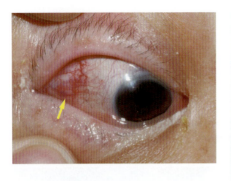
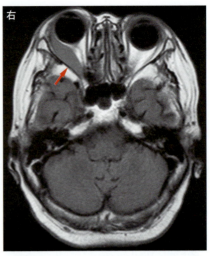

図12 悪性リンパ腫（MALTリンパ腫）とMRI T₁強調画像
83歳男性．右眼の眼球突出と右外直筋の走行に沿って球結膜の隆起と発赤がある（黄矢印）．MRIで，右外直筋に沿って均質な腫瘤がみられる（赤矢印）

4 横紋筋肉腫（図13〜15）

- 10歳までの小児に好発するが，10歳台でもみられることがある．
- 急速に進行する眼球突出（日〜週単位）が特徴である．
- 眼窩蜂巣炎との鑑別が重要で，発熱や皮膚の熱感がないことで判別できる．
- CT，MRIとも境界はやや不鮮明でほぼ均質な像を示し，骨破壊が著明で副鼻腔への進展がみられる．
- 耳鼻咽喉科に生検を依頼し，組織診断後に放射線治療と化学療法を行う．

5 皮様嚢腫（図16）

- 表在型は幼児，特に1歳までに発見される．
- 上眼瞼外側部に好発し，皮膚との癒着はない．
- 深在型は成人にみられる．
- 出現頻度は比較的高い．

A 眼窩腫瘍

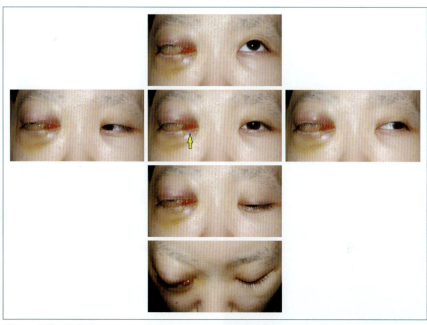

図13 右横紋筋肉腫
結膜浮腫を伴って急速に右眼が突出し（矢印），全外眼筋麻痺となった19歳女性である．通常は小児に多い

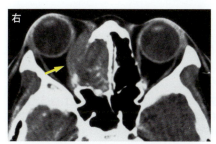

図14 横紋筋肉腫のCT画像
右眼窩から骨を破壊して篩骨洞に進展する，境界がやや不鮮明でほぼ均質な陰影がみられる（矢印）

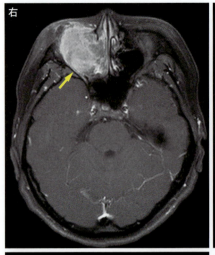
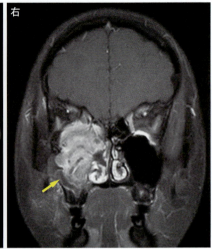
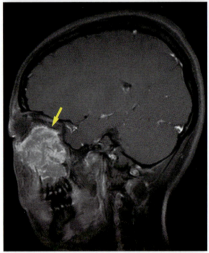

図15 横紋筋肉腫のGd造影MRI T₁強調画像
右眼窩から篩骨洞や上顎洞に進展する，造影剤で増強される腫瘤がある（矢印）

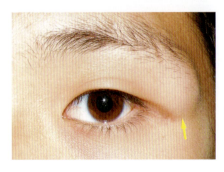

図16 皮様嚢腫
乳児期から左上眼瞼外側部に腫瘤があり（矢印），わずかに増大傾向がある．眼球突出や眼瞼下垂，眼球運動障害はない

6 神経性腫瘍

a) 視神経膠腫（☞視神経疾患：視神経膠腫）
- 小児型は女児に多く，緩徐進行性の視力低下を示す．
- 成人型は中年男性にみられ，急速に視力低下が進行し，生命予後がきわめて不良である．

b) 視神経鞘髄膜腫（☞視神経疾患：視神経鞘髄膜腫）
- 中年女性に好発する．
- 緩徐な視力低下，視神経萎縮，optociliary shunt vesselを3徴とする．

c) 神経鞘腫
- 20歳以上にみられる．
- 眼窩内のあらゆる部位に発生する可能性がある．
- CT，MRIで境界明瞭で均質な腫瘤が描出され，造影剤で均一に増強される．
- dynamic CTやdynamic MRIで急速に増強され，海綿状血管腫との鑑別点となる．

7 転移性腫瘍

a) 小児

❶ 神経芽細胞腫（図17）
- 幼児に多くみられる．
- 原発巣は腹部，胸部，腰部が多い．
- 眼窩転移は40%で，小児の転移性眼窩腫瘍中，最も多い．
- 両側性のこともある．
- 眼瞼溢血斑がみられるのが特徴である．
- 診断には尿中バニルマンデル酸（VMA）測定が役立つ．
- 依然として死亡率の高い危険な疾患である．

❷ myeloid sarcoma（図18）
- 急性骨髄性白血病の眼窩内転移であり，緑色腫とも呼ばれている．
- 10歳以下（平均7歳）に多く，両側性もある．
- 小児で急速に進行する眼球突出をみたら，本症と横紋筋肉腫を考える．
- 寛解後にみられることがあり，再燃の徴候である．

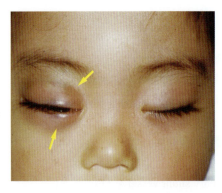

図17　神経芽細胞腫の右眼窩内転移
3歳男児．右眼球突出と腫脹した眼瞼に溢血斑がみられる（矢印）

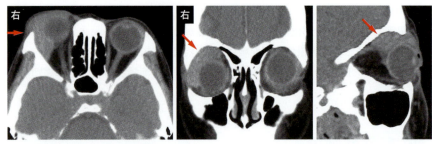

図18　myeloid sarcomaのCT画像
急速に進行する右眼球突出をきたした54歳女性．眼球の外側から上方にかけて均質な腫瘤が描出され（矢印），血液検査で芽球が検出された

b) 成人（図19, 20）
- 乳癌：眼球陥凹を示すことが特徴である．眼窩内に腫瘍があるにもかかわらず眼球が陥凹していたら，本症と眼窩静脈瘤を考える．
- 前立腺癌：CTで眼窩骨に造骨性変化がみられる．
- その他：気管支癌，消化器癌，腎癌，肺癌などがある．

8　隣接部腫瘍の進展

- 上顎洞癌：眼球が上方へ偏位し，下転が制限される．
- 篩骨洞癌：眼球が外下方へ偏位し，内転が制限される．

A　眼窩腫瘍

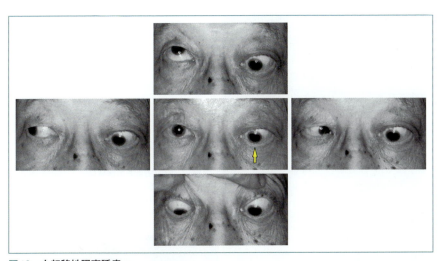

図19　左転移性眼窩腫瘍
肺癌の左眼窩内転移により眼球突出と左眼の内下方偏位（矢印），全外眼筋麻痺がみられる

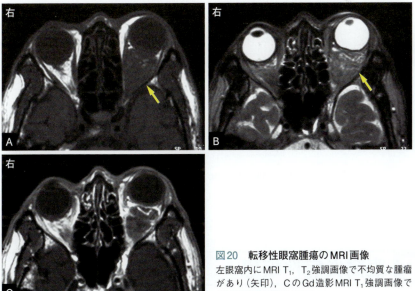

図20　転移性眼窩腫瘍のMRI画像
左眼窩内にMRI T_1，T_2強調画像で不均質な腫瘤があり（矢印），CのGd造影MRI T_1強調画像では増強効果は軽度である

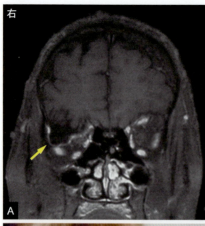

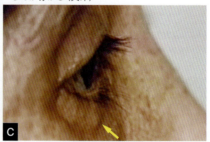

図21　右蝶形骨大翼欠損

neurofibromatosis type 1により右蝶形骨大翼が欠損し，AのGd造影前額断MRI T_1強調画像で，前頭葉が右眼窩内に陥入している脳瘤の所見がみられる（矢印）．B,Cのように，右眼に拍動性眼球突出があり，下眼瞼をみると眼球が後退するのが分かる（矢印）

9　蝶形骨大翼欠損（図21）

- 神経線維腫症（neurofibromatosis type 1，von Recklinghausen病）でみられる．
- 欠損部から頭蓋内容が眼窩内へ陥入して脳瘤を形成し，拍動性に眼球突出と眼球陥凹を繰り返すのが特徴である．

B　眼窩炎症性疾患

1　細菌性眼窩炎症

- 眼窩隔壁が炎症の波及を遮断するため，隔壁の前か後に限局する．起炎菌は黄色ブドウ球菌（Staphylococcus aureus）と嫌気性菌が多いが，小児ではインフルエンザ菌（Haemophilus influenzae）の頻度が高い．

a) 隔壁前感染症
- 顔面の皮膚感染症（顔面癤：面疔）によるものが多い．

b) 隔壁後感染症（眼窩感染症，眼窩蜂巣炎）（図22～26）

❶原因
- 副鼻腔炎のうちの篩骨洞炎が最多であり，多くは上顎洞炎も伴う．
- 小児では急性上気道炎に合併することが多い．
- 成人では慢性副鼻腔炎の急性増悪によるものが多い．

❷症状
- 一般症状には，眼窩部痛，骨の圧痛，眼周囲の腫脹，発赤，鼻閉，鼻汁があり，特に骨の圧痛が診断上重要である．
- 眼窩内進展症状は，眼球突出，眼球偏位，眼球運動制限である．原因となる副鼻腔の部位で，それぞれ症状に特徴がある．

> - **上顎洞炎**：眼球が上方に偏位し，下転が制限される
> - **篩骨洞炎**：眼球が外下方に偏位し，内転が制限される
> - **蝶形骨洞炎**：眼窩内進展はまれである．海綿静脈洞内へ進展すると外転神経麻痺とHorner症候群が同時に起こり，激しい頭痛も伴う．頭蓋内へ進展すると，記憶障害，判断力低下，人格変化などの前頭葉症状がみられる
> - **前頭洞炎**：眼球が外下方へ偏位し，眼瞼下垂と上転制限がみられる．上斜筋の滑車に病変が及ぶと，内上転制限を示す上斜筋腱鞘症候群が起こる

- 眼窩蜂巣炎→眼窩骨膜下膿瘍→眼窩膿瘍→海綿静脈洞血栓症の順に進行する．

❸画像所見
- 眼窩蜂巣炎では，CTで眼窩軟部組織が高吸収域となる．
- 骨膜下膿瘍は，眼窩骨膜の特徴ある圧排像がみられる．
- 眼窩膿瘍は，CTで低吸収域として描出される．

❹治療
- 耳鼻咽喉科と連携して，フロモキセフナトリウム（フルマリン®）などの広域スペクトル抗菌薬の点滴静注を行い，内服療法へ移行する．
- 成人では耳鼻咽喉科による外科的処置も必要になることが多い．

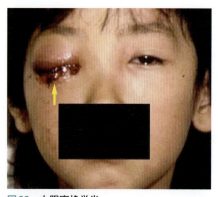

図22 右眼窩蜂巣炎
10歳女児．上気道炎後に強い疼痛を伴う右眼の眼球突出と高度の結膜浮腫が出現している（矢印）

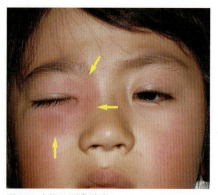

図23 小児の副鼻腔炎
6歳男児．右眼周囲に疼痛と発赤腫脹がみられる（矢印）

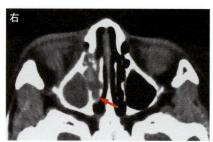

図24 小児の副鼻腔炎のCT画像
右上顎洞と篩骨洞に陰影があり（赤矢印），眼窩内にも炎症が波及している（黄矢印）

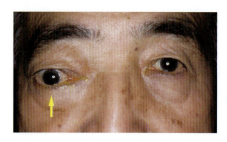

図25 成人の副鼻腔炎
右骨膜下膿瘍により，激しい疼痛を伴う右眼球突出と右眼の著明な外下方偏位がみられる（矢印）

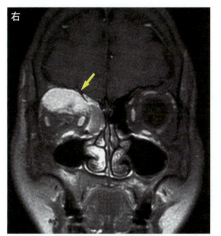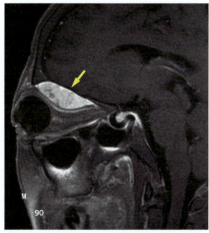

図26　眼窩骨膜下膿瘍のGd造影MRI T_1強調画像
右眼窩の内側から上方にかけて、骨膜を圧排する増強効果の強い病変がある（矢印）

2　真菌性眼窩炎症（図27, 28）

- 鼻-眼窩ムコール症（*Mucoraceae*）とアスペルギルス症（*Aspergillus*）がある．
- 糖尿病，副腎皮質ステロイド薬投与中，免疫不全状態，血液疾患に発症しやすい．
- 上気道感染→副鼻腔→眼窩→脳の順に進展する．
- 顔面や眼窩周囲の腫脹と複視がみられる．アスペルギルス症は緩徐進行性であるが，鼻-眼窩ムコール症の進行は速い．
- CTで骨破壊像，MRI T_1，T_2強調画像とも副鼻腔内壁は高信号であるが副鼻腔内は低信号となり，造影MRI T_1強調画像で造影効果を示すことが特徴であり，診断上きわめて重要な所見である．
- アスペルギルス症やカンジダ症などの深在性真菌症では，$β$-Dグルカンの上昇がみられるが正常のことも多く，診断的価値は低い．
- 内頸動脈と外頸動脈の閉塞で，眼窩部痛，視力消失，全外眼筋麻痺，眼虚血をきたすorbital infarction syndromeが起こることがある．
- アムホテリシンBの点滴静注と，耳鼻咽喉科でのデブリードマンが有効である．
- 高死亡率（50％）を示す危険な疾患である．

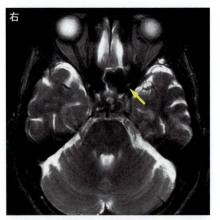

図27 鼻-眼窩ムコール症のMRI T_2強調画像
糖尿病のある72歳男性．左篩骨洞の内壁は高信号を示すが，洞内はMRI T_1, T_2強調画像とも低信号を示している（矢印）

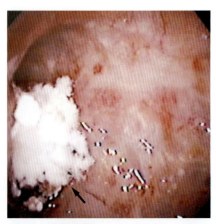

図28 副鼻腔真菌症（アスペルギルス症）の内視鏡所見
内視鏡検査で，蝶形骨洞内に白色のアスペルギルスの真菌塊が観察される（矢印）

3 眼部帯状疱疹（図29）

- 疱疹出現後に眼窩内に炎症を起こし，上眼窩裂症候群や眼窩尖端症候群をきたすことがある．
- 結膜浮腫や充血が強く，持続する．
- アシクロビルやバラシクロビルなどの抗ウイルス薬と，プレドニゾロン1日30mgの内服から漸減して1カ月間で終了する．回復には半年くらい時間がかかる．

4 多発血管炎性肉芽腫症（Wegener肉芽腫症）
（図30～32）

- 細動脈の壊死性肉芽腫性血管炎により組織破壊が起こる．
- 副鼻腔や鼻咽頭から進展し，両側性も多い．
- 鞍鼻と呼ばれる鼻根部の陥没が目立つ．
- 肺病変，腎病変，血管炎を併発する．
- 眼症状には壊死性強膜炎と角膜辺縁潰瘍があり，初発症状のことも多い．
- 血中プロテイネース3抗好中球細胞質抗体（PR3-ANCA）が陽性となる．
- 内科が主体となり，副腎皮質ステロイド薬とシクロホスファミドで治療を行う．

B 眼窩炎症性疾患

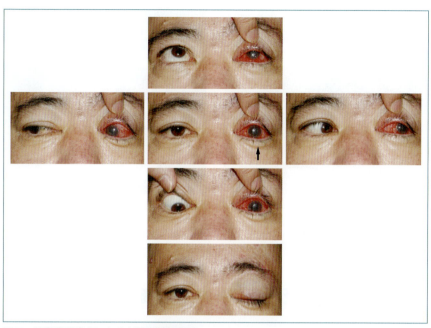

図29 眼部帯状疱疹による上眼窩裂症候群
糖尿病の50歳男性．左前額部に皮疹があり，左眼の強い充血と全外眼筋麻痺がみられる（矢印）．

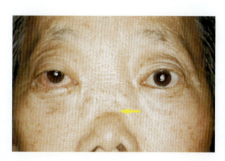

図30 多発血管炎性肉芽腫症
鼻根部が急峻に陥没して扁平となる鞍鼻がみられ（矢印）．

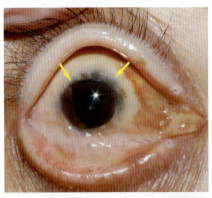

図31　多発血管炎性肉芽腫症による角膜辺縁潰瘍
角膜辺縁潰瘍部が結膜で覆われている（矢印）

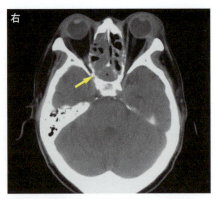

図32　多発血管炎性肉芽腫症のCT画像
右篩骨洞を中心に高吸収域があり（矢印），一部に骨の融解所見もみられる

5 特発性眼窩炎症（眼窩炎性偽腫瘍）（図33〜35）

a) 症状
- 眼窩部痛，結膜浮腫，充血，眼瞼腫脹，眼球突出がみられる．

b) 発生部位
❶びまん性
- 視神経に炎症が波及すると視神経周囲炎を引き起こす．

❷眼窩尖端部
- 眼窩尖端症候群（全外眼筋麻痺，視神経障害，眼神経障害）を示す．

❸眼窩筋組織
- 眼窩筋炎の形をとる．

❹涙腺
- 成人女性に好発し，両側性が多い．画像検査では，眼球と骨の間を眼窩脂肪と置き換わるように拡大するmolding所見がみられ，涙腺腫瘍との鑑別に役立つ．眼球偏位は起こさない．

c) 治療
- 副腎皮質ステロイド薬によく反応する．プレドニゾロン1日30mgの内服から漸減して10mgで維持し，その後再燃に注意しながら時間をかけて漸減終了する．

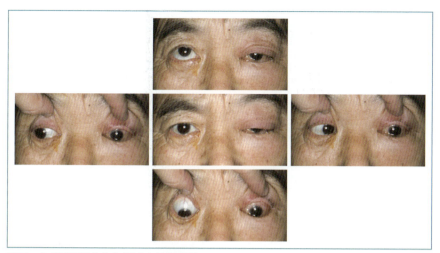

図33 左特発性眼窩炎症（眼窩炎性偽腫瘍）
左眼に疼痛を伴った眼球突出と，結膜浮腫，全外眼筋麻痺がみられる

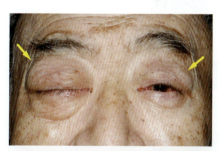

図34 特発性眼窩炎症による涙腺腫脹
両側の涙腺が腫脹し，上眼瞼の腫脹と結膜充血もみられる（矢印）

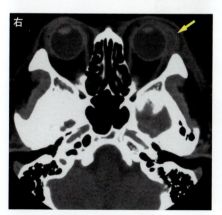

図35 特発性眼窩炎症のCT画像
両側の涙腺部を中心に，molding所見と呼ばれる眼球を取り巻くように境界やや不鮮明な高吸収域が描出される（矢印）

C 眼球陥凹をきたす疾患

1 骨伸展

a) 眼窩骨折 (眼窩吹き抜け骨折) (図36〜38)
- 5cm以上の物体による眼球打撲で起こる.
- 眼球運動制限は上転制限 (下壁骨折) が最も多く, 下転制限 (下壁骨折), 外転制限 (内壁骨折) が次ぐ.
- 牽引試験で抵抗があるのが特徴である.
- 眼球陥凹があり, 2mm以上は重症で観血的治療の適応となる.
- 眼窩底骨折では, 上顎神経 (眼窩下神経) 領域の頬部の知覚低下も伴い, 治りにくい.
- 鼻出血は骨折を裏付ける必発の症状である.
- かなりの症例, 特に軽症例では自然軽快が期待できる.

b) 副鼻腔疾患
❶慢性上顎洞炎
- 慢性炎症により上顎骨が菲薄化し, 眼窩内容が上顎洞内に陥入する.
- 鼻汁, 鼻閉, 嗅覚減退などの副鼻腔炎症状を伴う.

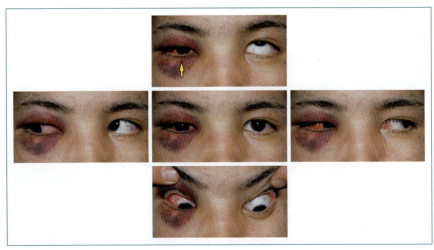

図36　右眼窩吹き抜け骨折
右眼部打撲により右眼に高度の上転制限があり (矢印), 牽引試験でも抵抗が強く動かない. 眼球陥凹と右眼周囲の眼瞼の腫脹と皮下出血がみられる

C 眼球陥凹をきたす疾患

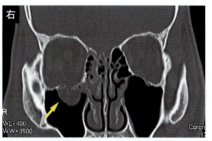

図37 右眼窩吹き抜け骨折のCT画像
右眼窩下壁に骨折があり,眼窩脂肪組織が上顎洞内に陥入している(矢印)

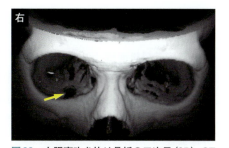

図38 右眼窩吹き抜け骨折の三次元(3D)-CT画像
右眼窩下壁の欠損が明瞭に描出される(矢印)

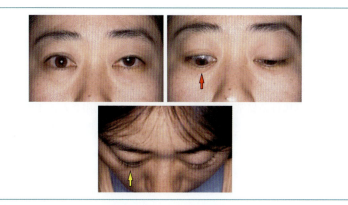

図39 右silent sinus syndrome
右眼にlid lag(偽Graefe徴候)があるが(赤矢印),眼球は陥凹している(黄矢印).右上顎洞の形成不全で引き起こされる.眼球陥凹眼に偽Graefe徴候がみられる唯一の疾患である

❷ silent sinus syndrome(maxillary atelectasis)(図39)
- 30〜40歳台にみられるまれな疾患である.
- 無症候性の上顎骨菲薄化や上顎洞低形成が原因である.
- 眼球が下方へ偏位する.
- lid lag(偽Graefe徴候)が大きな特徴で,眼球陥凹眼で出現する唯一の疾患である.

2 軟部組織収縮

a) 眼窩脂肪組織萎縮
- 加齢，外傷後，眼窩静脈瘤でみられる．
- 常に眼球をごしごし擦る oculodigital syndrome (eye pressing) でも起こる．Leber 先天黒内障が代表的疾患である．

b) 瘢痕性
- 転移性腫瘍，特に乳癌で起こりやすい．
- 眼窩腫瘍に対する放射線治療後にもみられる．

3 外眼筋同時収縮

- Duane 眼球後退症：完全外転制限があり，内転時に眼球陥凹と瞼裂狭小がみられる．（☞眼球運動疾患：Duane 眼球後退症）
- 動眼神経麻痺後の異常神経支配：上転と下転が制限され，上転下転努力時に内方への偏位とともにみられる．（☞眼球運動疾患：動眼神経麻痺後の異常神経支配）
- 動眼神経の ocular neuromyotonia：上眼瞼が挙上し，眼球が内転位で固定して，眼球が陥凹する．（☞眼球運動疾患：ocular neuromyotonia）
- 輻湊後退眼振：上方注視麻痺に合併し，急速に上方視を行うと誘発される．（☞眼振：輻湊後退眼振）

Column

真菌感染症

神経眼科における真菌感染症には眼窩真菌感染症と海綿静脈洞血栓症がある．糖尿病や副腎皮質ステロイド薬投与など従来から知られている因子に加え，トシリズマブやサリルマブなどの IL-6 阻害薬も感染の危険性を高める．早期診断の進歩や治療薬剤の開発にもかかわらず，依然として死亡率の高い疾患である．
近年，ムコール症にも効果があるイサブコナゾニウムが開発されており，臨床応用が期待される．

Chapter 9

海綿静脈洞疾患

A 血管性疾患

1 頸動脈海綿静脈洞瘻

a) 病型（図1）

❶直接型（外傷性）
- 海綿静脈洞内の内頸動脈の瘻孔から直接海綿静脈洞に動脈血が流入する．頭部打撲後に充血がみられたら，まず本症を考える．

❷硬膜枝型（特発性，硬膜動静脈奇形）
- 内頸動脈や外頸動脈の硬膜枝を介して海綿静脈洞に動脈血が流入する．内頸動脈系の主な硬膜枝は髄膜下垂体幹，外頸動脈系には上行咽頭動脈や内上顎動脈がある．

b) 特徴（図2～6）

- 60～70歳台の中高年女性に好発する．
- 頭痛は必発である．頭部全体に軽度の頭痛を訴える．
- 結膜血管の拡張，網膜静脈の拡張，眼瞼の静脈の拡張がみられる．
- 結膜血管の拡張は充血とは異なり，輪部まで先細りしないのが大きな特徴である．細隙灯顕微鏡で拡大して観察すると分かりやすい．

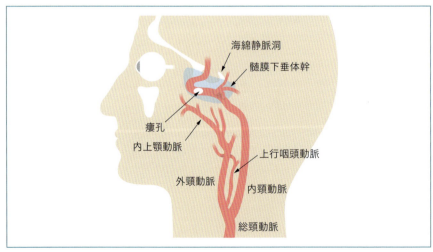

図1　頸動脈海綿静脈洞瘻
頸動脈海綿静脈洞瘻には，海綿静脈洞内で内頸動脈に瘻孔ができる直接型と，内頸動脈系の髄膜下垂体幹や外頸動脈系の上行咽頭動脈，内上顎動脈などの硬膜枝と海綿静脈洞とが交通する硬膜枝型がある

- 外眼筋麻痺は，結膜血管の拡張を伴う前部型は外転神経麻痺，伴わない後部型は動眼神経麻痺が多い．
- 三叉神経障害も高頻度にみられる．
- 眼球突出も必発であるが，軽度のことが多いので見逃さないように注意する．
- 眼圧上昇，applanation tonometer や Schiötz tonometer で観察できる眼球脈波の増大も特徴的な眼科所見であり，診断的価値が高い．
- 毛様充血と眼圧上昇をきたす虹彩毛様体炎による続発緑内障と誤診されやすい．充血の状態よりも，軽度の眼球突出が両者の鑑別に役立つことが多い．

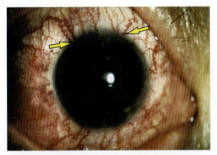

図2 頸動脈海綿静脈洞瘻の結膜所見
球結膜の血管が拡張し，コルク栓抜き様に蛇行する．輪部まで先細りしないのが特徴である（矢印）

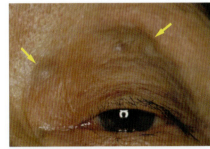

図3 頸動脈海綿静脈洞瘻の眼瞼所見
上眼瞼の静脈も拡張し，隆起している（矢印）

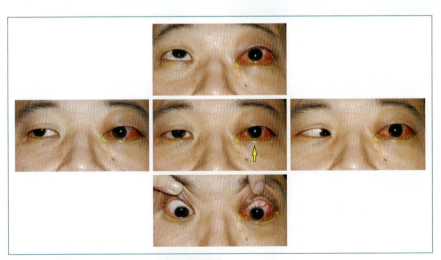

図4 左頸動脈海綿静脈洞瘻による眼球運動障害
頭部打撲後に左眼の充血と複視が出現した40歳男性．左眼に結膜血管の拡張があり，全方向への眼球運動制限がみられる（矢印）

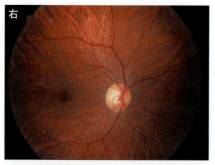
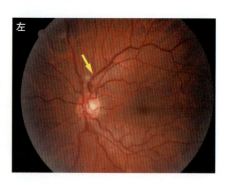

図5 左頸動脈海綿静脈洞瘻の眼底所見
左眼に網膜静脈の拡張，蛇行がみられる（矢印）

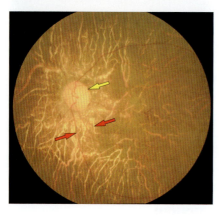

図6 左頸動脈海綿静脈洞瘻後の虚血性眼症
頸動脈海綿静脈洞瘻が持続したため虚血性眼症となり，左眼眼底に視神経萎縮（黄矢印）と網膜血管の狭細化（赤矢印），網膜萎縮が起こっている

- 血管性雑音（bruit）があれば診断は確定する．直接型では，眼部に聴診器を当てると聴取できることもある．聴取できない場合でも，硬膜枝型を含めほとんどの症例で心拍動に一致した耳鳴（ジージーとセミの鳴くような耳鳴）として自覚している．
- 持続すると，虚血性眼症，網膜静脈閉塞症，緑内障などの合併症が起こる．
- 海綿間静脈洞を介して，反対眼にも症状が出現することがある．

c) 診断（図7, 8）
- CT，MRI：上眼静脈の拡張，眼球突出，海綿静脈洞の腫大と陰影増強，外眼筋の腫脹がみられる．特に上眼静脈の拡張が診断上最も大切な所見である．
- 磁気共鳴血管造影（MRA），コンピュータ断層血管造影（CTA）：動脈とともに海綿静脈洞が描出される．
- 頸動脈造影（CAG）：動脈相早期に海綿静脈洞が造影される．

A 血管性疾患

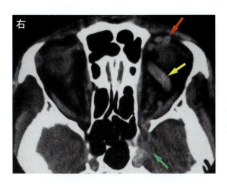

図7　左頸動脈海綿静脈洞瘻の造影CT画像
左上眼静脈の拡張（黄矢印）と上眼瞼の静脈の拡張（赤矢印）があり，左海綿静脈洞が腫大して高吸収域となっている（緑矢印）．上眼静脈の拡張が最も分かりやすく，診断の決め手となることが多い

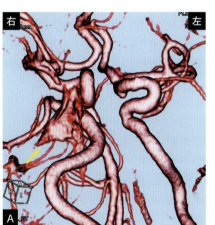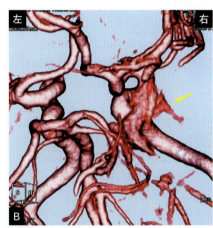

図8　右頸動脈海綿静脈洞瘻のコンピュータ断層血管造影（CTA）
Aは前方から，Bは後方からみた画像．動脈とともに右海綿静脈洞が描出されている（矢印）

d）治療

- 硬膜枝型は70％以上で自然治癒の傾向がある．
- 血管造影検査で瘻孔が閉鎖され，治癒することも多い．
- 自然治癒しない場合は，眼虚血で視力が低下する前に，血管内手術（瘻孔閉鎖術）が必要である．

2　海綿静脈洞内内頸動脈瘤（図9～14）

- 50～60歳台の中高年女性に好発し，頸動脈海綿静脈洞瘻よりやや若く，女性の比率がさらに高い．

- 両側にみられることもある．
- 徐々に増大して巨大動脈瘤に成長する．
- 破裂しにくいが，破裂すれば直接型の頸動脈海綿静脈洞瘻となる．
- 動眼神経，滑車神経，外転神経の単独または複合麻痺がみられるが，外転神経麻痺の頻度が高い．
- 瞳孔は左右同大のことが多い．
- 三叉神経障害は軽度か欠如するのが特徴である．
- 中高年女性に外転神経麻痺とHorner症候群の合併をみたら，本症にほぼ間違いない．
- 海綿静脈洞髄膜腫とともに，動眼神経麻痺の発症時に既に異常神経支配の症状があるprimary aberrant oculomotor regenerationを示す代表的な疾患である．
- 圧迫症状があれば，脳神経外科で内頸動脈閉塞術やコイル塞栓術が行われる．無症状の場合は経過観察が基本となる．

Column

海綿静脈洞病変の瞳孔

海綿静脈洞病変では，動眼神経麻痺があっても瞳孔に変化がないことが多く，病巣局在診断に有用な徴候である．従来，Horner症候群の合併が理由として考えられてきたが，点眼試験の結果などからすべてを説明することはできない．
瞳孔障害がみられない症例では，副交感神経線維が走行している動眼神経下枝の障害が回避または軽度のことが多く，理由の一つと考えている．

A 血管性疾患

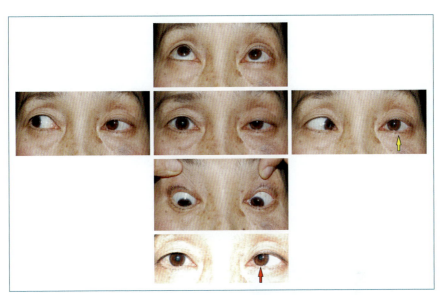

図9 左海綿静脈洞内内頸動脈瘤
徐々に増強する複視で来院した64歳女性．正面位で内斜視があり，左眼の外転が制限されている（黄矢印）．左眼に軽度の眼瞼下垂と縮瞳があり（赤矢印），Horner症候群も合併している．中年以降の女性で，緩徐発症の外転神経麻痺にHorner症候群の合併をみたら本症を考える

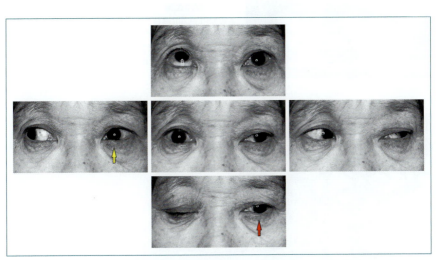

図10 左primary aberrant oculomotor regeneration
67歳女性．症状発現時に左眼内転時の上眼瞼挙上（黄矢印），偽Graefe徴候（赤矢印），上転制限や下転制限などの動眼神経麻痺後の異常神経支配の症状を伴っている

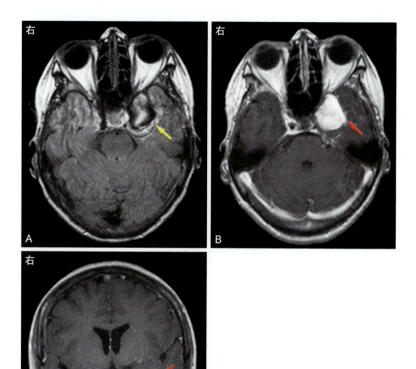

図11 左海綿静脈洞内内頸動脈瘤のMRI画像
AのMRI FLAIR画像で左海綿静脈洞部に大きな円形の腫瘤があり，一部血塊が器質化した所見もみられる（黄矢印）．B，CのGd造影MRI T_1 強調画像では，強い増強効果がみられる（赤矢印）

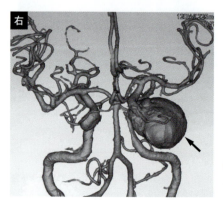

図12 左海綿静脈洞内内頸動脈瘤のCTA画像
左海綿静脈洞内に大きな内頸動脈瘤が描出される（矢印）

A 血管性疾患

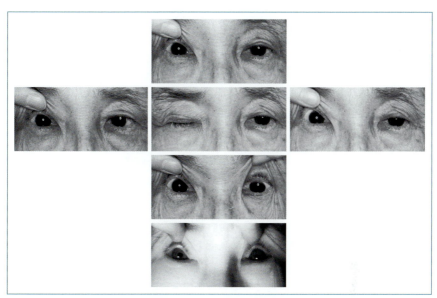

図13 両側海綿静脈洞内内頸動脈瘤
72歳女性．両眼に全外眼筋麻痺があるが，最下段に示すように瞳孔は障害されていない

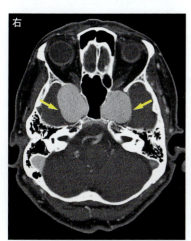

図14 両側海綿静脈洞内内頸動脈瘤の造影CT画像
両側の海綿静脈洞に増強効果の強い大きな腫瘤がある（矢印）．海綿静脈洞内内頸動脈瘤は両側性も少なくない

B 炎症性疾患

1 Tolosa-Hunt症候群（有痛性眼筋麻痺）

a) 特徴（図15）
- 海綿静脈洞から上眼窩裂の非特異的肉芽腫性炎症が原因である．
- 経験したことがないような激しい眼窩深部痛を訴える．
- 動眼神経，滑車神経，外転神経の単独または複合麻痺がみられるが，頻度は多い順に全外眼筋麻痺，動眼神経麻痺，外転神経麻痺であり，滑車神経麻痺はまれである．
- 瞳孔は障害されないか，障害されても軽度である．
- 三叉神経第一枝の眼神経領域の知覚低下は必発であり，内頸動脈後交通動脈分岐部動脈瘤との最も重要な鑑別点となる．
- 視神経障害はまれだが，起こる場合は必ず全外眼筋麻痺に合併する．

b) 診断（図16）
- 急性に出現する激しい眼窩深部痛を伴う眼球運動神経麻痺と，眼神経領域の知覚低下の症状から臨床的に診断されるが，他の有痛性疾患を確実に除外することが大切である．

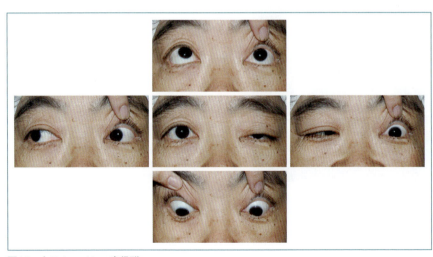

図15　左Tolosa-Hunt症候群
強い左眼窩深部痛があり，左眼に全外眼筋麻痺がみられるが，瞳孔は障害されていない

B 炎症性疾患

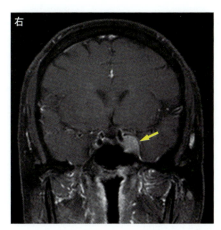

図16 左Tolosa-Hunt症候群のGd造影MRI T₁強調画像
左海綿静脈洞が造影剤で増強効果を示している（矢印）

- 画像診断で海綿静脈洞が造影剤で増強されればより確実になるが，異常がみられないことも多く，必ずしも必要な所見ではない．

c）治療
- 副腎皮質ステロイド薬が著効する．眼窩深部痛がプレドニゾロン1日30 mgの内服後48時間以内に消失することが診断基準になっている．
- 外眼筋麻痺の回復には数カ月かかる．
- 副腎皮質ステロイド薬は眼窩深部痛に著効するため，患者が継続を強く希望して中止できないことがある．外眼筋麻痺が回復するまで投与する必要はなく，1カ月間で漸減終了し，早めに非ステロイド性消炎鎮痛薬に切り替えた方がよい．
- 再発は，副鼻腔炎，リウマチ因子陽性，抗核抗体陽性症例に多い．

2 肥厚性硬膜炎（図17）

- 頭痛，眼球運動神経麻痺，視力障害などのTolosa-Hunt症候群と類似の臨床症状を示す．
- 初老期の男性に好発する．
- 海綿静脈洞以外の症状があればTolosa-Hunt症候群と容易に鑑別できるが，ない場合は臨床症状からは区別できず，Gd造影MRI T₁強調画像による小脳テント，蝶形骨翼，海綿静脈洞部の硬膜肥厚像で初めて診断される疾患である．
- 確定診断は硬膜生検であるが，簡単には行うことができない．

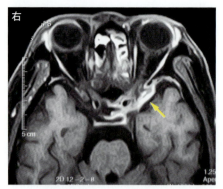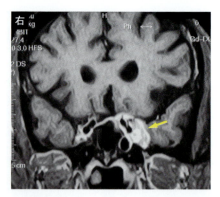

図17　肥厚性硬膜炎のGd造影MRI T₁強調画像
左有痛性動眼神経麻痺を5回繰り返している62歳男性．毎回副腎皮質ステロイド薬の内服で回復している．副鼻腔炎があり，脳底部や左海綿静脈洞部に硬膜の肥厚がみられる（矢印）

- 特発性より続発性の頻度が高い．続発性の原因には，中耳炎，副鼻腔炎，ANCA関連疾患（ANCA関連血管炎，多発血管炎性肉芽腫症），IgG4関連疾患などがある．
- 副腎皮質ステロイド薬が奏効する．プレドニゾロン1日30mgの内服，またはパルス療法後内服で漸減する．減量中に再発しやすく，1日10mg程度の維持量での長期投与が必要になることが多い．

3 海綿静脈洞血栓症

- 海綿静脈洞の敗血症性血栓症である．
- 30歳台前後の若年成人に多い．糖尿病や副腎皮質ステロイド薬服用中の症例も発症しやすい．
- 原因は副鼻腔炎（篩骨洞炎，蝶形骨洞炎）が多く，上顎（歯性，抜歯後），皮膚（顔面癤：面疔）などの顔面上下中央1/3の感染症で起こりやすい．
- 起炎菌は黄色ブドウ球菌（*Staphylococcus aureus*）（70％），肺炎球菌（*Streptococcus pneumoniae*）（20％），アスペルギルス（*Aspergillus*），ムコール（*Mucoraceae*）が多い．
- 急激に発症進行する頭痛（眼窩深部痛，前側頭部痛），発熱，眼球突出，眼瞼浮腫，有痛性眼筋麻痺（外転神経麻痺が最も多い），三叉神経障害，視力障害（虚血性眼症，網膜中心動脈閉塞症，虚血性視神経症）がみられる．

- 片側から両側へ移行する．
- CRPの上昇がみられる．
- 画像所見では，造影CTで上眼静脈の拡張と海綿静脈洞の描出不良，多くは副鼻腔炎所見を合併し，MRIで海綿静脈洞の腫大とT_1強調画像で等信号，T_2強調画像で低信号が特徴である．拡散強調画像で海綿静脈洞に高信号の血栓が描出されることもある．
- 治療は広域スペクトルの抗菌薬の点滴静注が中心で，血栓溶解療法が併用されることもある．副鼻腔炎が原因の場合は，内視鏡下鼻内手術も適応となる．
- 早期に治療しても死亡率は30％と危険性の高い疾患である．

C 海綿静脈洞腫瘍

1 原発性

a) 海綿静脈洞髄膜腫（図18）
- 原発性海綿静脈洞腫瘍のほとんどを占める．
- 中年以降の女性に好発する．
- 徐々に進行する海綿静脈洞症候群を示す．
- 海綿静脈洞内内頸動脈瘤とともに，primary aberrant oculomotor regenerationがみられる代表的な疾患である．
- 画像診断，特に前額断で海綿静脈洞の腫大所見がみられる．

b) 海綿静脈洞血管腫（図19）
- 頻度は低いが，中頭蓋窩の血管腫は海綿静脈洞内から発生することが多い．
- 視神経や視交叉を圧迫しやすい．
- 画像診断では他の腫瘍との鑑別が困難で，手術時の組織診断で確定する．

2 隣接部位からの進展

a) 上咽頭腫瘍
- 隣接部位から海綿静脈洞に進展する腫瘍の大部分が上咽頭腫瘍である．
- 蝶形骨洞経由で海綿静脈洞に進展する．
- 中年以降の男性に多い．
- 激しい頭痛を伴うのが特徴である．

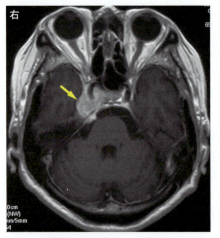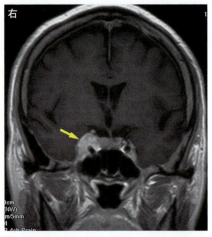

図18 海綿静脈洞髄膜腫のGd造影MRI T₁強調画像
徐々に増強する右眼瞼下垂と複視で来院した79歳女性．右海綿静脈洞が腫大して外壁が凸面を形成し，造影剤で増強効果がみられる（矢印）．

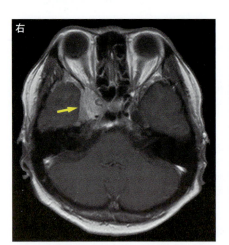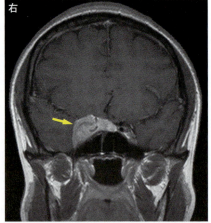

図19 海綿静脈洞血管腫のGd造影MRI T₁強調画像
日食観測時に偶然右眼の視力低下に気づいた44歳女性．右眼にMarcus Gunn瞳孔があり，MRI T₂強調画像で等信号域，Gd造影MRI T₁強調画像で増強効果の強い腫瘤が右海綿静脈洞にあり，術後に海綿静脈洞血管腫と診断された（矢印）．

- 中年以降の男性に有痛性の外転神経麻痺をみたらまず本症を疑う．Horner症候群も合併していれば診断はほぼ確定する．

b) 下垂体腺腫

- 下垂体腺腫が上方ではなく側方に進展すると海綿静脈洞に障害が及ぶ．
- 海綿静脈洞に最上部から進入する動眼神経が障害されやすく，瞳孔障害を伴った動眼神経麻痺が下垂体腺腫の初発症状になることもある．
- 視交叉の圧迫症状がないこともある．
- 強い眼窩深部痛を訴えることから，視交叉障害のない症例では，内頸動脈後交通動脈分岐部動脈瘤やTolosa-Hunt症候群との鑑別が必要となる．

3 遠隔転移（図20〜24）

- 肺癌，肝癌，乳癌，頭頸部癌，胃癌，前立腺癌，悪性リンパ腫が主な原発癌である．特に肺癌の頻度が高い．
- 動眼神経麻痺や外転神経麻痺で発症し，全外眼筋麻痺へ進行する．
- 三叉神経，特に眼神経や上顎神経領域の知覚低下や，「ピリピリする」など特徴のある異常知覚の訴えが診断に役立つ．
- 症状が慢性に進行した時は，顔面特に前頭部皮膚の扁平上皮癌の三叉神経に沿った進展を考える．
- 片眼性の眼球運動障害が数日間で両眼性に移行した場合は，悪性リンパ腫をまず考える．
- 画像診断で海綿静脈洞の腫大と外壁の突出がみられる．

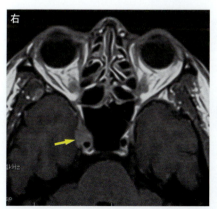 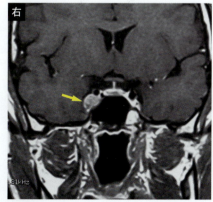

図20　転移性海綿静脈洞腫瘍のGd造影MRI T_1強調画像
耳下腺癌の右海綿静脈洞への転移で右外転神経麻痺が起こった症例である．右海綿静脈洞後部に限局した増強効果のある腫瘤が描出される（矢印）．

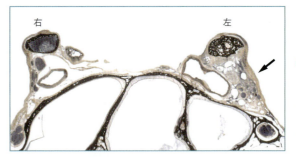

図21 肺癌の左海綿静脈洞転移の切片標本(Kultschitzky髄鞘染色)

肺癌の転移で左動眼神経麻痺をきたした40歳男性.左海綿静脈洞は腫瘍細胞が充満し,外壁が外方に突出している(矢印)

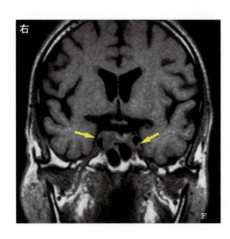

図22 悪性リンパ腫の海綿静脈洞転移のMRI T_1強調画像

両眼に全外眼筋麻痺がみられた58歳男性.両側海綿静脈洞が腫大して外壁が凸面を形成し,内部は均質な病変が充満している(矢印).病変は造影剤で強い増強効果を示す

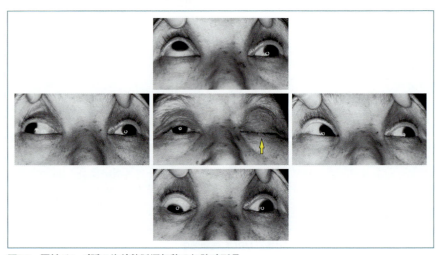

図23 悪性リンパ腫の海綿静脈洞転移の初診時所見
70歳女性.初診時に左動眼神経麻痺がみられた(矢印)

D 海綿静脈洞付近の症候群

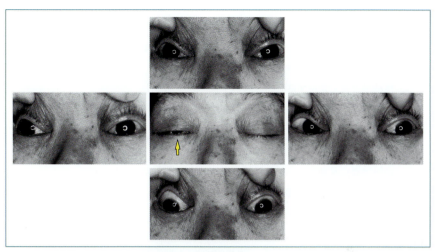

図24　悪性リンパ腫の海綿静脈洞転移の2日目の所見
初診後2日目には，両眼とも全外眼筋麻痺へ進行している（矢印）．高齢者で，短期間に片眼性から両眼性となる眼球運動障害をみた時は，悪性リンパ腫の海綿静脈洞への転移を考える

D　海綿静脈洞付近の症候群

- 海綿静脈洞付近の病変では，病変部位により名付けられた症候群がある．解剖学的所見に一致した眼症状がみられるため，病巣局在診断に有用であるが，厳密には区別できないこともある．

1　海綿静脈洞症候群（石川分類）

- 海綿静脈洞を視神経管開口部と上顎神経進入部で前部，中部，後部に分類する．
- 各部位の病変でみられる症状に特徴がある．
- いずれの部位の病変でも瞳孔は障害されないか，障害されても軽度のことが多い．

a）前部型
- 眼窩尖から視神経管開口部（3.5 mm）までの病変で起こる．

- 動眼神経，滑車神経，外転神経の単独麻痺や複合麻痺がみられる．特に動眼神経麻痺では，上枝と下枝の障害程度に差がみられることが特徴である
- 三叉神経のうちの眼神経の障害を合併する
- 視神経障害も合併することがある

b) 中部型

- 視神経管開口部（3.5 mm）から上顎神経進入部（10 mm）までの病変で起こる．

  - 動眼神経，滑車神経，外転神経の単独麻痺や複合麻痺がみられる
  - 三叉神経のうちの眼神経の障害を合併する
  - Tolosa-Hunt症候群はこの型が多い

c) 後部型

- 上顎神経開口部（10 mm）から後壁までの病変で起こる．

  - 動眼神経，滑車神経，外転神経の単独麻痺や複合麻痺がみられる
  - 三叉神経のうちの眼神経と上顎神経の障害を合併する
  - 外転神経麻痺ではHorner症候群を合併しやすい．海綿静脈洞内内頸動脈瘤の特徴である．

2 上眼窩裂症候群

- 動眼神経，滑車神経，外転神経のすべての麻痺がみられる．
- 三叉神経のうちの眼神経障害を伴う．

3 眼窩尖端症候群

- 動眼神経，滑車神経，外転神経のすべての麻痺がみられる．
- 三叉神経のうちの眼神経障害を伴う．
- 視神経障害もみられる．
- 上眼窩裂症候群と眼窩尖端症候群の原因には，腫瘍，真菌感染症，眼部帯状疱疹，ANCA関連血管炎，IgG4関連疾患などがある．ANCA関連血管炎とIgG4関連疾患は肥厚性硬膜炎を伴うこともある．

Chapter 10

瞳孔疾患

A 視神経障害の検出

Marcus Gunn瞳孔(relative afferent pupillary defect:RAPD,相対的瞳孔求心路障害)(図1)

- 対光反射の求心路系(視神経)障害により対光反射が減弱する症候である.視神経が障害されるとまぶしさを感じなくなるため,対光反射の必要性も減少する.
- swinging flashlight test:ごく軽度のMarcus Gunn瞳孔も検出できる.(☞基本診察:swinging flashlight test)
- Marcus Gunn瞳孔が陽性:一側の視神経障害や,障害程度に左右差がある両側の視神経障害である.網膜病変でも広範囲な障害があると陽性になる.
- Marcus Gunn瞳孔が陰性:中間透光体異常や黄斑疾患,弱視や機能性(心因性)弱視である.視交叉病変による両耳側半盲やLeber病では,視力に左右差があっても陰性のことがあり,網膜病変や機能性弱視と誤って診断しないように注意が必要である.

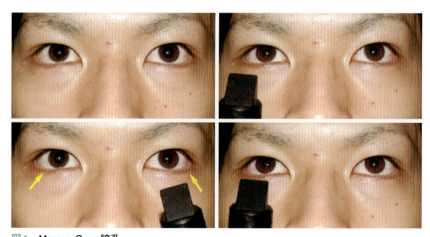

図1 Marcus Gunn瞳孔
swinging flashlight testを行うと,視神経障害のある左眼に光を当てた瞬間に両眼が散瞳する(矢印)

B 瞳孔異常

1 両眼散瞳（図2）

- 視蓋瞳孔：中脳背側病変で出現し，light-near dissociation も伴う．
- 薬剤：アトロピン，スコポラミン，LSD，三環系抗うつ薬，アーテン®，コカイン，覚醒剤（メタンフェタミン）でみられる．
- 高齢者：一般的に高齢者は縮瞳傾向があるが，まれに極大散瞳を示すことがある．ピロカルピン点眼で縮瞳しないことから，瞳孔括約筋の萎縮が考えられる．

2 両眼縮瞳（図3）

- 昏睡初期：対光反射は保存される．
- 橋縮瞳：高度の縮瞳を示すが，強い光刺激では対光反射が起こる．広範囲な両側橋被蓋病変でみられる．
- 視床病変：軽度の縮瞳があり，軽度の瞳孔不同や対光反射減弱もみられる．
- Argyll Robertson 瞳孔：不正円形瞳孔で，light-near dissociation を示す．
- 調節痙攣：縮瞳の程度に変動があり，高度の近視化や輻湊痙攣も合併する．
- 両眼虹彩炎：毛様充血があり，細隙灯顕微鏡検査で前房内に炎症細胞が確認される．
- 薬剤：ヘロイン，モルヒネ，クロルプロマジンがあり，癌性疼痛に対して麻薬性鎮痛薬を使用している症例によくみられる．大麻（マリファナ）やカンナビノイドは，使用量の違いで散瞳も縮瞳も起こる．

図2 両眼散瞳
高齢者でみられる両眼の極大散瞳は，ピロカルピン点眼でも縮瞳しないことから，虚血による瞳孔括約筋の萎縮が考えられる

図3 両眼縮瞳
若年者にみられる頭痛と視力低下を伴う調節痙攣で，輻湊痙攣を合併することも多い

3 不正円形瞳孔

- 瞳孔緊張症（Adie症候群）：瞳孔括約筋の分節麻痺で起こる．
- Argyll Robertson瞳孔：両眼性にみられる．
- 外傷性散瞳：眼球打撲による瞳孔括約筋の断裂で起こる．
- midbrain corectopia：中脳背側病変やテント上病変による中心ヘルニアで，中脳が下方に圧排されて起こる瞳孔偏位や楕円形瞳孔（oval pupil）である．
- ICE（iridocorneal endothelial）症候群：緑内障のまれな型である（図4）．

4 瞳孔不同

a）生理的瞳孔不同（図5）

- 正常人でも20％に存在する．
- 対光反射は正常である．
- 他の瞳孔不同とは異なり，明所と暗所で瞳孔不同の程度が変わらないのが特徴である．

b）眼交感神経障害（Horner症候群）（図6）

❶特徴

- 軽度の縮瞳を示すが，瞳孔径は2mmより小さくはならない．
- 健側との差が2mm程度の軽度の眼瞼下垂があるが，目立たないこともある．
- 下眼瞼も挙上（upside-down ptosis）して瞼裂狭小となる．

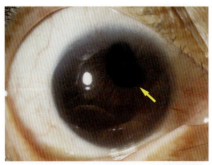

図4　ICE（iridocorneal endothelial）症候群の瞳孔偏位
右眼の瞳孔が上鼻側へ偏位しており（矢印），角膜内皮障害と眼圧上昇を伴う

図5　生理的瞳孔不同
Aの明所で左眼の瞳孔がやや大きい瞳孔不同がみられるが，Bの暗所でも瞳孔不同の程度は不変である

- 対光反射は異常ないが，光刺激解除後の散瞳（off反応）は遅延する．
- 明所より暗所で瞳孔不同が著明となるのが大きな特徴で，生理的瞳孔不同との決定的な鑑別点となる．肉眼では分かりにくい時は写真で判定するとよい．
- 交感神経は無髄線維のため治りにくく，患者への説明時に安易に治ると言ってはならない．

❷随伴症状
- 顔面の発汗低下：内頸外頸動脈の分岐部より中枢側病変でみられる．（☞基本診察：顔面の発汗）
- 結膜充血，顔面紅潮，眼圧低下：急性期に一過性に出現する．
- 虹彩異色（図7）：2歳以前に発症すると出現し，一生持続する．Horner症候群の発症時期を推定できる所見である．

❸病巣局在と原因疾患
中枢線維障害（視床下部からBudge毛様体脊髄中枢までの病変）（図8）
- 中脳病変：鞍上部胚細胞腫があり，視索病変による反対側の不一致性同名半盲と同側滑車神経麻痺を合併しやすい．
- 橋病変：橋被蓋枝流域の橋網様体最外側部病変でみられ，外転神経麻痺を含

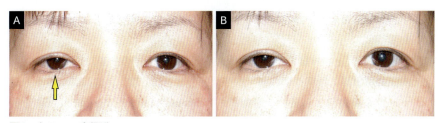

図6　右Horner症候群
右眼の軽度の縮瞳に加え，上眼瞼の軽度の下垂と下眼瞼の挙上による瞼裂狭小がある（矢印）．対光反射には異常がない．Aの明所より，Bの暗所で瞳孔不同が明瞭となる．Horner症候群は明所で観察すると見逃すことがある

図7　左先天Horner症候群でみられる虹彩異色
2歳以前に発症したHorner症候群．左眼の軽度の縮瞳と眼瞼下垂に加え，虹彩色素の発育が不良で虹彩色素が薄くなっている（矢印）

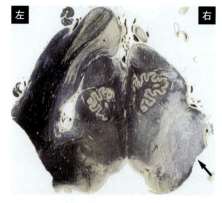

図8 右延髄外側症候群（Wallenberg症候群）の剖検切片標本（Kultschitzky髄鞘染色）
右延髄外側に梗塞巣があり（矢印），下小脳脚，旁索状体，三叉神経脊髄路，脊髄視床路，脊髄小脳路，網様体外側が含まれる．網様体の最外側を走行する交感神経線維が障害され，中枢線維障害によるHorner症候群が起こっている

む水平注視麻痺や顔面神経麻痺を合併する（Foville症候群）．
- 延髄病変：延髄外側梗塞（Wallenberg症候群）に特徴的な所見であり，必ずめまいを訴え，ocular lateropulsionもみられる．

節前線維障害（Budge毛様体脊髄中枢から上頸神経節までの病変）（図9～11）
- 肺尖部腫瘍（Pancoast腫瘍）．
- 縦隔腫瘍および腫瘍摘出術時：ほぼ必発する．
- 甲状腺腫などの頸部腫瘍および腫瘍摘出術時：ある程度の頻度で起こる．
- 中心静脈栄養術時：かなりの頻度でみられるので，施行時には注意が必要である．

節後線維障害（上頸神経節から瞳孔散大筋と瞼板筋までの病変）（図12）
- 内頸動脈解離：頭痛や頸部痛，眼窩周囲のピリピリ感，持続時間が数十分間と一過性黒内障より長い一過性単眼盲（transient monocular blindness）を併

> **Column**
>
> **Iridology（虹彩学）**
>
> 古くから欧米では，虹彩を拡大鏡で観察して色調や紋理の形態的な変化をみて，どの臓器に疾患があるかを調べるiridologyという分野があり，病態や病期までも知ることができるとされている．虹彩各部に該当する臓器を描いた立派なチャートもある．一見占いのようで，診断の確実性も不明だが，診療所として堂々と看板を掲げていることから一定の人気があるようである．

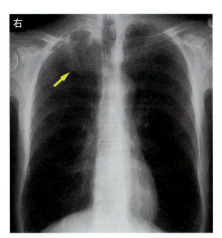

図9 Pancoast腫瘍の胸部単純X線像
右肺尖部に発症する肺癌で（矢印），節前線維障害によるHorner症候群を起こす

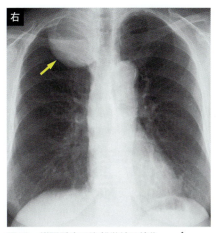

図10 縦隔腫瘍の胸部単純X線像
縦隔腫瘍（矢印）も節前線維障害によるHorner症候群の代表的な原因である

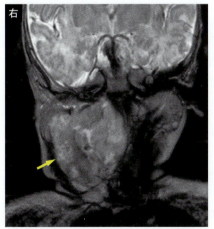

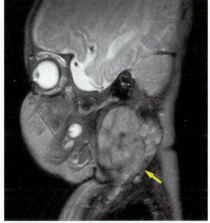

図11 頸部神経芽細胞腫のMRI T_2強調画像
5カ月男児にみられた頸部神経芽細胞腫（矢印）．節前線維障害によるHorner症候群を合併している

発する．MRIで三日月型の偽腔内血腫（crescent sign），MRAやCTAで内頸動脈の狭窄や血管壁の不整が描出される．発作後短期間に脳卒中発作が起こるため，速やかな治療が必要である．

- 有痛性Horner症候群：三叉神経領域の疼痛を伴うRaeder paratrigeminal neuralgiaや蝶形骨洞炎がある．

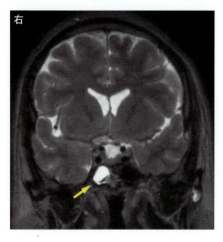

図12　右蝶形骨洞炎のMRI T2強調画像
右蝶形骨洞が高信号となっており（矢印），頭痛を伴った節後線維障害によるHorner症候群がみられる

- 海綿静脈洞病変：海綿静脈洞内内頸動脈瘤の頻度が高く，外転神経麻痺に合併する．

❹**点眼試験による病巣局在診断**（☞基本診察：瞳孔の点眼試験）

- 完全障害ならば，3種類の交感神経刺激薬の点眼に対する反応で病巣局在を知ることができる．なお，1％フェニレフリン点眼は，0.5％または1％アプラクロニジン点眼で代用できる．

> - 中枢線維障害：5％コカイン点眼でわずかに散瞳し，5％チラミン点眼で散瞳するが，1％フェニレフリン点眼では散瞳しない
> - 節前線維障害：5％コカイン点眼では散瞳せず，5％チラミン点眼で散瞳し，1％フェニレフリン点眼でも軽度散瞳する
> - 節後線維障害：5％コカイン点眼では散瞳せず，5％チラミン点眼でも散瞳しないが，1％フェニレフリン点眼で強く散瞳する

c）動眼神経麻痺（図13～15）

- 正円形に散瞳する．
- 対光反射（直接反射，間接反射），近見反射とも障害される．
- 交感神経障害とは逆に，暗所より明所で瞳孔不同が著明となる．
- 外斜視，内転制限，上転制限，下転制限，眼瞼下垂を伴う．
- 眼瞼下垂のために，散瞳による羞明を訴えることはない．

B 瞳孔異常

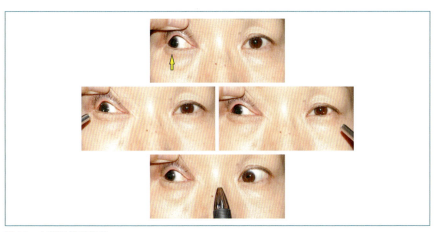

図13 右動眼神経麻痺
右眼の瞳孔は散大し（矢印），中段の直接対光反射と左眼からの間接対光反射，および下段の近見反射が欠如している

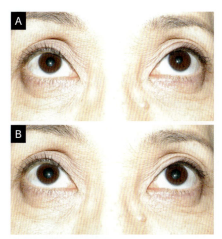

図14 右副交感神経障害
動眼神経麻痺などの副交感神経障害では，交感神経障害とは逆にAの明所のほうがBの暗所より瞳孔不同が明瞭となる．暗所で観察すると見逃すことがある

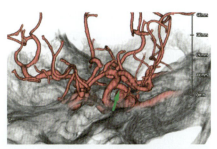

図15 内頸動脈後交通動脈分岐部動脈瘤のCTA画像
右内頸動脈後交通動脈分岐部に動脈瘤が描出される（矢印）．瞳孔障害を伴う動眼神経麻痺では最初に疑うべき疾患である

d) 瞳孔緊張症（Adie症候群）（図16〜19）

❶特徴
- 若年成人女性（20〜30歳台）の片眼に好発し，ときに両眼にみられることがある．
- light-near dissociation（対光反射は障害されるが近見反射は保存）を示す．
- 瞳孔括約筋の分節麻痺により不正円形の散瞳を示すことが特徴であり，動眼神経麻痺との鑑別点である．
- 細隙灯顕微鏡下で分節麻痺部の瞳孔縁のiris ruffの部分的な消失（多くは耳側）がみられ，この部位に一致して虹彩紋理も不明瞭となる．
- 瞳孔縁に光を当てると分節麻痺部以外の健常部だけが収縮するため，瞳孔縁が求心方向ではなく接線方向に収縮するworm-like movementが観察される．
- tonicな瞳孔反射（瞳孔反射が緩徐）がみられる．近見反射を解除した時の散瞳（off反応）が緩徐になることで観察できる．瞳孔緊張症の絶対条件であり，light-near dissociationを示す他の疾患との鑑別点となる．
- 低濃度の副交感神経刺激薬点眼に対する脱神経性過敏の獲得があり，2.5％メコリール点や0.125％ピロカルピン点眼で縮瞳する．（☞基本診察：瞳孔の点眼試験）
- 副交感神経系の障害のため，暗所より明所で瞳孔不同が著明となる．
- 瞳孔緊張症に深部腱反射の消失を伴うとAdie症候群と呼ばれるが，腱反射の有無の臨床的な意義は少ない．
- 両眼性では，瞳孔の大きさにかかわらず梅毒血清反応を調べる．
- 動眼神経麻痺と誤って診断し，不安と不要な検査を強いることのないよう注意する．

❷症状
- 羞明と近見障害（調節障害）が主症状である．
- 瞳孔不同を自覚または他人から指摘される．

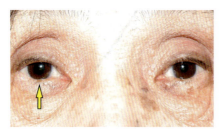

図16　右瞳孔緊張症
右眼の瞳孔は散大し，不正円形となっている（矢印）

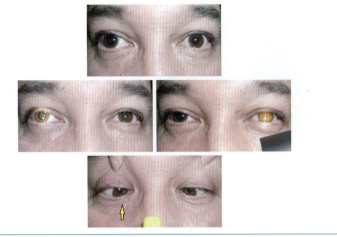

図17 右瞳孔緊張症
上段のように右眼の瞳孔は散大し,中段の直接対光反射も左眼からの間接対光反射も欠如しているが,下段の近見反射は保たれており(矢印),light-near dissociationを示す

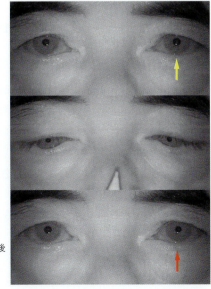

近見反射

近見反射
解除10秒後

図18 左瞳孔緊張症の緩徐なoff反応
左眼瞳孔は軽度散大しているが(黄矢印),近見反射解除時の散瞳が緩徐で,10秒後でも右眼瞳孔より縮瞳した状態が続いている(赤矢印)

図19　瞳孔括約筋の分節麻痺
細隙灯顕微鏡で観察すると，白矢印で示す分節麻痺部の瞳孔縁の濃い色素襞のiris ruffは消失し，虹彩紋理も不明瞭となる．一方，赤矢印で示す健常部ではiris ruffは残存し，虹彩紋理も変化がない

❸治療

- 羞明と近見障害の軽減目的で，0.125％ピロカルピン点眼（1％ピロカルピン点眼1に対し生理食塩水7を加え8倍希釈）を要時点眼する．効果は6時間持続する．
- サングラスで羞明を軽減する．
- 近業時，近用眼鏡を装用する．

❹陳旧性瞳孔緊張症（図20）

- 瞳孔緊張症では年月とともに瞳孔が縮小し，むしろ健側より縮瞳する傾向がある．
- 不正円形瞳孔やlight-near dissociation，2.5％メコリール点眼や0.125％ピロカルピン点眼による縮瞳などの特徴は持続する．
- 縮瞳眼の対光反射が障害される唯一の疾患である．

e) 反復性発作性片側性散瞳（episodic unilateral mydriasis, transient benign unilateral pupillary dilatation）

- 若年女性に好発する．
- 反復性に，片眼の散瞳が数分間から数時間持続する．
- 多くは対光反射が障害される（副交感神経障害）が，保存される症例（交感神経刺激状態）もある．
- 症状出現後に頭痛を伴うことから，片頭痛との関連性が考えられる．

f) 瞳孔不同の鑑別診断（図21）

❶対光反射の障害の有無

- 対光反射が正常な時は，生理的瞳孔不同または縮瞳眼が障害眼となる．
- 対光反射の障害は散瞳眼にみられるが，陳旧性瞳孔緊張症は唯一，縮瞳眼の対光反射が障害される疾患である．

B 瞳孔異常

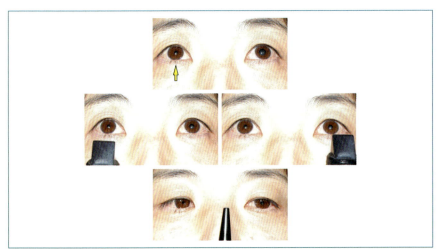

図20　右陳旧性瞳孔緊張症
上段のように右眼の瞳孔は縮瞳し（矢印），中段の直接対光反射も左眼からの間接対光反射も欠如しているが，下段の近見反射は保たれており，light-near dissociationを示す．瞳孔緊張症は年月が経つと健側より縮瞳するが，瞳孔緊張症の特徴は持続する．縮瞳眼の対光反射が障害される唯一の疾患である

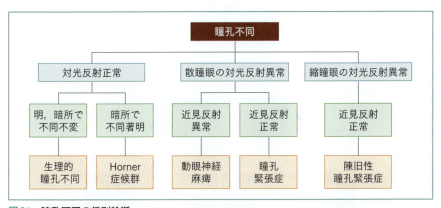

図21　瞳孔不同の鑑別診断
対光反射が正常ならば，明所と暗所で瞳孔不同の程度を比較し，変化がなければ生理的瞳孔不同，暗所で著明となればHorner症候群である．散瞳眼の対光反射が減弱している場合，近見反射も減弱していれば動眼神経麻痺，正常ならば瞳孔緊張症である．縮瞳眼の対光反射が減弱するのは陳旧性瞳孔緊張症しかない

❷明所と暗所での瞳孔不同の程度
- 両者で差がなければ生理的瞳孔不同である.
- 明所より暗所で著明となれば縮瞳眼の交感神経障害を考える.
- 暗所より明所で著明となれば散瞳眼の副交感神経障害である.

❸対光反射が障害された場合の近見反射の障害の有無
- 障害されていなければ瞳孔緊張症である(light-near dissociation).
- 障害されていれば動眼神経麻痺を考える.

5 light-near dissociationを示す疾患

a) 瞳孔緊張症
- 散瞳し,不正円形瞳孔がある.
- tonicな瞳孔反射がみられる.

b) Argyll Robertson瞳孔(図22)
- 両眼に不正円形の縮瞳がみられ,暗所や散瞳薬点眼でも散瞳不良となる.晩期梅毒の神経梅毒による進行性麻痺が原因であり,現在遭遇することはまれである.

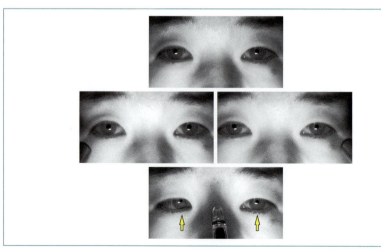

図22 Argyll Robertson瞳孔
神経梅毒による進行性麻痺.上段のように両眼が縮瞳し,中段の対光反射は両眼とも消失しているが,下段の近見反射は保たれており(矢印),light-near dissociationを示す

c) 視蓋瞳孔
- 両眼性で散瞳がみられる．

d) 動眼神経麻痺後の異常神経支配
- 片眼性で散瞳し，他の異常神経支配の症状もある．

e) 両眼の広範囲で高度の網膜障害
- 増殖糖尿病網膜症が代表的な疾患であり，tabes diabetica と呼ばれている．

f) 両側の高度の視神経障害
- 視交叉病変が代表的な疾患であり，tabes pituitaria と呼ばれている．

6 絶対性瞳孔強直

- 散瞳して対光反射，近見反射ともに障害された状態をいう．
- 動眼神経麻痺，外傷性散瞳，アトロピン散瞳がある．
- 2%ピロカルピン点眼試験が鑑別診断に有用であり，縮瞳すれば動眼神経麻痺，無反応ならば外傷性散瞳やアトロピン散瞳を考える．

Column

貴婦人とアトロピン

昔ヨーロッパの社交界では，ベラドンナの樹液を点眼して夜会に参加する貴婦人たちがいた．ベラドンナの樹液はアトロピンであり，散瞳効果を狙っている．高濃度では羞明や調節障害が長期間持続して困るため，低濃度にするためにわずかな量しか点眼できないように工夫した器具も残っている．潤んだ黒い瞳は，いつの時代でも男性を魅了するようである．

ちなみにベラドンナとは，イタリア語で「美しい婦人」を意味しており，何とも粋な名前である．

Chapter 11

視神経疾患

A 乳頭浮腫

1 検眼鏡所見(図1)

- 乳頭の発赤，腫脹，突出がみられる．
- 乳頭の境界が不鮮明となる．
- 乳頭周囲神経線維層が混濁する．
- 乳頭面上と乳頭周囲網膜血管が不明瞭となる．
- 乳頭面上と乳頭周囲に出血や白斑がみられる．
- 網膜静脈が拡張する．

2 原因

a) 頭蓋内圧亢進
- うっ血乳頭：必ず両眼性である．

b) 炎症性
- 乳頭炎：特に小児の視神経炎に多い．
- 視神経網膜炎：視力低下に変視症を伴う．
- ぶどう膜炎：原田病（必ず両眼性）(図2)，Behçet病，サルコイドーシス(図3)が代表的な疾患である．
- 後部強膜炎：眼痛と滲出性網膜剥離があり，画像診断で眼球後部の強膜肥厚が描出される(図4)．（☞視神経疾患：視神経周囲炎）

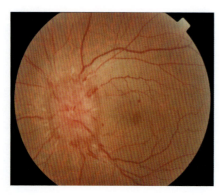

図1　乳頭浮腫
左視神経乳頭は腫脹して突出し，発赤している．乳頭の境界は不鮮明で乳頭面上の血管が不明瞭になり，出血や白斑もみられ，網膜静脈の拡張も伴う

c) 血管性
❶動脈性
- 前部虚血性視神経症：片眼性で，分節状に蒼白浮腫が起こる．両眼同時発症はまずない．
- 糖尿病乳頭症：両眼性が多い．
- 高血圧網膜症(図5)，腎性網膜症(図6)：両眼性で，網膜血管の高度の狭細化を伴う．

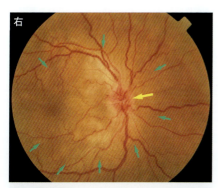
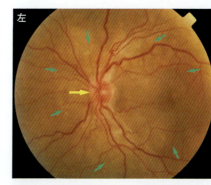

図2　原田病
頭痛，難聴，耳鳴，めまいがあり，両眼に虹彩毛様体炎と乳頭の発赤腫脹（黄矢印），乳頭周囲の滲出性網膜剥離がみられる（緑矢印）．頭痛と両眼に乳頭浮腫がみられることから，うっ血乳頭と誤りやすい

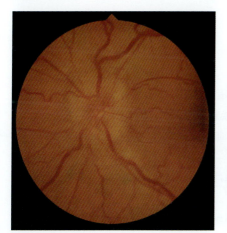

図3　サルコイドーシス
サルコイドーシスでは，両眼に虹彩炎や虹彩結節，網膜静脈周囲炎に加え，視神経乳頭肉芽腫による乳頭浮腫を示すことがある

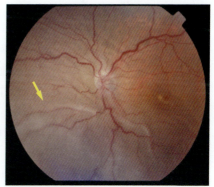

図4　後部強膜炎
左眼下鼻側に滲出性網膜剥離があり（矢印），乳頭浮腫と網膜静脈の拡張，蛇行がみられる

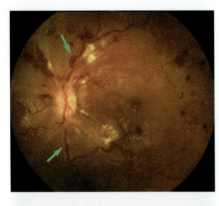

図5 高血圧網膜症
Keith-Wagener分類のⅣ期で,乳頭浮腫と周囲に出血や硬性白斑,軟性白斑が散在し,網膜浮腫もある.網膜動脈の狭細化と網膜静脈の拡張,蛇行も著明である(矢印).

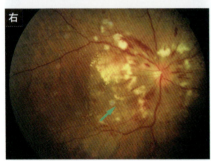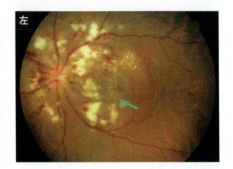

図6 腎性網膜症
乳頭浮腫と周囲に出血や硬性白斑,軟性白斑が散在し,網膜浮腫も目立つ(矢印).網膜動脈の狭細化と網膜静脈の拡張,蛇行もある

❷静脈性
- 網膜中心静脈閉塞症(図7):中高年者では網膜動脈に高度の硬化性変化がある.若年女性では抗リン脂質抗体症候群や経口避妊薬内服で起こることがある.
- 乳頭血管炎:若年女性に好発し,片眼性である.

d) 腫瘍性
- 眼窩腫瘍:中高年女性の片眼にあれば視神経鞘髄膜腫を考える.

e) 浸潤性
- 悪性リンパ腫,白血病:寛解期に出現するのが特徴である.

f) 低眼圧(図8)
- 外傷:毛様体機能低下が原因で,浅前房を伴う.
- 眼内手術後:緑内障濾過手術後に好発し,網脈絡膜皺襞もみられる.

A 乳頭浮腫

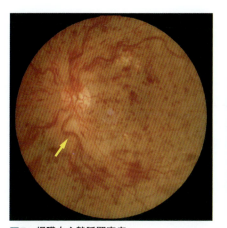

図7 網膜中心静脈閉塞症
乳頭浮腫があり，乳頭を中心に出血が放射状に網膜全体に広がる．網膜静脈の拡張，蛇行も著明である（矢印）

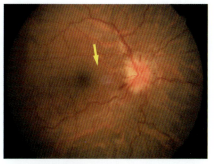

図8 低眼圧黄斑症
眼球打撲後の毛様体機能低下による低眼圧である．乳頭浮腫に加え，網脈絡膜皺襞（矢印）や網膜静脈の拡張，蛇行がみられる

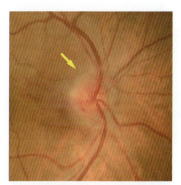

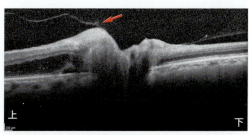

図9 vitreopapillary traction optic neuropathy
右眼の視力が突然低下した78歳男性．乳頭の上耳側に分節状浮腫があり（黄矢印），光干渉断層計（optical coherence tomography：OCT）検査で同部位の硝子体が乳頭を牽引していることが分かる（赤矢印）

g）後部硝子体剝離（図9）

- vitreopapillary traction optic neuropathyと呼ばれ，多くは50歳以上で飛蚊症がある．
- 乳頭浮腫は分節状で，光干渉断層計（optical coherence tomography：OCT）検査で牽引部の乳頭の隆起が観察される．
- 進行性の視力低下を来した場合は，硝子体手術が必要になる．

3 偽乳頭浮腫(図10)

a) 検眼鏡所見
- 乳頭が突出し，辺縁が不鮮明となる．
- 乳頭面上の毛細血管の拡張や充血はない．
- 乳頭周囲の神経線維層の混濁はなく，乳頭面上や乳頭周囲の血管は明瞭に追うことができる．乳頭浮腫との最も重要な鑑別点である．
- 生理的乳頭陥凹を欠くことが多い．
- 乳頭面上の網膜静脈の自然拍動がみられることが多い．
- 血管の異常もよくみられる．

> - 網膜血管が乳頭の中央に集簇する
> - 乳頭辺縁の血管数が増加する
> - 3分岐などの網膜血管の分岐異常がみられる

- 原則的には出血や白斑はみられない．
- 乳頭周囲に網膜色素上皮の欠損を合併することがある．

b) 原因
- 高度遠視(図11)や強度近視(図12)．
- 傾斜乳頭(tilted disc)(図13)．
- 視神経乳頭ドルーゼン：表在型と埋没型があり，埋没型は自発蛍光やCTで乳頭内に石灰化像がみられる．
- 網膜有髄神経線維．
- 過誤腫(図14)．

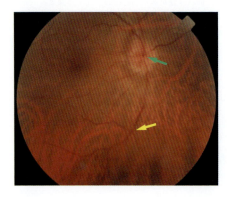

図10 偽乳頭浮腫
乳頭は突出して辺縁は不鮮明であるが，生理的乳頭陥凹はなく，乳頭面上の血管も明瞭に追える．網膜血管が乳頭中央に集簇し(緑矢印)，下方の網膜静脈に分岐異常(3分岐)もみられる(黄矢印)．

A 乳頭浮腫

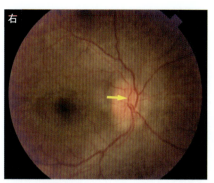
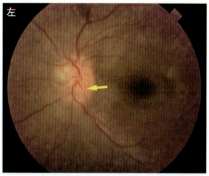

図11 高度遠視
両眼とも乳頭は突出し，辺縁は不鮮明だが乳頭面上の血管は明瞭である（矢印）

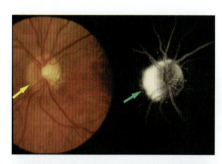

図12 強度近視
左眼乳頭鼻側が腫脹し，辺縁も不鮮明である（黄矢印）．右の蛍光眼底造影像でも蛍光色素の漏出がみられる（緑矢印）．偽乳頭浮腫では蛍光色素の漏出は起こらないことが多いが，強度近視と埋没型ドルーゼンでは漏出がみられる

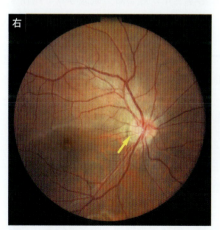
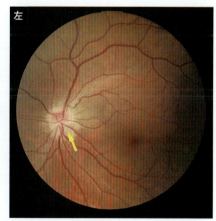

図13 傾斜乳頭
両眼とも乳頭が横長となり，辺縁が不鮮明で下方にコーヌスがある（矢印）

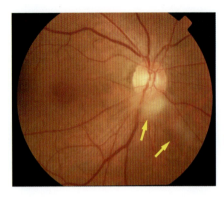

図14 過誤腫
右眼乳頭下縁と下鼻側に淡い辺縁が不整な腫瘤がみられる（矢印）．視機能障害をきたすことはなく，進行もしない

c）診断

- 視野検査でマリオット盲点の拡大があり，検眼鏡所見でも乳頭浮腫との鑑別が難しいことが多い．
- 蛍光眼底造影検査では，乳頭浮腫は乳頭からの蛍光色素の漏出が特徴であるが，偽乳頭浮腫でも強度近視と埋没型ドルーゼンでは色素の漏出がみられることから，すべてを判別できるとは限らない．
- 最終的には経過をみて，変化がみられなければ偽乳頭浮腫とするのが確実である．乳頭浮腫ならば，経過とともに必ず変化が起こる．眼底写真で比較すれば，変化の有無が容易に分かる．

B 視神経萎縮

1 単性萎縮（図15）

- 乳頭浮腫を伴わない視神経障害後にみられる．
- 乳頭の境界が鮮明で，乳頭全体が蒼白となる．
- 順行性：網膜中心動脈閉塞症や網膜色素変性症などの広範囲で高度の網膜病変で起こる．
- 逆行性：球後視神経炎，外傷性視神経症，鼻性視神経症，視交叉病変などの球後の視神経病変で発症2～3カ月後からみられる．

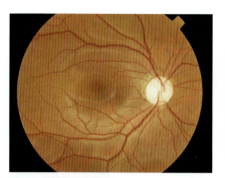

図15 単性視神経萎縮
右球後視神経炎後の単性視神経萎縮で、乳頭は境界鮮明で蒼白となる。球後視神経炎では、病初期には乳頭に異常はみられないが、2カ月後頃から逆行性変性により視神経萎縮が出現し始める

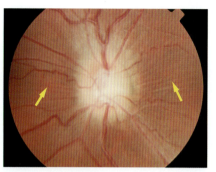

図16 炎性視神経萎縮
頭蓋内圧亢進が持続してうっ血乳頭が萎縮期になると蒼白となり、乳頭の辺縁は不鮮明で網膜静脈の拡張、蛇行も持続し、放射状の網脈絡膜皺襞もみられる（矢印）。さらに時間が経過すると単性視神経萎縮になる

2 炎性萎縮（二次性萎縮）（図16）

- 乳頭浮腫を伴う視神経障害後にみられる．
- 乳頭の境界が不鮮明で、乳頭全体が蒼白となる．
- 経過とともに単性萎縮に移行する．
- 乳頭炎，視神経網膜炎，萎縮期うっ血乳頭，視神経鞘髄膜腫でみられる．

3 陥凹性萎縮（緑内障性萎縮）（図17）

- 乳頭の境界は鮮明で陥凹部が蒼白となり、乳頭面上の血管は鼻側へ偏位する．
- 緑内障に特徴的な所見であるが、前部虚血性視神経症後にも分節状にみられることがある．

4 分節状萎縮（図18）

- 乳頭の一部が分節状に蒼白となる．
- 乳頭の部分的な虚血で起こり、前部虚血性視神経症の既往が疑われる所見である．
- 網膜動脈分枝閉塞症などの隣接網膜の部分的な虚血後にもみられる．

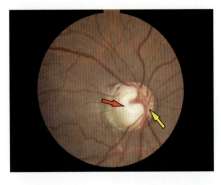

図17 陥凹性視神経萎縮（緑内障性視神経萎縮）
右眼緑内障で，乳頭は陥凹して蒼白となり（赤矢印），乳頭上の血管が鼻側に偏位している（黄矢印）

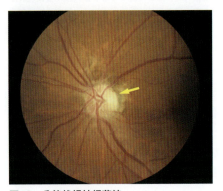

図18 分節状視神経萎縮
左眼の上耳側の前部虚血性視神経症後の状態で，乳頭の上耳側部分が分節状に蒼白となっている（矢印）

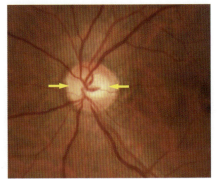

図19 band atrophy (bow-tie atrophy)
両耳側半盲を示した下垂体腺腫の左眼．交叉線維（鼻側網膜線維）の逆行性変性により，乳頭中央部が蝶ネクタイ様に蒼白となっている（矢印）

- 乳頭所見では両者を鑑別することはできない．視野検査で水平半盲がマリオット盲点の耳側と鼻側の両方に及んでいれば前部虚血性視神経症，耳側か鼻側に限局していれば網膜動脈分枝閉塞症の可能性が高い．
- Marcus Gunn瞳孔の有無で両者を鑑別できることは少ない．

5 帯状萎縮（band atrophy, bow-tie atrophy）（図19）

- 鼻側網膜線維の障害により，乳頭の中央部が鼻側から耳側にかけて蝶ネクタイ様に蒼白となる．
- 両耳側半盲，視索障害の同名半盲側眼（健側）にみられる．

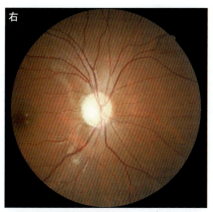 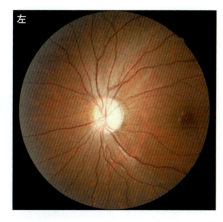

図20 遺伝性視神経萎縮
両眼の視力が不良な6歳女児．兄にも同様の症状がある．初診時視力は両眼とも0.2で，8年後も変化はない．両眼の乳頭が単性萎縮となる常染色体優性視神経萎縮である

6 遺伝性，家族性視神経萎縮

a) 常染色体優性視神経萎縮（図20）
- 最も多い遺伝性視神経萎縮で，10歳以下で発症する．
- 両眼の視力不良で来院し，視力低下は軽度〜中等度である．
- 視神経乳頭の耳側蒼白がみられる．
- 緩徐進行性のこともあり，圧迫性病変との鑑別が必要になることがある．
- OPA1遺伝子異常が知られている．

b) 常染色体劣性視神経萎縮
- いずれも常染色体優性視神経萎縮と比べまれである．

❶ 幼児型
- 4歳以下で発症し，高度の視力低下と眼振を併発する．非進行性である．

❷ Behr型
- 10歳以下で発症し，視力低下は中等度で非進行性である．
- 痙性跛行や小脳性運動失調を合併することがある．

❸ 糖尿病合併型（図21）
- 20歳以下で発症し，視力低下は中等度〜高度で進行性である．尿崩症，糖尿病，難聴を伴うことがある．
- Wolfram症候群，DIDMOAD（diabetes insipidus, diabetes mellitus, optic atrophy, deafness）症候群とも呼ばれている．

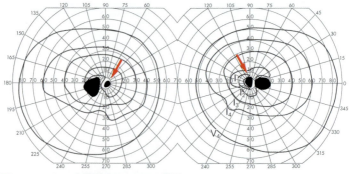

図21 Wolfram症候群のGoldmann視野
17歳時発症の女性．視力は10年間で両眼とも(0.4)から右眼(0.1)，左眼(0.08)へと低下している．両眼に視神経萎縮とGoldmann視野で中心暗点が検出される(矢印)

7 Foster Kennedy症候群(図22)

- 患側に圧迫による視神経萎縮，健側にうっ血乳頭による乳頭浮腫がみられる．
- 頭蓋内圧亢進がある．
- 発症頻度は低いが，前頭蓋窩の前頭葉腫瘍や嗅窩部髄膜腫で起こる．嗅覚低下が診断の決め手となる．
- 偽Foster Kennedy症候群：以前に前部虚血性視神経症を発症した後の片眼の視神経萎縮に，反対眼の発症による蒼白乳頭浮腫が加わった状態である．動脈硬化性で20％，動脈炎性では75％以上の症例にみられる．

C 視神経疾患

1 うっ血乳頭(図23, 24)

- 頭蓋内圧亢進による両眼の乳頭浮腫である．

a) 原因

- 脳腫瘍，血腫(硬膜下，硬膜外，脳出血)，脳膿瘍などの頭蓋内占拠性病変(図25)．
- 水頭症(図26)．
- くも膜下出血や髄膜炎．
- 脳静脈洞血栓症．

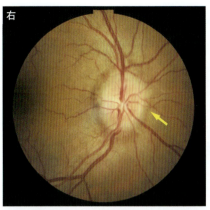 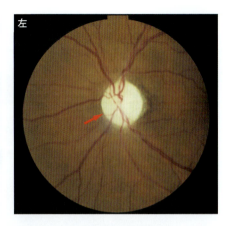

図22 Foster Kennedy症候群
左嗅窩部髄膜腫があり，左眼は圧迫による単性視神経萎縮（赤矢印），右眼は頭蓋内圧亢進によるうっ血乳頭がみられる（黄矢印）．前頭蓋窩腫瘍の所見であるが，片眼の前部虚血性視神経症後，時間を経て反対眼に発症した場合にも同様の所見を示すことがあり，偽Foster Kennedy症候群と呼ばれている

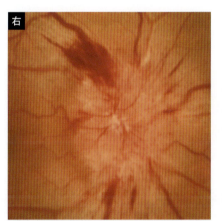 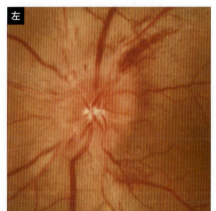

図23 うっ血乳頭
頭蓋内圧亢進により，両眼に乳頭浮腫がみられる

- 特発性頭蓋内圧亢進症．
- 頭蓋骨縫合早期癒合症（Crouzon病，Apert病）．
- いずれの原因によるうっ血乳頭でも，乳頭浮腫の程度は左右ほぼ同程度であるが，脳膿瘍だけは左右差を示し，患側の乳頭浮腫が強いのが特徴である．

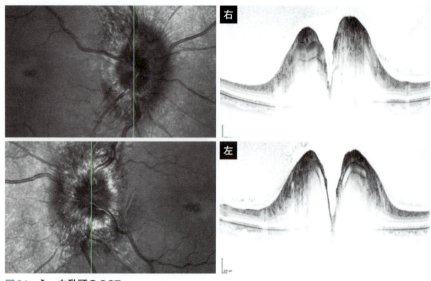

図24 うっ血乳頭のOCT
両眼の視神経乳頭の腫脹と隆起が明瞭に描出される

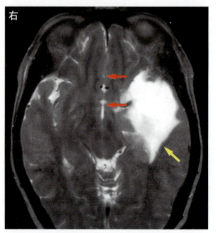

図25 側頭葉腫瘍のMRI T₂強調画像
左側頭葉に大きな腫瘍があり（黄矢印），大脳縦裂が右方へ圧排されている（赤矢印）．頭蓋内占拠性病変はうっ血乳頭の主要な原因である

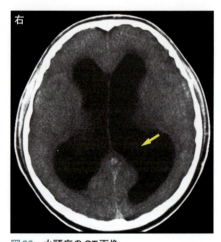

図26 水頭症のCT画像
松果体部腫瘍による中脳水道閉塞で側脳室が拡大している（矢印）．水頭症もうっ血乳頭の原因である

b) 症状（図27〜29）
- 頭蓋内圧亢進のため，頭痛や嘔気を訴える．
- 両眼の視力が5秒間くらい低下する一過性視朦（obscuration, blackout）が起こる．うっ血乳頭初期の唯一の自覚症状であるが，訴えがない場合でも問診で聴取するとかなりの症例で自覚している．診断に役立つ重要な症状である．
- 初期には視力は正常で，視野検査でもマリオット盲点の拡大しか検出されない．
- 頭蓋内圧亢進が持続すると求心性視野狭窄や下鼻側視野狭窄が加わり，さらに進行すると中心暗点が出現して視力が低下する．
- 随伴症状には両側外転神経麻痺があり，かなりの頻度でみられる．小児の多くは，この外転神経麻痺による内斜視で頭蓋内圧亢進が発見される．成人でも起こるが複視を訴えることはまれであり，複像検査で初めて確認されることが多い．
- 水頭症では開散麻痺が起こることがある．

c) 病期（図30〜34）
- うっ血乳頭は，発症からの期間でそれぞれ特徴ある乳頭所見や視機能所見を示す．罹患期間や視機能低下の危険性を知る上で重要である．

❶初期（発症から数日）
- 乳頭の下縁，上縁，鼻側縁の順に腫脹し，突出する．
- 乳頭面上の静脈の自発性拍動が消失する．正常者でも20％は消失するが，逆に静脈拍動があればうっ血乳頭は否定できる．

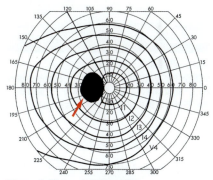

図27　初期うっ血乳頭の視野
うっ血乳頭を含め，乳頭浮腫があるとマリオット盲点が拡大する（矢印）．初期うっ血乳頭でみられる唯一の視機能異常である

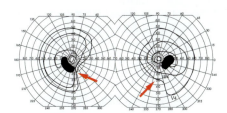

図28　慢性期うっ血乳頭の視野
両眼ともマリオット盲点が拡大し，軽度の求心性視野狭窄と下鼻側視野狭窄がみられる（矢印）

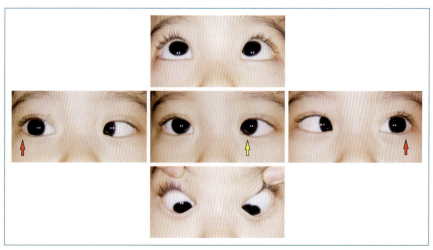

図29 頭蓋内圧亢進による両側外転神経麻痺
中耳炎後に嘔吐と眼位異常が出現した4歳女児．正面位で内斜視があり（黄矢印），両眼の外転制限（赤矢印）とうっ血乳頭がみられ，脳静脈洞血栓症と診断された．小児では，外転神経麻痺による内斜視で頭蓋内圧亢進が発見されることが多い

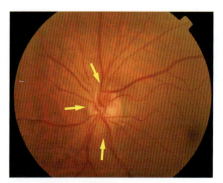

図30 初期うっ血乳頭
乳頭の上縁と下縁，鼻側縁が軽度腫脹しており（矢印），網膜静脈の拡張もみられる

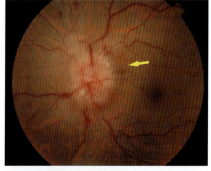

図31 旺盛期うっ血乳頭
乳頭全体が著明に腫脹して突出し，出血や白斑も伴う．網膜静脈の拡張，蛇行もある．乳頭耳側に同心円状の皺襞（Paton線）がみられる（矢印）

- 視神経乳頭観察時，検者の指で軽く眼球を圧迫し，乳頭面上の静脈拍動が起こらなければ頭蓋内圧亢進の可能性が高い．
- 網膜静脈の拡張がみられる．

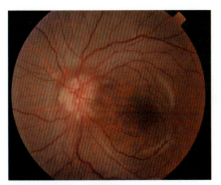

図32　慢性期うっ血乳頭
乳頭は腫脹し突出しているが，やや蒼白となり，出血や白斑は吸収される

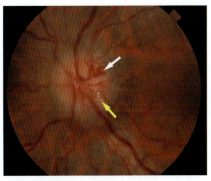

図33　熟成期うっ血乳頭
慢性期うっ血乳頭の所見に加え，乳頭面上にcorpora amylaceaと呼ばれる白色顆粒（黄矢印）や，乳頭縁で消えてしまうoptociliary shunt vessel（白矢印）がみられる

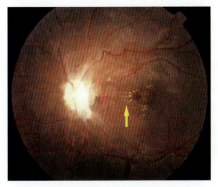

図34　萎縮期うっ血乳頭
乳頭の腫脹は消失し，境界は不鮮明で高度に蒼白となる．乳頭周囲の網脈絡膜の皺襞や萎縮，浮腫吸収後の星状斑を伴うことがある（矢印）

❷旺盛期（数日〜数週）
- 乳頭全体の著明な腫脹，突出がある．
- 出血や白斑がみられる．
- 乳頭面上や乳頭周囲の網膜血管が不鮮明となる．
- 乳頭耳側周囲に同心円状の皺襞であるPaton線がみられる．

❸慢性期（数週〜数カ月）
- 乳頭はやや蒼白となり，コルク栓様に突出する．
- 出血や白斑は吸収されるのが大きな特徴であり，改善ではなくむしろ視機能障害の始まりの所見であることに注意する．
- 求心性視野狭窄と下鼻側視野狭窄がこの時期から起こるが，視力はまだ低下

しない．
❹熟成期（数カ月～年）
- 慢性期の所見に，corpora amylaceaと呼ばれる乳頭面上の白色顆粒や，opto-ciliary shunt vesselなどの特徴ある変化が加わる．
- さらに視機能障害が進行し，不可逆性の視力低下も起こる．

❺萎縮期（年）
- 乳頭は蒼白となり腫脹も消失するが，境界は不鮮明である．
- 乳頭周囲の網脈絡膜の皺襞や萎縮を伴うことが多い．
- 視力が高度に低下する．

d) 治療

- 高浸透圧薬，炭酸脱水酵素阻害薬，外科的治療（占拠性病変摘出術，シャント術）を行う．
- 頭蓋内圧が下降すると速やかに乳頭浮腫は吸収される．
- 慢性期でみられる頭蓋内圧が亢進したままの状態での出血や白斑の消失は，改善所見ではなく，視機能低下の予兆であることを銘記する．これらの所見が確認されたら，速やかに脳神経外科へ頭蓋内圧下降処置を依頼する．
- 治療が遅れ，いったん視機能障害が出現すると不可逆性となる．視機能を守るために，脳神経外科へ的確な情報を与えるのが眼科医の責務である．
- 血管腫や巨大髄膜腫などの血管が豊富な腫瘍の摘出術後に，乏血による高度の視機能障害をきたすことがあり，術後の注意深い観察が必要である．

2 診断に注意が必要な頭蓋内圧亢進疾患

a) 特発性頭蓋内圧亢進症

❶所見
- 頭蓋内圧亢進によるうっ血乳頭がみられる．
- 画像診断で頭蓋内占拠性病変や水頭症がない．
- 脳脊髄液の性状にも異常はない．

❷特徴
- 肥満女性，特に30歳台に多いが，痩身女性や成人男性，小児にもみられる．小児の正常脳脊髄圧は成人より低いことに留意する．
- 頭痛は必発の症状とされているが，実際には訴えない症例のほうが多い．
- 頸部痛や背部痛を訴えることはある．

- 5秒以内の視力消失である一過性視朦が出現しやすい．
- 外転神経麻痺による複視を訴える頻度が高い．特に小児では40％にみられるが，複視の訴えはなく内斜視で気づく．
- 診断に時間がかかり，しかも治療に抵抗して頭蓋内圧亢進が持続することが多いことから，他の頭蓋内圧亢進疾患と比較して，視力低下，色覚低下，視野狭窄などの不可逆的な視機能障害が起こりやすい．

❸画像所見（図35〜37）
- 頭蓋内占拠性病変や水頭症による脳室拡大はない．
- MRIで，眼球後壁の扁平化，視神経鞘の膨隆，視神経乳頭の顕性化，トルコ鞍空虚（empty sella）がみられることが多い．
- 磁気共鳴静脈造影（magnetic resonance venography：MRV）で，横静脈洞に狭窄が描出されることがある．

❹原因
- 肥満があるが，小太り程度の症例が多い．
- 鉄欠乏性貧血による頻度が高く，女性では子宮筋腫に気をつける（図38）．
- 内分泌異常，特に甲状腺機能低下症でみられる．
- SLEでも起こる．
- テトラサイクリン系抗菌薬（特にミノサイクリン）やビタミンAの投与で起こりやすい．小児ではナリジクス酸によるものが多かったが，現在使用され

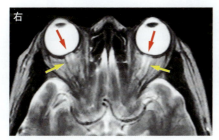

図35　特発性頭蓋内圧亢進症のMRI T₂強調画像

両眼にうっ血乳頭があり，眼球後壁の扁平化（赤矢印）と視神経鞘の膨隆がみられる（黄矢印）

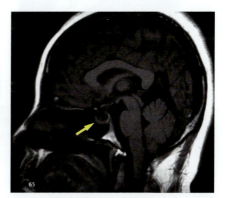

図36　特発性頭蓋内圧亢進症のMRI T₁強調画像

特発性頭蓋内圧亢進症では，トルコ鞍内が低信号となり，下垂体が圧排されて菲薄化するトルコ鞍空虚の所見を伴うことが多い（矢印）

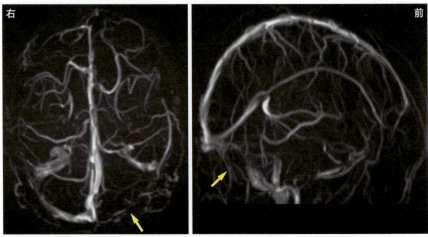

図37 特発性頭蓋内圧亢進症の磁気共鳴静脈造影(MRV)画像
特発性頭蓋内圧亢進症では,MRVで横静脈洞の狭窄像が描出されることが多い(矢印)

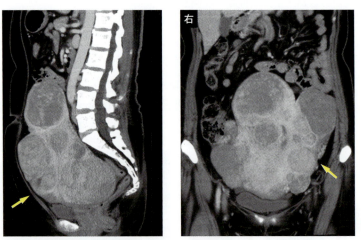

図38 特発性頭蓋内圧亢進症がみられた子宮筋腫の腹部CT画像
45歳女性.頭痛とうっ血乳頭があり,子宮筋腫(矢印)による鉄欠乏性貧血と腹腔内圧亢進による静脈還流障害で頭蓋内圧亢進が起こった

ていない.
- 脊髄腫瘍でも水頭症を伴わない頭蓋内圧亢進が起こることがあるため,除外する必要がある.

❺治療
- 早期に診断し，視機能障害が起こる前に頭蓋内圧下降治療が必要である．
- 炭酸脱水酵素阻害薬や高浸透圧薬，腰椎穿刺が有効である．アセタゾラミド（ダイアモックス®）は1000 mg（500 mgを1日2回）の内服から開始し，効果をみながら増量する．ただし，しびれや食欲不振などの副作用に十分注意する．
- 薬物治療が奏効しないか副作用のため継続が困難な場合は，早めに腰髄腹腔シャント（L-P shunt）を検討し，視機能の保存を図る．脳神経外科との密接な連携が欠かせない．
- 視機能を維持するために視神経鞘開窓術が行われることがあるが，開窓部が再度閉鎖することも多く，評価は定まっていない．

b) 脳静脈洞血栓症

❶特徴
- 上矢状静脈洞と横静脈洞の閉塞が主な原因である．
- うっ血乳頭による一過性視朦を訴える．
- 外転神経麻痺による複視も訴える．
- 脳血管障害が起こらない限り，頭痛などの頭蓋内圧亢進による症状以外の神経症状はない．

❷原因
- 中耳炎の頻度が高く，特に小児で多い．
- 抗リン脂質抗体症候群は女性に多く，爪床下出血や習慣性流産の既往が重要である．
- 経口避妊薬で起こることがあり，女性では必ず服用歴を聴く．

❸画像所見（図39, 40）
- MRI：静脈洞の閉塞による静脈洞のうっ滞がみられる．
- MRV：血栓と静脈洞の途絶が描出される．

❹治療
- 血栓溶解療法が適応となる．

3 視神経炎

a) 分類

❶乳頭炎（図41）
- 乳頭浮腫を示し，経過とともに炎性視神経萎縮から単性視神経萎縮となる．

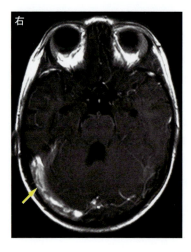

図39　脳静脈洞血栓症のGd造影MRI T₁強調画像
右中耳炎により右横静脈洞からS状静脈洞に血栓症がみられる（矢印）

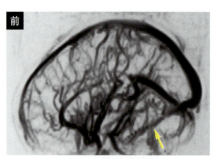

図40　脳静脈洞血栓症のMRV画像
右横静脈洞からS状静脈洞の途絶所見がみられる（矢印）

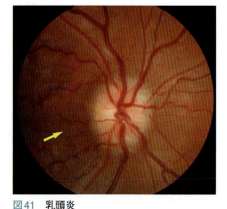

図41　乳頭炎
右眼に視力低下があり，Marcus Gunn瞳孔と中心暗点が検出される．乳頭浮腫と乳頭耳側に同心円状の皺襞（Paton線）がみられる（矢印）．ただし，乳頭所見だけではうっ血乳頭を始めとする他の乳頭浮腫との鑑別はできない

❷球後視神経炎

- 初期には視神経乳頭は正常であるが，2〜3カ月後に単性視神経萎縮となる．

b）症状（図42）

- 突然発症ではなく，2〜3日で進行して完成する視力低下が特徴であり，他の視神経疾患との大きな鑑別点となる．
- まぶしさが欠如して薄暗く見えると訴える．Marcus Gunn瞳孔の発現機序である．

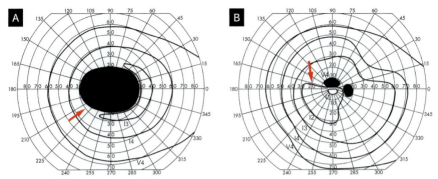

図42　視神経炎のGoldmann視野
視神経炎の多くはAのように中心暗点を示すが（矢印），Bのように水平半盲様のこともある．ただし，前部虚血性視神経症とは異なり，水平経線で明確に境界されることはない（矢印）

- 色覚の低下も強く訴える．
- 視野異常は大部分が中心暗点である．ときに水平半盲様の暗点を示すことがあるが，水平経線で明確に境界されることはなく，前部虚血性視神経症とは区別できる．
- 眼球運動痛は特に上方視時に著明であり，発症経過とともに視神経炎の診断の決め手となる．

c) 経過と治療

- 視力低下後7〜10日間は症状が不変で，その後徐々に改善する．
- 視力が0.1以上ならば無治療で経過を観察する．
- 視力が0.1未満では，副腎皮質ステロイド薬（プレドニゾロン1日30 mg）の内服，またはパルス療法を行い，漸減する．
- 視力が回復しない時は，少量の副腎皮質ステロイド薬（プレドニゾロン1日10 mg）の内服を半年間くらい続けると回復することがある．
- 球後視神経炎では，必ず多発性硬化症の有無を神経内科で確認してもらう．多発性硬化症の疑いがあれば，神経内科が治療の中心となる．
- ある程度の症例が多発性硬化症へ移行するが，男性で乳頭炎の像を示し，かつMRIでも所見がない症例では危険性は低い．

d) 原因

❶特発性

- 多くはウイルス感染であり，感冒様症状後にみられる．
- 眼部帯状疱疹の1％以下と頻度は低いが，帯状疱疹ウイルスによるものは予

後が不良である．
- 第Ⅱ期晩期梅毒でも起こる．乳頭炎型でぶどう膜炎を合併することもあり，ペニシリンによる駆梅療法が奏効する．

❷ **多発性硬化症**（図43, 44）
- 好発年齢は30〜35歳で，小児と50歳以上はまれである．
- 初発症状は，多い順に知覚障害，視力低下，四肢のしびれや麻痺（特に下肢）である．
- 原則的には球後視神経炎の形をとるが，小児では乳頭炎の形をとることもある．
- 髄液検査でoligoclonal IgG bandやmyelin basic proteinの検出が役に立つ．
- 画像所見では，MRI T_2 強調画像で高信号病変が特に脳室周辺の白質に好発するのが特徴であり，皮質直下の病変も診断的な価値が高い．
- MRI STIR（short T_1 inversion recovery）脂肪抑制法で視神経が高信号を示すが，必須の所見ではない．
- 眼球運動障害は核間麻痺で発症することが多く，若年者で特に両側性にみられた場合は本症にほぼ間違いない．
- 視神経炎と眼球運動障害の合併はきわめてまれである．

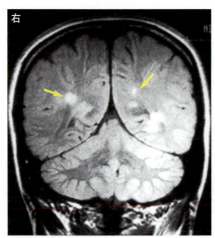

図43　多発性硬化症のMRI FLAIR画像
側脳室周囲に高信号を示す脱髄巣が散在する（矢印）

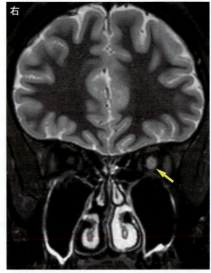

図44　多発性硬化症による視神経炎のMRI STIR画像
左視神経が高信号を示す（矢印）

- 初回発作の予後は良好であるが，発作を繰り返すごとに回復困難となる．
- 視神経炎を示す多発性硬化症の予後は不良，眼球運動障害例の予後は比較的良好である．
- 大半の症例は，clinically isolated syndromeと呼ばれる視神経炎などの単一の脱髄症状で発症し，症状の再発や他の神経症状の発現後（時間的，空間的多発性）に診断が確定する．
- 治療の目的は再発防止であり，インターフェロンβ-1bやβ-1a，フィンゴリモド塩酸塩が使用される．フィンゴリモド塩酸塩投与後3〜4カ月以内に黄斑浮腫が出現することがあるが，副腎皮質ステロイド薬点眼や非ステロイド性消炎薬点眼で軽快する．

❸急性散在性脳脊髄炎（acute disseminated encephalomyelitis：ADEM）（図45）

- 上気道感染後，ワクチン接種後，急性出血性白質脳炎による脱髄疾患である．
- 球後視神経炎の形をとる．
- 髄膜刺激症状や脳脊髄障害など他の神経症状を合併する．
- 視機能的にはやや重症で視力回復に時間がかかり，予後もやや不良である．
- 基本的には単発性で再発しない．

❹小児の視神経炎

- 小児の視神経炎は成人とは異なる特徴を示す．

> - 両眼性で乳頭炎の形をとる（図46）
> - 視力低下は高度であるが，最終的な視力の予後は良好である
> - 上気道感染後に発症することが多いため，病歴の聴取が大事である
> - 多発性硬化症への移行はまれである

❺アダリブマブによる脱髄性視神経炎

- 潰瘍性大腸炎治療薬のアダリブマブで，投与後数カ月以降に片眼性に脱髄性視神経炎を発症することがある．

4 特殊な視神経炎

a）抗アクアポリン4抗体陽性視神経炎

- 視神経脊髄炎（neuromyelitis optica：NMO）はDevic病とも呼ばれ，多発性硬化症や特発性視神経炎とは異なる病像を示す．

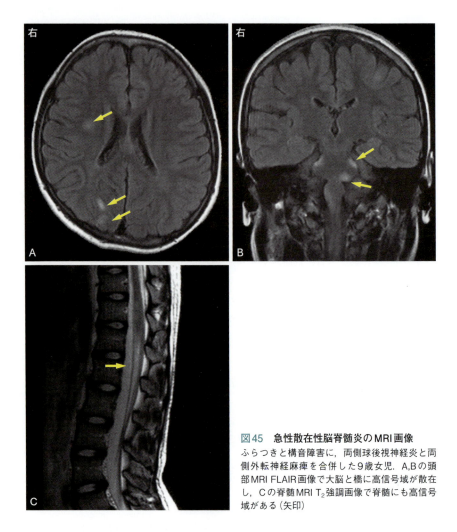

図45 急性散在性脳脊髄炎のMRI画像
ふらつきと構音障害に，両側球後視神経炎と両側外転神経麻痺を合併した9歳女児．A,Bの頭部MRI FLAIR画像で大脳と橋に高信号域が散在し，Cの脊髄MRI T_2強調画像で脊髄にも高信号域がある（矢印）

- 中年以降の女性に多い
- 球後視神経炎型が多い
- 視機能障害は高度で再発しやすい
- 脊髄症状を伴い，3椎体以上の脊髄炎がMRIで確認されるが脳内病変はまれである
- 髄液中のoligoclonal IgG bandは陰性である
- 副腎皮質ステロイド薬に抵抗することが多く，血漿交換が有効なことがある

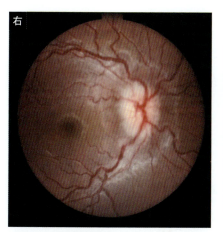
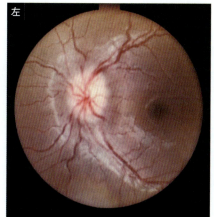

図46 小児の視神経炎
両眼に乳頭浮腫を示す乳頭炎が多い

- 再発予防にはリツキシマブやイネビリズマブが用いられるが，感染症の危険性や高額な費用に問題がある．眼科ではなく，厳格に適応を決め神経内科で使用すべきである
- 多発性硬化症再発予防薬のインターフェロンβやフィンゴリモド塩酸塩，ナタリズマブは無効で，むしろ悪化させることがある

b) 抗MOG (myelin-oligodendrocyte glycoprotein) 抗体陽性視神経炎（図47）

- NMO spectrum disorderである．

- 乳頭炎型が多く，視機能障害は軽度であり，傍中心暗点を示すことが多い
- 眼痛があり，視神経炎に先行することがある．強い眼痛を訴える視神経炎をみたら本症をまず考える
- MRIで球後視神経に長大病変がみられる
- 副腎皮質ステロイド薬（プレドニゾロン1日30mg）内服に反応するが，再発しやすい
- 再発例ではアザチオプリン（1日50～100mg）などの免疫抑制薬が適応になる．副腎皮質ステロイド薬の漸減中にアザチオプリンを加え，徐々に切り替える方法もある

- 臨床像はchronic relapsing inflammatory optic neuropathy (CRION) と重なり合う．

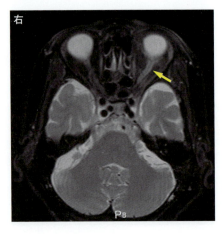

図47 抗MOG抗体陽性視神経炎の MRI T$_2$強調画像
左視神経に長大病変がみられる（矢印）

- 抗MOG抗体は小児の急性散在性脳脊髄炎でも陽性になりやすい．

c) 自己免疫性視神経炎
- 抗核抗体陽性例が多い．
- Sjögren症候群に合併（抗SS-A，SS-B抗体陽性）することもある．
- 将来SLEへ移行する可能性があり，経過観察が必要である．
- 副腎皮質ステロイド薬を中止すると再燃するため維持量投与が必要である．

d) 視神経周囲炎（図48, 49）
- 特発性眼窩炎症，梅毒（梅毒性髄膜炎の合併），後部強膜炎など球後の視神経周囲の炎症の波及で起こる．
- 軽度の乳頭浮腫がみられる．
- CT，MRIでは，眼球直後の視神経周囲に病変があり，造影MRIで視神経鞘に増強効果がみられる．
- 画像所見が似ている視神経鞘髄膜腫との鑑別が必要である．
- 治療は特発性眼窩炎症に準じ，プレドニゾロン1日30mgの内服から再燃に注意しながら時間をかけて漸減する．視神経炎より回復に時間がかかる．

5 虚血性視神経症

a) 前部虚血性視神経症（図50〜52）
- 短後毛様動脈の閉塞による視神経症で，下記を特徴とする．

C 視神経疾患

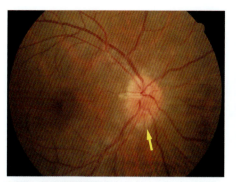

図48 視神経周囲炎
特発性眼窩炎症による右視神経周囲炎で，軽度の乳頭浮腫があり（矢印），網膜静脈も拡張している

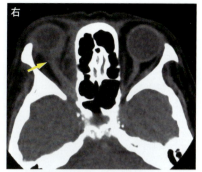

図49 視神経周囲炎のCT画像
右眼窩内側と視神経周囲に高吸収域がある．鼻側の強膜も腫脹しており，視神経と後部強膜に炎症が及んでいる所見がみられる（矢印）

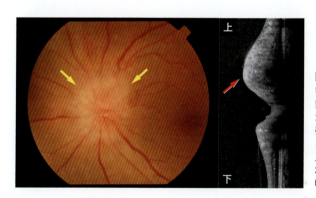

図50 前部虚血性視神経症
突然左眼の視力低下と下方視野欠損が出現した糖尿病例で，左視神経乳頭は上方の浮腫が強く（黄矢印），色調はやや蒼白である．OCTで観察すると，上方の乳頭浮腫が強く，分節状乳頭浮腫であることがより明瞭となる（赤矢印）

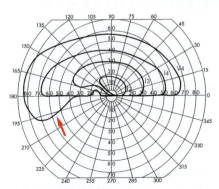

図51 前部虚血性視神経症のGoldmann視野
左眼は下方視野が欠損する水平半盲を示し，上方の浮腫が強い乳頭所見と一致している．多くは，耳側下方視野が軽度残存する（矢印）

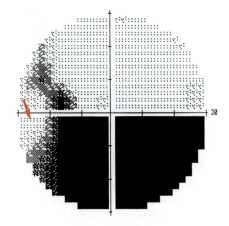

図52 前部虚血性視神経症のHumphrey視野
左眼に水平経線で境界される下方視野欠損がある．耳側下方視野は軽度残存する（矢印）

> - 急激に最低視力まで低下する．2～3日で視力低下が完成する視神経炎との重要な鑑別点である
> - 水平半盲を示し，下半盲のほうが上半盲より多い
> - 蒼白乳頭浮腫がみられる

- 原因の違いで非動脈炎性と動脈炎性とに分けられる．

❶非動脈炎性前部虚血性視神経症

【特徴】
- 60～70歳台に好発する．
- 高血圧や糖尿病，動脈硬化などの血管障害危険因子を有する症例に多い．
- disk at riskの所見（図53）：小乳頭（乳頭上の血管が込み合っているcrowding disk）で乳頭陥凹が欠如していると起こりやすい．患眼では乳頭浮腫のため分からないが，健眼で確認できる．
- 睡眠時無呼吸症候群でも起こることがある．

【症状】
- 視力低下は軽度～高度とさまざまである．
- 分節状蒼白乳頭浮腫（図54）が原則で，乳頭の上部と下部で浮腫の程度に差があることが，他の乳頭浮腫を示す疾患との鑑別点である．
- 浮腫部に一致した水平半盲がある．多くは乳頭の上部に浮腫が強く，下半盲を示す．

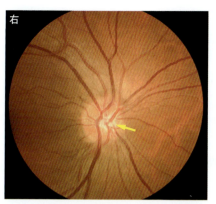 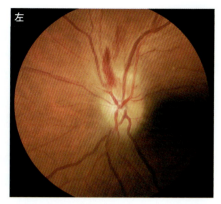

図53 前部虚血性視神経症と健眼の乳頭所見
左眼に蒼白乳頭浮腫を示す前部虚血性視神経症がある．健側の右眼の視神経乳頭は小さく，乳頭陥凹がなく，乳頭面上の血管が込み合っているcrowding diskの所見がみられ（矢印），前部虚血性視神経症発症の危険性が高い"disk at risk"である

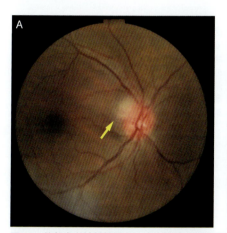 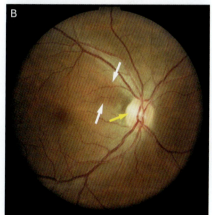

図54 前部虚血性視神経症の分節状蒼白乳頭浮腫
Aのように，右視神経乳頭の上耳側部分に限局した蒼白乳頭浮腫がある（黄矢印）．3カ月後にはBのように，浮腫を起こした上耳側部分が分節状萎縮となり（黄矢印），この部位に一致した網膜神経線維層の欠損もみられる（白矢印）．

【治療】

- 両眼性への移行は20%以下と低いが，視神経乳頭ドルーゼン合併例や睡眠時無呼吸症候群では起こりやすい．
- 副腎皮質ステロイド薬は無効である．

❷動脈炎性前部虚血性視神経症

- 側頭動脈炎（図55）では前部虚血性視神経症（図56）を発症することが多い．

【特徴】
- 70〜80歳台と，非動脈炎性よりさらに高齢者にみられる．
- 激しい頭痛が必発である．
- 非特異的全身症状として，体重減少，食欲不振，発熱（高齢者の不明熱），全身倦怠感がある．
- 顎跛行も頻度が高く，発声時や咬合時の顎関節痛を訴える．
- 浅側頭動脈炎により，側頭部に発赤，腫脹，圧痛がみられる．

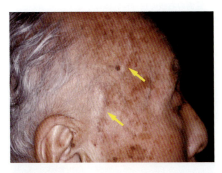

図55　側頭動脈炎
86歳男性．軽度の右外転神経麻痺発症3週間後に発熱と激しい前頭部痛，咀嚼痛が起こり，同時に右眼の視力が急激に低下した．翌日には左眼の視力も急激に低下した．視力は右光覚弁，左0.4で，右浅側頭動脈の腫脹と圧痛がある（矢印）．赤沈1時間値が84mmと亢進し，CRPも1.6mg/dLと増加している

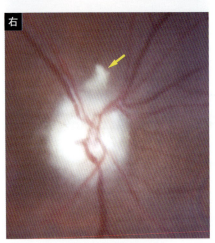 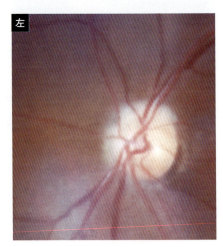

図56　動脈炎性前部虚血性視神経症
両眼とも著明な蒼白乳頭浮腫があり，先行した右眼の蒼白の程度が強い．右眼乳頭上方の網膜に軟性白斑がみられる（矢印）

- 前部虚血性視神経症により高度の視力障害が急激に発症する．
- 75％以上の症例で，数週間以内に反対眼にも発症する．
- 視神経障害の発現前に眼筋麻痺が出現することがある．一過性または持続性に，眼球運動神経麻痺か，または外眼筋の虚血により眼球運動神経麻痺では説明できない眼球運動制限を示す．高齢者で頭痛を伴った眼筋麻痺をみた時は，本症を念頭に置く必要がある．

【症状】

- びまん性に高度の蒼白乳頭浮腫となり，分節状を示す非動脈炎性とは異なる．
- 乳頭周囲に軟性白斑などの網膜の循環障害を伴うこともある．

【診断】

- 赤沈亢進が診断の決め手となる．本症を疑ったら，他の検査は後回しにしてまず真っ先に行うべきである．蛍光眼底造影検査や頭部の画像診断などでいたずらに時間を消費してはならない．1時間値が60 mm以上（大部分の症例が100 mm以上）となればほぼ間違いない．さらにCRPの上昇も診断の参考になり，赤沈より感度が高いこともある．
- 浅側頭動脈生検で巨細胞性動脈炎の所見が得られれば診断は確定するが，臨床的には必要条件ではない（図57）．

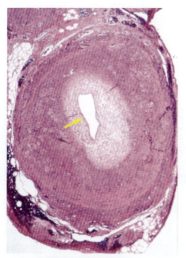 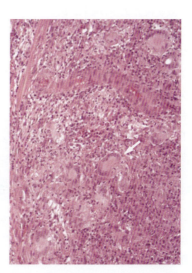

図57　側頭動脈炎の切片標本（HE染色）
生検した側頭動脈の内腔は著明に狭窄し（黄矢印），中膜と内膜外層に多数の多核巨細胞（白矢印），類上皮細胞，単核球，好中球の浸潤があり，巨細胞性動脈炎の組織像を示す

【治療】
- 治療の目的は反対眼の発症予防である．
- 赤沈の亢進が確認できたら直ちに膠原病内科と相談し，副腎皮質ステロイド薬（プレドニゾロン1日1mg/kg）の内服を開始する．
- 眼科的な救急疾患であるとの認識が必要であり，治療のタイミングを逸することのないよう注意する．

b）後部虚血性視神経症
- 球後視神経の栄養血管の閉塞による視神経症である．

❶分類
- 外科手術後：最も多い原因で，術後数時間〜数日後に両眼に発症する．貧血や低血圧も伴う．
- 非動脈炎性：高齢者が多いが，若年者では腎不全を考える．
- 動脈炎性：側頭動脈炎でも起こることがある．

❷特徴
- 比較的高齢者に多い．
- 危険因子として，高血圧，糖尿病，高コレステロール血症，心疾患，頸動脈狭窄，脳血管障害がある．

❸症状
- 急激な視力低下が起こる．
- 初期には視神経乳頭に異常はないが，発症2〜3カ月後に単性視神経萎縮となる．
- 球後視神経炎や鼻性視神経症などの他の疾患を必ず除外する．本症はまれな疾患であり，安易に診断するのは危険である．

❹治療
- 予後不良であり，回復した場合はむしろ脱髄疾患など他の原因を考える．

6 乳頭血管炎 (optic disc vasculitis, papillophlebitis) （図58）

- 健康な若年成人（40歳以下），特に女性に好発する．
- 起床時に顕著となる片眼の軽度の霧視を自覚し，視力低下は軽度である．
- 乳頭浮腫，網膜静脈の拡張，蛇行，乳頭周囲の出血がみられ，若年性の網膜中心静脈閉塞症様の所見を示す．
- 網膜中心静脈閉塞症とは異なり，出血は後極部に著明で中間周辺部には少な

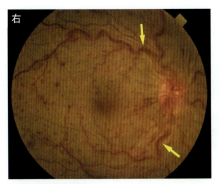 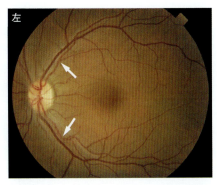

図58 乳頭血管炎
右眼は網膜静脈が著明に拡張，蛇行し（黄矢印），乳頭浮腫と網膜出血も散在し，網膜中心静脈閉塞症様の所見がみられる．網膜中心静脈閉塞症とは異なり，若年性で健側の左眼に動脈硬化の所見がないのが特徴である（白矢印）．

く，健眼に動脈硬化性変化がない．
- マリオット盲点拡大が検出されるが，周辺視野に異常はない．
- 数カ月から1年で自然治癒する．

7 糖尿病乳頭症（図59）

- 糖尿病罹病期間の長い比較的若年者（平均50歳）にみられる．
- 両眼性が多いが片眼性もある．
- 乳頭浮腫と乳頭面上の血管拡張がある．
- 糖尿病網膜症の程度との相関はない．
- 視力低下はないか軽度で，数カ月で自然に回復する．

8 視神経網膜炎（図60）

- 網膜浮腫を伴う乳頭浮腫を示す．
- 視力低下に加え変視症も訴える．
- 経過とともに黄斑部に星状斑が出現する．
- ウイルス感染，猫ひっかき病（起因菌は *Bartonella henselae*），梅毒が原因となる．
- 乳頭浮腫が先に改善し，網膜浮腫の改善は遅れる．

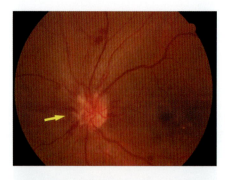

図59 糖尿病乳頭症
糖尿病の治療中，両眼の視力が軽度低下した52歳男性．眼底には出血を伴った乳頭浮腫がみられるが（矢印），糖尿病網膜症は軽度である

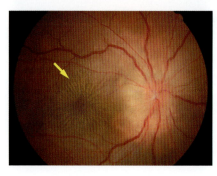

図60 視神経網膜炎
網膜浮腫を伴う乳頭浮腫があり，星状斑も出現している（矢印）

- 副腎皮質ステロイド薬（プレドニゾロン1日30 mg）の内服を行うが，回復までに長期間を要し，網膜病変も伴うことから変視症を残し，視神経炎より視力の予後は不良である．

9 鼻性視神経症（図61）

a) 分類
- 狭義鼻性視神経症：後篩骨洞嚢胞や蝶形骨洞嚢胞による視神経障害である．
- 広義鼻性視神経症：あらゆる副鼻腔病変による視神経障害をいう．

b) 特徴
- 急性に視力低下が起こる．
- Marcus Gunn瞳孔がみられるが，視神経乳頭は初期には正常である．
- 眼周囲の疼痛，鼻閉，鼻汁などの副鼻腔炎症状を伴う．
- 副鼻腔炎や副鼻腔手術の既往が診断の決め手となる．数十年後に発症することがある．

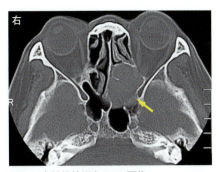
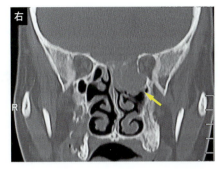

図61 鼻性視神経症のCT画像
副鼻腔開放術20年後に左眼の視力が低下した症例．左後篩骨洞に嚢胞状の高吸収病変があり，副鼻腔遺残嚢胞による鼻性視神経症の典型的な所見である（矢印）

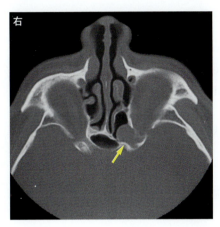

図62 左Onodi蜂巣炎のCT画像
左Onodi蜂巣に嚢胞状の病変がある（矢印）．視力は，時間や日により変動する

- 篩骨洞最後部のOnodi蜂巣炎（図62）では，視力が午前と午後で異なるなど症状に変動がみられる．

c) 治療
- 速やかな耳鼻咽喉科への依頼と，早期の副鼻腔開放術と術後に副腎皮質ステロイド薬（プレドニゾロン1日30mg）が必要である．治療が遅れると視力の回復は難しい．

10 中毒性視神経症 (図63, 64)

a) 特徴
- 両眼ほぼ同程度の視力低下が特徴で，左右差がある場合は他の疾患を考える．
- 盲点中心暗点を示す．
- 色覚低下も著明となる．
- 視神経乳頭に耳側蒼白がみられる．
- 問診が決め手となるが，治療中の病名ではなく，処方されている薬剤名で確認する．担当科との密接な連携が特に必要な疾患である．

b) 原因薬剤
- 抗結核薬：エタンブトール．
- 免疫抑制薬：シクロスポリン．
- 抗癌薬：シスプラチン．
- 心臓治療薬：ジギタリス，アミオダロン（乳頭浮腫を示す）．
- 抗菌薬：リネゾリド（メチシリン耐性黄色ブドウ球菌感染症治療薬で，投与3カ月以後に発症し，中止後3カ月以内に回復する）．

c) エタンブトール視神経症 (図65, 66)
- 発症頻度が高く，中毒性視神経症の大部分を占める．
- 投与後2カ月～2年で発症する．
- 両眼ほぼ同程度の視力低下が起こる．
- 盲点中心暗点が多いが，ときに両耳側半盲様の暗点を示すことがあり，視交叉病変との鑑別が必要なことがある．
- 病初期に中心耳側の見づらさを訴え，Humphrey視野で中心耳側の感度低下を確認できることがある．
- エタンブトール1日25 mg/kg以上の投与と，血清亜鉛濃度70 μg/dL以下で発症の危険性が高い．
- 危険因子は，女性，高齢者，低体重者，糖尿病，腎機能低下（特に結核性腎炎）である．
- 治療は投薬中止が基本である．
- 中止後も数カ月間視力低下が進行することがあるため，他の疾患と誤って診断したり，不安を与えたりすることのないように注意する．
- 視力が回復し始める時期は遅くとも中止後1年以内であり，それ以降では期待できない．

C 視神経疾患

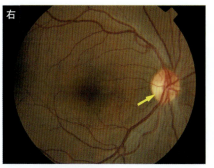
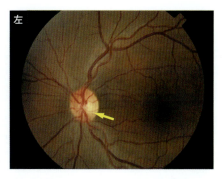

図63　中毒性視神経症
エタンブトール視神経症で，両眼とも乳頭耳側が軽度蒼白となっているが（矢印），網膜には異常がない．栄養障害性や中毒性視神経症の初期の所見である

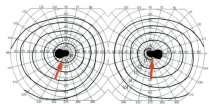

図64　中毒性視神経症のGoldmann視野
中心暗点とマリオット盲点が連結してラケット状となる盲点中心暗点が両眼に検出される（矢印）

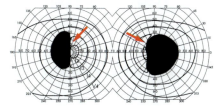

図65　エタンブトール視神経症のGoldmann視野
両眼とも中心視野を含んでマリオット盲点が拡大し，両耳側半盲様の所見を示す（矢印）．エタンブトール視神経症で時々検出される視野所見である

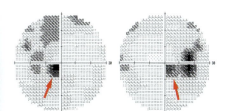

図66　エタンブトール視神経症初期のHumphrey視野
病初期に両眼の中心耳側に感度低下が検出されることがある（矢印）

- 視力が0.01以上の症例では，亜鉛製剤（プロマック® 1日1g）とビタミンB_{12}製剤で改善が期待できる．

11 栄養障害性視神経症

- 両眼ほぼ同程度の視力低下が特徴である．
- 盲点中心暗点を示す．
- 色覚低下もある．
- 視神経乳頭の耳側蒼白がみられる．
- 原因には，ビタミンB群の欠乏（特にB_1欠乏，実際にはB_2欠乏も多い），タバコやアルコール（タバコアルコール弱視）がある．
- 軽症例ではビタミンB製剤（B_1はチアミン，B_2はリボフラビン）の投与で改善する．

12 外傷性視神経症（図67）

a）特徴

- 眉毛部外側の打撲で起こる．打撲創の確認が診断の決め手となる．
- 受傷後，視力低下が急激に起こる．
- Marcus Gunn瞳孔が検出され，水平半盲や中心暗点を示す．
- 初期には視神経乳頭に異常はない．

b）治療

- 副腎皮質ステロイド薬内服療法：プレドニゾロン1日30mgの内服から開始する．パルス療法の効果は疑問視されている．
- 浮腫の軽減の目的で高浸透圧薬も併用する．
- 70％で視力は改善するが，視力の予後は受傷時の視力にある程度比例する．光覚がない症例では回復が難しい．

13 Leber病

a）特徴

- 20歳前後の男性に好発する．
- 一眼の急性または亜急性の視力低下で発症し，2カ月以内に反対眼の視力も低下する．
- 盲点中心暗点を示すのが特徴である．病初期には耳側半盲様暗点を示すことがある（図68）．

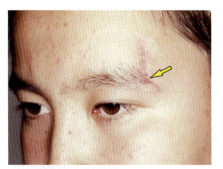

図67 左外傷性視神経症
外傷性視神経症の好発部位の左眉毛部外側に，打撲による切創痕がある（矢印）

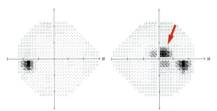

図68 Leber病の初期にみられた耳側半盲様暗点
右眼発症のLeber病の14歳男児．病初期にHumphrey視野で耳側半盲様暗点が検出された（矢印）

- 対光反射は比較的良好のため，片眼発症時には視力に左右差がありながらもMarcus Gunn瞳孔が検出されないことも多い．誤って機能性（心因性）弱視と診断しないように注意する．
- ミトコンドリアDNA11778, 3460, 14484塩基配列の変異が確認され，日本人では90％が11778変異である．
- 遺伝形式は母系遺伝であり，母方の叔父に発症歴があるかを聞く．ただし孤発例も少なくない．
- 影響因子として，喫煙，アルコール，栄養障害，頭部外傷，エタンブトールがある．

b) 眼底所見（図69, 70）
- 初期は乳頭の発赤，後期には軽度の視神経萎縮を示す．
- 乳頭浮腫はなく，蛍光眼底造影検査で乳頭からの蛍光漏出はみられない．
- 乳頭周囲の細血管の拡張，蛇行が急性期の特徴の一つである．
- 網膜神経線維層の顕性化もみられる．

c) 治療と予後
- 有効な治療法はない．イデベノン内服（1日900mg，1年間継続）が試みられているが効果は限られる．
- 11778変異は視力予後不良で，最終視力は0.01程度である．
- 他の変異ではある程度回復の可能性がある．

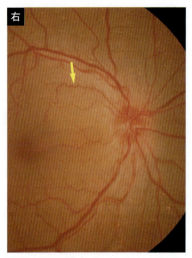
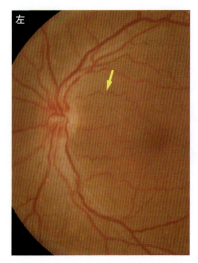

図69 Leber病
1カ月前に左眼の視力低下，その後右眼の視力が低下した18歳男性．兄がLeber病と診断されている．両眼とも乳頭は発赤し，乳頭周囲の細血管の拡張，蛇行がある（矢印）

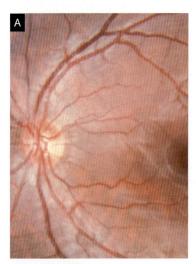
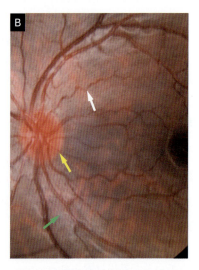

図70 Leber病
17歳男性．右眼の発症17カ月後に左眼の視力も低下した．Aの発症前と比較して，Bの発症後は乳頭が発赤し（黄矢印），周囲の細動脈の蛇行（白矢印），網膜神経線維の顕性化がみられる（緑矢印）

14 視神経腫瘍

a) 視神経鞘髄膜腫（図71〜73）

❶特徴
- 中年女性に好発する．
- 古典的3徴は，緩徐な視力低下，視神経萎縮，optociliary shunt vesselである．
- 視神経萎縮になるまでは，慢性期から熟成期のうっ血乳頭と同じ所見を示す．出血や白斑を伴わない乳頭浮腫に，corpora amylaceaと呼ばれる白色顆粒が乳頭面上にみられる．
- 経過ともに炎性視神経萎縮へ移行する．
- 網脈絡膜皺襞を伴うことが多い．
- 眼球突出もみられ，診断に役立つ．
- 中年女性に片眼の緩徐進行性の視力低下をみたら，本症をまず考える．

❷画像所見（図74）
- CT：視神経周囲の等吸収域〜やや高吸収域の球状，紡錘状腫瘤が描出される．
- MRI：T_1強調画像で等信号〜外眼筋より低信号となり，造影剤で中等度で均一の増強効果を示す．
- 腫瘤の中に視神経が描出されるtram-track signが特徴的な画像所見である．

❸治療
- 放射線治療の進歩により，三次元分割放射線治療や定位放射線治療で視機能の温存が可能となりつつある．

b) 視神経膠腫（図75）

❶小児型
- 女児に多い．
- 25％は神経線維腫症（neurofibromatosis type 1，von Recklinghausen病）に合併する．
- きわめて緩徐進行性の視力低下を示す．
- 眼球突出もみられる．
- 視神経乳頭は初期には乳頭浮腫，後期には視神経萎縮となる．
- 視交叉や視床下部に進展することがあり，単眼性眼振を伴うことが多い．
- CT，MRIで視神経の紡錘形の腫大がみられる．
- 皮膚のcafé-au-lait斑と神経線維腫，虹彩のLisch結節を確認する（図76）．
- 特に治療は行わずに経過を観察する．

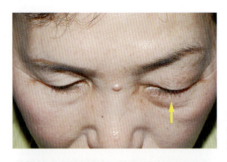

図71　左視神経鞘髄膜腫
50歳女性．数年前から左眼の視力が徐々に低下し，眼球突出もある（矢印）

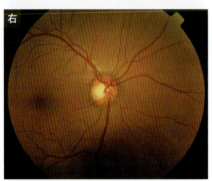
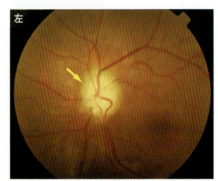

図72　視神経鞘髄膜腫の眼底所見
左眼の視神経乳頭は蒼白浮腫となっており，慢性乳頭浮腫の所見である（矢印）

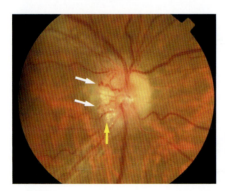

図73　視神経鞘髄膜腫の眼底所見
慢性乳頭浮腫の所見に加え，optociliary shunt vessel（白矢印）やcorpora amylaceaがみられることがある（黄矢印）

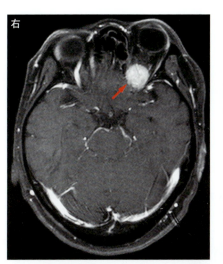
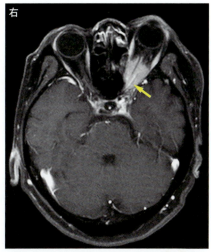

図74 視神経鞘髄膜腫のGd造影MRI T₁強調画像
左眼が突出し，眼窩後部に増強効果を示す腫瘤があり（赤矢印），腫瘤の中に視神経が描出されるtram-track signがみられる（黄矢印）

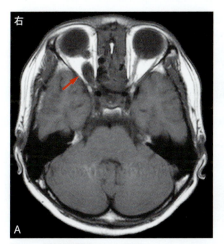
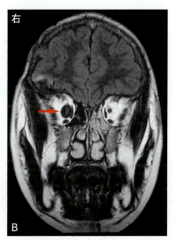

図75 視神経膠腫のMRI画像
A　MRI T₁強調画像，B　MRI FLAIR画像．
右視神経が紡錘状に腫大している（矢印）

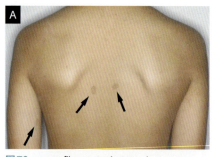 

図76　neurofibromatosis type 1
A　café-au-lait斑，B　Lisch結節．
視神経膠腫の12歳男児．肩甲骨の下方と左上腕の皮膚にミルクコーヒー色の色素斑があり（黒矢印），細隙灯顕微鏡検査で虹彩に淡褐色の小結節が確認された（白矢印）

❷成人型

- 視交叉から発症する膠芽腫である．
- 中年男性にみられる．
- 急速に進行する視力低下を示し，5〜6週間で視力は消失する．
- 画像所見で浮腫を伴った鞍上部腫瘤として描出される．
- 生命予後がきわめて不良の疾患である．

15 浸潤性（癌性）視神経症（図77, 78）

- 癌性髄膜炎に合併した視神経障害で，肺癌（腺癌），乳癌，消化器癌，悪性リンパ腫が主な原発腫瘍である．
- 亜急性発症で進行性の視力低下を示し，片眼性から両眼性に進行することが多い．
- 軽度の乳頭浮腫を示すことがある．
- 頭痛や髄膜刺激症状を伴う．
- MRIでは脳全体の髄膜陰影の増強がみられる．
- 髄液細胞診で癌細胞が検出されれば診断は確定するが，1回では検出されず，複数回の検査が必要になることも多い．
- 原発となる悪性腫瘍に対する治療に加え，放射線治療や抗がん剤の髄腔内投与が行われる．副腎皮質ステロイド薬は無効である．

C 視神経疾患

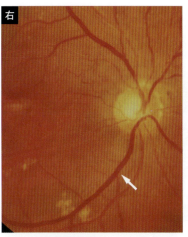
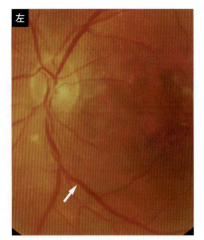

図77　癌性視神経症
網膜静脈の軽度の拡張以外（矢印），視神経乳頭を含め異常はみられない

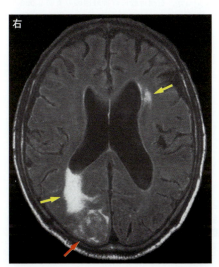

図78　癌性視神経症のMRI FLAIR画像
右頭頂葉に肺癌の転移巣があり（赤矢印），右側脳室の尾側と左中心溝付近にも転移巣がある（黄矢印）

16 傍腫瘍性視神経症（図79, 80）

- 中高齢者にみられる．
- 片眼または両眼の亜急性で進行性の視力低下を示す．
- 初期には乳頭に異常がみられないことが多いが，軽度の乳頭浮腫を示すこともある．

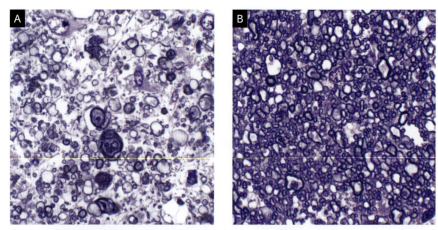

図79 傍腫瘍性視神経症の剖検切片所見（トルイジンブルー染色）
A　右視神経，B　左視神経．
肺腺癌の治療中に右眼の視力が低下した症例で，眼底には視神経乳頭を含め異常なく，頭蓋内病変も脳脊髄液の異常もない．左視神経の構造は正常に保たれているが，右視神経には神経線維の著明な脱落や変性がみられる

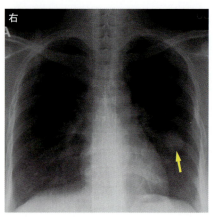

図80 傍腫瘍性視神経症の胸部単純X線像
左下肺野に腫瘍陰影がある（矢印）．傍腫瘍性視神経症は肺小細胞癌で起こりやすいが，本症例は肺腺癌である

- 小脳失調や多発神経炎など，他の神経症状を合併する．
- 大部分が肺小細胞癌の遠隔効果が原因で，腫瘍の発見に先行することもある．
- 網膜電図（electroretinography：ERG）は正常であり，傍腫瘍性網膜症と区別できる．
- 髄液検査でリンパ球優位の細胞増多や蛋白増加がみられる．62 kDa collapsin

response-mediator protein-5（CRMP-5）-IgG抗体が知られている．
- 原発となる悪性腫瘍に対する治療は必須であるが，視神経症に対する有効な治療法はない．

17 先天視神経乳頭異常

a) 視神経低形成（図81, 82）
- 乳頭は小さく不正形であり，DM（乳頭中心から黄斑中心までの距離）/DD（乳頭径）比が3以上となる．
- double ring signと呼ばれる，乳頭周囲に黄色の色素輪（peripapillary halo）がある．
- 網膜血管の蛇行がある．
- 片眼性，まれに両眼性にみられる．
- 高度障害例では視力低下や眼振を伴う．片眼例では弱視と間違わないように注意し，RAPDの有無を必ず確認する．
- 妊娠中のアルコール，インスリン，副腎皮質ステロイド薬，利尿薬，抗痙攣薬などが影響している可能性がある．
- 短軀や眼振に加え，前交連や透明中隔，小脳虫部の欠損を合併する場合，De Morsier症候群（septo-optic dysplasia）と呼ばれている．

b) 乳頭部分低形成
- 視力は良好で視野欠損も自覚しないため，視野検査で偶然発見される．
- 両眼の視神経乳頭を比較しないと正確な診断はできない．
- 健眼と比べ乳頭が小さく，網膜中心動脈と網膜中心静脈の出入口部が低形成部方向へ偏位する．
- 低形成部にhalo（暈輪）がみられる．haloが検眼鏡では分かりにくい時は，蛍光眼底造影検査が有用である．乳頭は染色されるが，haloは染色されない．
- 低形成部の網膜神経線維層が扇状に菲薄化し，網膜血管も減少している．
- 低形成部に一致したマリオット盲点に連続する扇状の視野欠損が検出され，進行することはない．
- 上部低形成が多くを占める．鼻側低形成は少なく，下部低形成は稀である．

❶ 上部乳頭低形成（図83〜85）
- 乳頭が小さく，網膜中心動脈と網膜中心静脈が乳頭面の上方に偏位し，乳頭上方にhaloと血管の減少がある．

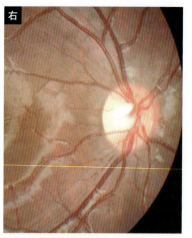 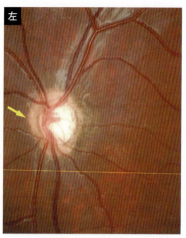

図81　左視神経低形成
左眼弱視と診断されていた6歳女児．左視神経乳頭が小さく，DM/DD比は5，乳頭周囲に色素輪（double ring sign）がある（矢印）．RAPDが左眼陽性である

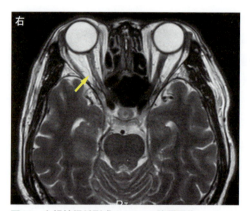 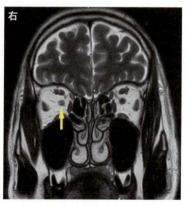

図82　右視神経低形成のMRI T_2 強調画像
小児期から右眼の視力低下がある64歳男性．右視神経径の縮小が確認できる

C 視神経疾患

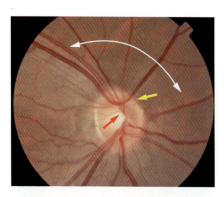

図83　上部乳頭低形成
右視神経乳頭の上方にhalo（暈輪）があり（黄矢印），網膜中心動脈と網膜中心静脈は乳頭面上の上方に偏位している（赤矢印）．上方の網膜神経線維層に扇状の菲薄化がみられる（白矢印）

図84　右上部乳頭低形成
両眼を比べると，右眼の視神経乳頭が小さく，上方にhaloと血管の減少があり（白矢印），網膜中心動脈と網膜中心静脈の上方偏位が容易に分かる（黒矢印）

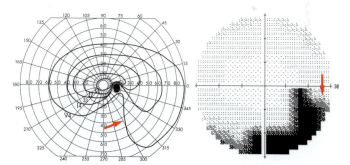

図85　右上部乳頭低形成のGoldmann視野とHumphrey視野
網膜神経線維層の菲薄部位に一致して，マリオット盲点から下方に扇状の視野欠損がある．マリオット盲点の耳側にも欠損が及ぶことが（矢印），緑内障との鑑別点となる

- マリオット盲点に連続する扇状の下方視野欠損が検出される．
- マリオット盲点の耳側にも欠損が及ぶのが特徴で，鼻側しか欠損しない緑内障との重要な鑑別点となる．

❷**鼻側乳頭低形成**（図86, 87）
- 乳頭が小さく，網膜中心動脈と網膜中心静脈が乳頭面の鼻側に偏位し，乳頭鼻側にhaloと血管の減少がある．
- マリオット盲点に連続する扇状の耳側視野欠損が検出される．
- 耳側視野欠損の大部分が，本症を主とした視神経乳頭の形態異常である．

c) **傾斜乳頭症候群（tilted disc syndrome）**（図88, 89）
- 両眼性で，下方コーヌス，網膜血管の逆位，近視性斜乱視がみられる．

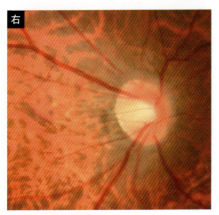
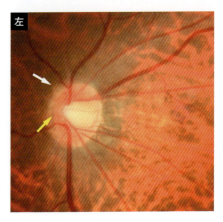

図86　左鼻側乳頭低形成
乳頭境界を黄矢印で示す．左視神経乳頭が小さく，網膜中心動脈と網膜中心静脈が鼻側に偏位し，鼻側にhaloと血管の減少もある（白矢印）．

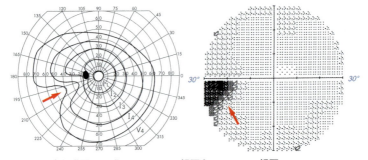

図87　左鼻側乳頭低形成のGoldmann視野とHumphrey視野
左眼にマリオット盲点に連続する扇状の下耳側視野欠損がある（矢印）．

C 視神経疾患

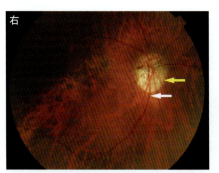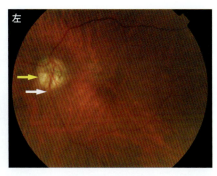

図88 傾斜乳頭症候群 (tilted disc syndrome)
両眼とも視神経乳頭は下方が奥に傾斜し，境界が不鮮明となる．乳頭下方に脱色素やコーヌスがみられ（黄矢印），耳側の網膜血管がいったん鼻側に向かった後に耳側に向かう逆位もある（白矢印）．

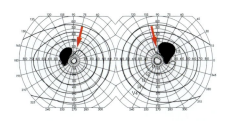

図89 傾斜乳頭症候群のGoldmann視野
乳頭下方の変化に一致して，両眼に上耳側視野狭窄が検出される．両耳側半盲とは異なり，視野狭窄は垂直経線では境界されずに上鼻側まで及ぶ（矢印）．

- 上耳側視野狭窄を示すが，垂直経線で境界線をもつ半盲の所見がないことが視交叉病変との鑑別点である．

d) 視神経乳頭ドルーゼン（図90, 91）
- 偽乳頭浮腫の主な原因であり，両眼性のためにうっ血乳頭との鑑別が必要になることが多い．
- 埋没型は小児期に多くみられ，乳頭が隆起して乳頭浮腫様にみえる．CTで乳頭内に石灰化物質が描出され，超音波検査でも確認できる．
- 表在型は成年期に埋没型から移行し，乳頭面に凹凸がある．
- 数分間持続する一過性視力低下の原因の一つである．

e) 牽引乳頭（図92）
- 未熟児網膜症や家族性滲出性硝子体網膜症でみられる．
- ほうき星様の乳頭があり，黄斑の偏位やγ角異常による見た目の眼位異常（偽斜視）を伴う．

f) 第一次硝子体過形成遺残 (persistent hyperplastic primary vitreous：PHPV)（図93）
- 後部型は網脈絡膜異常，前部型は白内障を伴う．

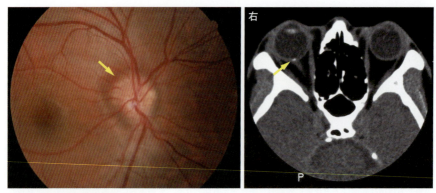

図90　埋没型乳頭ドルーゼン
右眼の乳頭の境界は不鮮明で隆起している（矢印）．CT画像で乳頭内に石灰化が描出される（矢印）．偽うっ血乳頭を示す代表的な疾患である

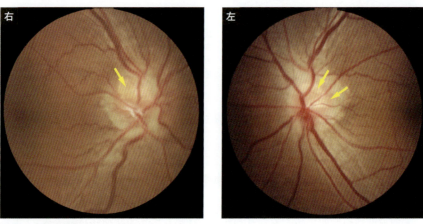

図91　表在型乳頭ドルーゼン
両眼とも乳頭の境界は不鮮明で，乳頭表面に凹凸がある（矢印）

- 乳頭上から水晶体後面に向かう，ほうき星様の遺残物が観察される．
- 片眼性で高度の視力低下がある．

g）乳頭小窩（図94）

- 乳頭面上の限局性の陥凹で，耳側に好発する．
- 蛍光眼底造影検査で明瞭に描出され，早期に低蛍光，後期に過蛍光を示す．
- 成年期になると，50％に乳頭から黄斑に及ぶ漿液性網膜剥離がみられる（pit-macular syndrome）．

C 視神経疾患

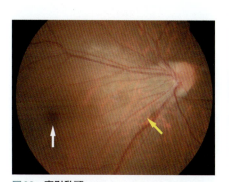

図92 牽引乳頭
未熟児網膜症後の瘢痕形成で右眼の網膜が耳側に牽引され，乳頭耳側がほうき星様になり（黄矢印），黄斑も耳側に偏位している（白矢印）

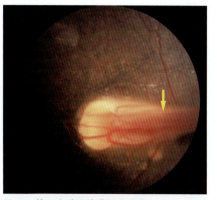

図93 第一次硝子体過形成遺残
乳頭から水晶体後面に向かう索状物がみられ（矢印），網膜も粗造である

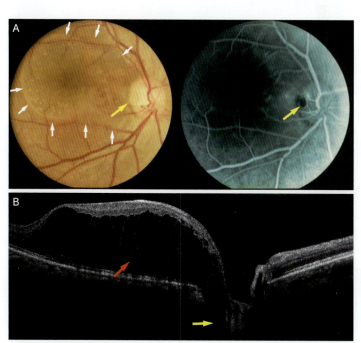

図94 乳頭小窩
Aの右眼乳頭面の耳側部位に，蛍光眼底造影検査でより明瞭となる楕円形の陥凹があり（黄矢印），乳頭から黄斑に及ぶ漿液性網膜剥離を伴う（白矢印）．BのOCTで，視神経乳頭（黄矢印）に連続する網膜外網状層の剥離がみられる（赤矢印）

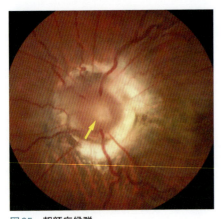
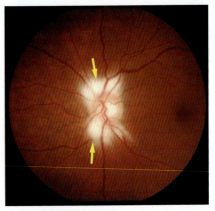

図95 朝顔症候群
乳頭は拡大して陥凹し，陥凹底に白色組織がある（矢印）．周囲の網脈絡膜の色素異常と，細い網膜血管が放射状に走る所見がみられる

図96 網膜有髄神経線維
乳頭面上と周囲に白色の放射状線維があり（矢印），乳頭境界が不鮮明となる

- OCTで，視神経乳頭に連続する網膜外網状層の剥離と網膜分離症様間隙が検出される．

h）朝顔症候群（morning glory syndrome）（図95）
- 乳頭の拡大，陥凹と陥凹底に白色組織がみられる．
- 乳頭周囲の網脈絡膜色素異常や，細い網膜血管が放射状に走る網膜血管の異常もみられる．
- 片眼性で視力は不良である．

i）網膜有髄神経線維（図96）
- 乳頭面上と周囲に白色の放射状線維がみられる．
- 偽乳頭浮腫の原因の一つであり，視力は低下しない．

D 視神経疾患診察の留意点

1 視神経病変と網膜（黄斑）病変の鑑別点（図97）

- 羞明感：視神経病変ではまぶしさが減弱するが，網膜病変では減弱せず，むしろ羞明や光視症を訴えることがある．
- 対光反射：視神経病変では減弱（Marcus Gunn瞳孔）するが，黄斑病変では障害されない．

D 視神経疾患診察の留意点

	視神経病変	黄斑病変
視力	低下	低下
羞明感	低下	正常
対光反射	減弱	正常
pinhole試験	視力不変	視力上昇
Amsler chart	暗点	変視症
色覚異常	中等度〜高度	軽度
中心暗点の境界	なだらか	急峻

図97 視神経病変と黄斑病変の鑑別
特に対光反射とAmsler chartの所見が両者の鑑別の決め手となる

- pinhole試験：視神経病変では視力は不変であるが，黄斑病変では上昇することが多い．
- Amsler chart：視神経病変では変視症はないが，黄斑病変では必発の症状である．
- 色覚低下：視神経病変では中等度〜高度に起こるが，黄斑病変では軽度である．

Column

うっ血乳頭と偽うっ血乳頭の鑑別

うっ血乳頭と偽うっ血乳頭の鑑別は神経眼科の永遠の課題である．両者の鑑別診断にOCTの利用が試みられており，偽うっ血乳頭でperipapillary hyperreflective ovoid mass-like structure (PHOMS)などの新しい知見が得られている．さらに乳頭周囲の網膜神経線維層の厚さやBruch膜断裂の形から，両者の鑑別が試みられているが，病期による差異や互いに重なり合う所見もあることから未だ確実な所見はない．やはり，詳細な眼底検査と経過観察が診断の基本であることに変わりはない．

2 マリオット盲点の拡大を示す疾患

a) 乳頭浮腫（☞視神経疾患：乳頭浮腫）
b) 偽乳頭浮腫（☞視神経疾患：偽乳頭浮腫）
c) 近視性コーヌス，傍乳頭網脈絡膜萎縮（図98）
d) 網膜色素上皮病変

- いずれも眼科疾患であり，頭蓋内病変と誤って診断しないよう注意する．

❶ 多発消失性白点症候群（multiple evanescent white dot syndrome：MEWDS）（図99〜103）

- 若年女性の片眼に好発する急性の網膜外層の機能障害である．
- 半数例が感冒後に起こる．
- 初期に，視野内に光が走る光視症がほとんどの症例にみられ，羞明，霧視，耳側の暗点を訴えることも多い．
- 初期には後極部や中間周辺部の色素上皮レベルに大小不同の淡い白色斑が散在する．
- 蛍光眼底造影検査では過蛍光斑，インドシアニングリーン蛍光造影（ICG）検査で低蛍光斑が描出される．
- 2週間程度で白色斑は消失する．
- 多局所網膜電図（ERG）でマリオット盲点の拡大部に一致した振幅低下が検出される．
- OCTで，ellipsoid zone（以前は，視細胞内節外節接合部ライン：IS-OS line と呼ばれていた）の消失が検出されれば診断が確実となるが，部位により検出されないことも多く，必須の所見ではない．
- 予後は良好で，無治療で半年以内にマリオット盲点の拡大も消失し，再発もない．

❷ 急性帯状潜在性網膜外層症（acute zonal occult outer retinopathy：AZOOR）

- 若年女性の片眼または両眼にみられる急性の網膜外層の機能障害である．
- 近視眼に起こりやすく，橋本病を始めとする自己免疫疾患を伴うこともある．
- 光視症を伴った急性視野欠損が主症状で，さまざまな部位や数箇所に視野欠損がみられることがあるが，ほとんどの症例がマリオット盲点拡大を含む耳側視野欠損を示す．
- 視力は比較的良好である．

D　視神経疾患診察の留意点

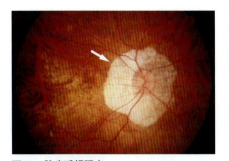

図98　強度近視眼底
網膜は豹紋状で，乳頭周囲に傍乳頭網脈絡膜萎縮がある（矢印）

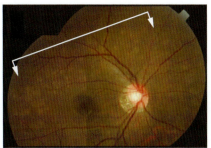

図99　多発消失性白点症候群（MEWDS）
右眼の乳頭上方から黄斑上方に，網膜色素レベルの大小不同の淡い白色斑が散在している（矢印）．これらの白色斑は1～2週間で跡形もなく消失する

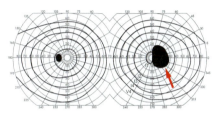

図100　MEWDSのGoldmann視野
右眼のマリオット盲点が拡大し（矢印），視野の耳側が暗いと訴えて来院することが多い

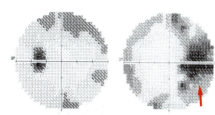

図101　MEWDSのHumphrey視野
Goldmann視野同様，右眼のマリオット盲点の拡大がみられる（矢印）

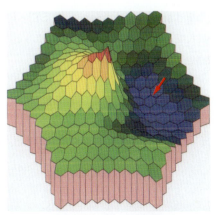

図102　MEWDSの多局所網膜電図所見
暗点に一致した中心鼻側部位に青色で示す振幅の低下があり（矢印），網膜病変によるものであることが分かる

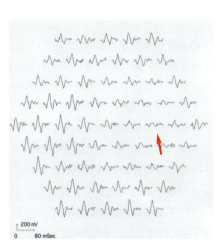

11　視神経疾患

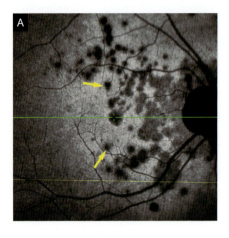
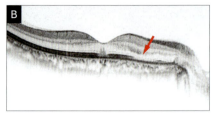

図103 MEWDSのインドシアニングリーン蛍光造影（ICG）と光干渉断層計（OCT）所見

AのICGでは白色斑より多い数の低蛍光斑が散在し（黄矢印），BのOCTでellipsoid zoneが一部消失している所見がみられる（赤矢印）

- 初期には網膜に異常はみられないが，数カ月後に視野欠損に一致した部分に網膜色素の変化や血管の狭細化が出現することがある．
- 多局所ERGで視野欠損部に一致した振幅低下が検出される．
- OCTで視野欠損部のellipsoid zoneが消失するが，必須の所見ではない．
- 視機能障害は進行して6カ月以内に固定し，再発はない．
- 視神経や眼底所見では説明できない視力低下や視野異常をみたら本症を考える．
- 有効な治療法はない．視機能障害が高度の場合は副腎皮質ステロイド薬が投与されることもあるが，効果は期待できない．

❸急性特発性盲点拡大（acute idiopathic blind spot enlargement：AIBSE）

- 女性の片眼に起こるマリオット盲点の拡大であり，盲点の境界は急峻である．
- 霧視，軽度の視力低下，中心耳側の暗点，光視症を訴える．
- 視神経乳頭は正常のことが多い．
- 網膜には異常がみられないが，乳頭周囲に色素変化を伴うこともある．
- 多局所ERGで中心窩鼻側の振幅低下が検出される．
- 視力障害と光視症は改善するが，マリオット盲点の拡大は不変のことが多い．
- 再発はまれである．
- 治療法はない．

3 一過性視力低下

- 視力低下の持続時間から原因が推測できるため，詳しい問診が大切である．

a) 数秒間

- 頭蓋内圧亢進によるうっ血乳頭：両眼性で，一過性視朦（obscuration, black-out）と呼ばれ，5秒以上持続することはない．
- 注視誘発黒内障（gaze-evoked amaurosis）：片眼性で，視神経周囲の腫瘍により一定の方向を向くと誘発される．
- vitreopapillary traction optic neuropathyでも起こる．

b) 数分間

- 一過性黒内障（amaurosis fugax）（図104）：極期は1〜5分で，10〜20分で正常に回復する．発作時，網膜動脈分岐部にplaqueがみられる．高齢者で動脈硬化，心疾患，動脈閉塞性疾患に合併しやすい．頻回に起こるようならば，神経内科へ原因の検索と抗血小板薬の適応の有無を依頼する．
- 抗リン脂質抗体症候群：若年女性にみられ，習慣性流産の既往が多い．活性化部分トロンボプラスチン時間（APTT）の延長，ループスアンチコアグラント，抗カルジオリピンIgGまたはIgM抗体が診断に役立つ．
- 過粘稠度症候群（図105）：多血症や血小板増多症，マクログロブリン血症，多発性骨髄腫でみられることがある．網膜血管の拡張や蛇行を伴う．
- 経口避妊薬：若年女性では服用歴を必ず聴取する．
- 視神経乳頭異常：特に視神経乳頭ドルーゼンでみられることがある．埋没型が多い小児では，乳頭の注意深い観察が必要である．

c) 数十分間

- 閃輝暗点（古典型片頭痛）：若年者の両眼にジグザグの光が拡大した後，数十分間で消失し，その後片側または頭部全体の頭痛や嘔気，嘔吐が起こる．
- 網膜片頭痛：片頭痛の既往のある若年者の片眼に起こる．
- 一過性単眼盲（transient monocular blindness）：一過性黒内障より長時間持続し，回復は緩徐である．反復性に起こり，内頸動脈や眼動脈の狭窄が原因である．頭痛を伴う時は内頸動脈解離を疑う．
- 椎骨脳底動脈循環不全：両眼に起こり，めまいを伴うことが多い．

d) 数時間

- 間歇性原発閉塞隅角緑内障（図106）：遠視の中高年女性の片眼にみられ，浅前房がある．暗所でのテレビ視聴後や腹臥位での読書後に誘発される．

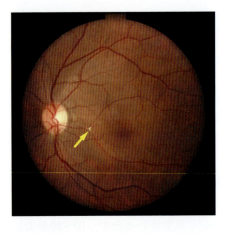

図104 一過性黒内障
乳頭耳側の網膜動脈分岐部に白色のplaqueがある（矢印）

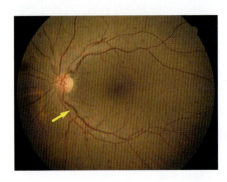

図105 多発性骨髄腫
過粘稠度症候群の特徴である網膜静脈の拡張，蛇行や（矢印），多発する出血斑がみられる

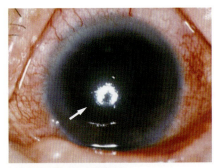

図106 間歇性原発閉塞隅角緑内障と急性原発閉塞隅角緑内障（緑内障発作）
左図のように，頭重感と霧視をきたす浅前房（黒矢印）による間歇性原発閉塞隅角緑内障は数時間で回復するが，発作を繰り返して不可逆性になると右図のように急性原発閉塞隅角緑内障となり，眼圧が上昇して激しい頭痛や眼痛が起こる．充血，角膜浮腫，瞳孔散大もみられる（白矢印）

4 内頸動脈系閉塞性疾患

a) **一過性黒内障**（☞視神経疾患：一過性視力低下）
b) **網膜動脈閉塞症**
- 網膜中心動脈閉塞症（図107）：眼底にcherry-red spot（桜実紅斑）がみられる（眼動脈より中枢側の閉塞では出現しない）．直ちに眼球マッサージを行い，炭酸脱水酵素阻害薬（ダイアモックス®500mg静注）や線維素溶解酵素剤（ウロキナーゼ6万単位点滴静注）を投与するが，視力低下は高度で回復は困難である．
- 網膜動脈分枝閉塞症（図108）：初期には閉塞動脈の灌流領域に一致して白色の網膜浮腫がみられ，弓状暗点を示す．

c) **虚血性視神経症**（☞視神経疾患：虚血性視神経症）
d) **虚血性眼症**（図109, 110）
- 内頸動脈や眼動脈の高度の狭窄や閉塞で起こる．
- 若い女性では高安病（大動脈炎症候群）を考える．
- 前眼部症状：上強膜血管が拡張し，瞳孔散大，虹彩ルベオーシス，血管新生緑内障がみられる．
- 後眼部症状：網膜動脈の狭細化や軟性白斑，中間周辺部に毛細血管瘤や散在性火焔状出血がみられ，網膜静脈の拡張を伴う静脈うっ滞網膜症が起こる．虚血状態が持続すると視神経，網膜とも萎縮となる．

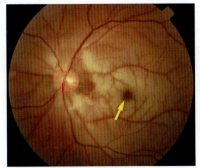

図107 網膜中心動脈閉塞症
網膜全体が浮腫により白色となり，黄斑部の赤味が目立つcherry-red spot（桜実紅斑）がみられる（矢印）

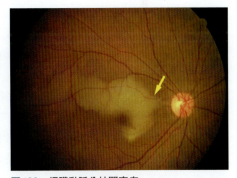

図108 網膜動脈分枝閉塞症
乳頭耳側の網膜動脈が塞栓で閉塞し（矢印），灌流領域の網膜が浮腫により白色となる

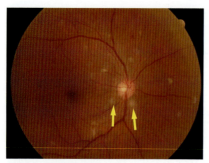

図109 虚血性眼症
右内頸動脈閉塞により網膜動脈は狭細となり，軟性白斑が散在して（矢印）出血点もみられ，網膜静脈も拡張している

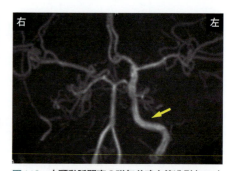

図110 内頸動脈閉塞の磁気共鳴血管造影（MRA）画像
左内頸動脈は正常に描出されるが（矢印），右内頸動脈は閉塞のため描出されない

- 内頸動脈狭窄に対する外科的治療が必要である．虹彩ルベオーシスや血管新生緑内障に対しては，汎網膜光凝固術が適応になる．

5 若年者の両眼緩徐進行性視力低下

a）常染色体優性視神経萎縮（☞視神経疾患：遺伝性，家族性視神経萎縮）
b）錐体ジストロフィー（図111）
- 10～30歳台にみられる，錐体の障害が先行する錐体杆体ジストロフィーである．
- 両眼の視力低下と色覚異常，羞明が主症状である．
- 自覚症状が検眼鏡的変化に先行するのが特徴であり，進行するとbull's eye maculopathy（標的黄斑症）がみられる．
- photopic ERG（明所視網膜電図）の著明な減弱で診断が確定する．

c）網膜色素変性症（図112）
- 30歳までに発症する，杆体の障害が先行する杆体錐体ジストロフィーである．
- 両眼の視野狭窄（輪状暗点，求心性狭窄）と夜盲が主症状である．
- 網膜動脈の狭細化，網膜色素粗造，骨小体様色素斑，視神経萎縮を伴う．
- scotopic ERG（暗所視網膜電図）のb波の減弱が検眼鏡的変化に先行し，進行すると無反応となる．

D 視神経疾患診察の留意点

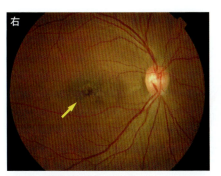
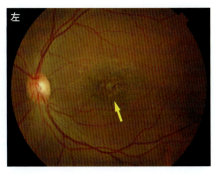

図111 錐体ジストロフィー
視力低下と色覚異常があり，両眼とも黄斑部の色素が粗造となり，bull's eye maculopathy（標的黄斑症）の所見を示す（矢印）

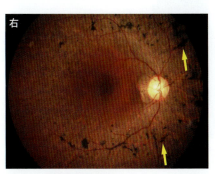
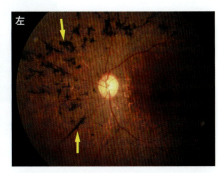

図112 網膜色素変性症
夜盲と視野狭窄があり，網膜色素が粗造で骨小体様色素斑がみられる（矢印）．視神経乳頭は蒼白で網膜動脈の狭細化も目立つ

6 機能性（心因性）弱視（図113〜115）

a) 特徴
- 女性に多い．
- 視力低下は両眼性より片眼性が多い．
- 両眼性では視力に左右差がない．
- 遠方視力と近方視力に差があることが多い．
- 視野異常（求心性狭窄，片眼耳側半盲）や色覚異常の訴えを伴うことが多い．

b) 診断
- 器質的疾患の除外が絶対に欠かせない．特に，内反症，円錐角膜，黄斑疾患，網膜色素変性症に注意する．

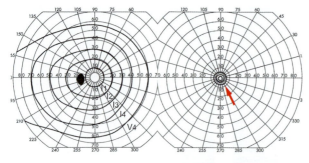

図113 右眼機能性弱視のGoldmann視野
右眼の視力低下を訴えた11歳女児．Goldmann視野では高度の求心性狭窄が検出されるが（矢印），手指視標を用いた対座法では異常はない．Marcus Gunn瞳孔も検出されない

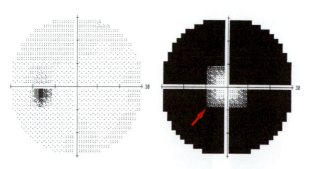

図114 右眼機能性弱視のHumphrey視野
Goldmann視野同様，高度の求心性狭窄が検出されるが（矢印），手指視標による対座法では異常はない

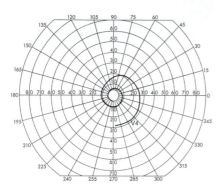

図115 左機能性弱視のGoldmann視野
求心性狭窄と，測定毎に反応が低下するらせん状視野を示す

- Marcus Gunn瞳孔の有無を確認する．片眼性症例で視神経疾患を除外する決め手となる．
- 同じジオプトリーの凹レンズと凸レンズを合わせて矯正するなどの，作為的視力検査を行うこともある．
- Goldmann視野検査やHumphrey視野検査では，求心性視野狭窄が検出されやすいが，対座法では正常のことが多い．特に小児では，この対座法の所見

が診断の決め手となる．
- Goldmann視野検査でらせん状視野を示すことがある．
- Titmus stereo testなどの立体視検査も診断に有用である．両眼や片眼に高度の視力低下を訴えても，立体視が獲得されていれば，機能性弱視の可能性が高い．
- 視運動性眼振検査も高度の視力低下を訴える症例では有効である．機能性弱視では，視力低下の訴えが高度でも視運動性眼振は解発される．
- 通常では眼鏡が必要ない程度の軽度の屈折異常がある場合，眼鏡装用で改善することがある．しかし根本的な治療ではないため，眼科だけで診察を続けることは避け，小児科や精神科にカウンセリングを依頼すべきである．

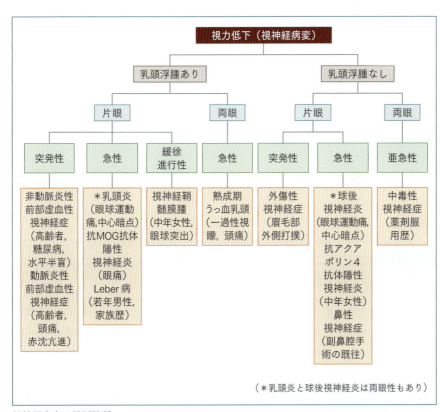

視神経疾患の鑑別診断

Column

小児の一過性視力低下

成人で一過性視力低下を訴えることは多く，持続時間や合併症状から原因を同定することは容易である．一方，小児で一過性視力低下を訴えることは少ないが，痙攣や意識消失などの合併症状がない時は，両眼性ならば絶対に遠視を忘れてはならない．

また，片眼性ならば，偽乳頭浮腫として知られている視神経乳頭ドルーゼンや傾斜乳頭などの隆起性乳頭を疑う．

Chapter 12

視路疾患

A 視路病変

1 視交叉病変

a）一般的特徴

❶視力低下
- 多くが発症初期には片眼の視力低下しか示さない．
- 進行すると両眼の視力が低下するが，視力に左右差があることが特徴である．
- 徐々に進行する左右差のある両眼の視力低下をみたら，まず視交叉病変を考える．
- 視力不良眼にMarcus Gunn瞳孔が検出されるが，まれに視力差が大きくても検出されないことがある．

❷視野異常

両耳側半盲（図1〜4）
- 視野異常の自覚はない．あるとしても全体に視野が狭いと感じる程度である．
- 耳側半盲の程度に左右差があることが多い．

連合暗点（図5, 6）
- 一側の視神経視交叉移行部の障害により，視力低下のある患側の中心暗点に，視力良好な健側の上耳側半盲が加わる連合暗点を示すことが多い．
- 片眼の視力低下しか訴えないため，視神経炎と間違いやすい．
- 緩徐に進行する片眼の視力低下があり，Marcus Gunn瞳孔が検出された時は，視力が良好な反対眼の上耳側半盲の有無を必ず確認するのが鉄則である．
- 健側の上耳側半盲の検出には，色視標を用いた対座法がきわめて有効であり，Goldmann視野検査やHumphrey視野検査より簡便で検出感度が高い．（☞基本診察：視野検査）

❸視神経乳頭所見
- 視力不良眼に視神経萎縮がみられる．
- 進行すると両眼とも視神経萎縮となる．
- 帯状萎縮（band atrophy, bow-tie atrophy）が耳側半盲眼に確認できることがあるが，この所見から耳側半盲が発見されることはなく，診断的価値は低い．

❹羞明
- 視交叉病変で起こりやすく，後頭葉病変とともに中枢性羞明の原因となる．

A 視路病変

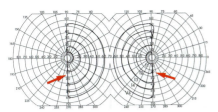

図1 両耳側半盲のGoldmann視野
下垂体腺腫でみられた両耳側半盲．交叉線維（鼻側網膜線維）の障害によって垂直経線で境界される，両眼の耳側視野欠損がみられる（矢印）

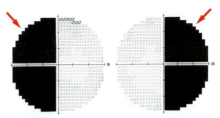

図2 両耳側半盲のHumphrey視野
Humphrey視野でも，垂直経線で境界される両眼の耳側半盲が明瞭である（矢印）

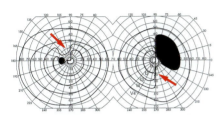

図3 非対称性両耳側半盲のGoldmann視野
両眼とも垂直経線で境界される耳側視野欠損があるが（矢印），右眼のほうが程度が強い．視交叉近傍病変では，このように両耳側半盲に左右差があることが多い

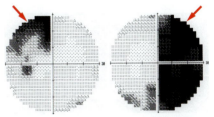

図4 非対称性両耳側半盲のHumphrey視野
Humphrey視野でも，両眼とも垂直経線で境界される耳側視野欠損があるが，右眼のほうが程度が強い（矢印）

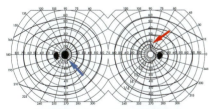

図5 左連合暗点のGoldmann視野
視力低下のある左眼には中心暗点が検出されるが（青矢印），視力が良好な右眼にもわずかな上耳側半盲（赤矢印）が検出される．鞍結節髄膜腫に代表される視神経視交叉移行部病変でみられる

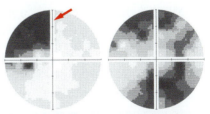

図6 右連合暗点のKowa AP-7000視野
頭痛を伴い，緩徐進行性に右眼の視力が0.5に低下した64歳男性．右眼の中心暗点に加え，視力が1.2と良好な左眼に上耳側半盲が検出され（矢印），下垂体腺腫と診断された

❺頭痛

- トルコ鞍内から進展する下垂体腺腫，Rathke囊胞，下垂体炎では，トルコ鞍隔膜を刺激して非特異的頭痛が出現することが多く，診断の手がかりとなる．

b）下垂体腺腫

❶分類

ホルモン産生腺腫

- ホルモン異常による全身症状で発見できるため，10mm以下の微小腺腫でも診断が可能である．

  - **プロラクチン産生腺腫**：女性では無月経や乳汁分泌がみられる．男性例は少ないが，インポテンツや性欲低下が起こる．ホルモン産生腺腫で最も頻度が高い
  - **成長ホルモン産生腺腫**：小児に発症すると巨人症（高身長，指の伸長，眉弓部の膨隆，下顎の突出）(図7)，成人発症では末端肥大症（手足，鼻，口唇の肥大）(図8)となる
  - **副腎皮質刺激ホルモン産生腺腫**：Cushing症候群（満月様顔貌）がみられる

ホルモン非産生腺腫

- 40～50歳台の男性に起こりやすい．
- 視力低下で発見される．
- 10mm以上の巨大腺腫で，視交叉圧迫症状がないと診断は困難である．

❷特徴 (図9～12)

- ほとんどの症例がトルコ鞍隔膜を刺激して非特異的頭痛を訴えることから，原因不明の頭痛をみたら本症も考慮する．
- 下方から視交叉を圧排するため，初期には上方視野欠損優位の両耳側半盲を示す．
- 上方ではなく側方に進展する症例では，動眼神経麻痺が初発症状となる．有痛性動眼神経麻痺をみたら，本症も鑑別する必要がある．
- ごくまれにシーソー眼振がみられることがある．
- **頭部単純X線**：トルコ鞍の拡大やdouble floor signがみられる．
- **CT**：トルコ鞍内から視交叉槽に進展する腫瘤として描出され，造影を行うとより分かりやすい．
- **MRI**：T_1強調画像で低～等信号，T_2強調画像で中等度高信号となり，造影剤で増強される．前額断や矢状断で観察すると，視交叉まで病変が及んでいるか判断できる．
- 妊娠時に下垂体腺腫が腫大し，視力低下や視野異常を引き起こすことがある．発症時期は妊娠第14週以前と第24週以降の2峰性を示す．分娩後に回復する．

A 視路病変

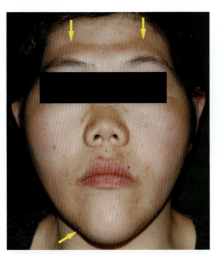

図7 成長ホルモン産生下垂体腺腫による巨人症
小児期に発症しており，高身長，指の伸長，眉弓部や下顎の突出がみられる（矢印）

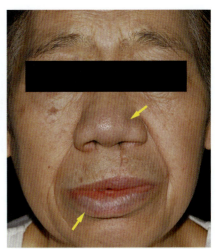

図8 成長ホルモン産生下垂体腺腫による末端肥大症
成人期に発症しており，手足，鼻，口唇の肥大がみられる（矢印）

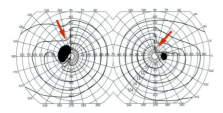

図9 下垂体腺腫のGoldmann視野
視交叉を下方から圧排するため，初期には上方視野優位の両耳側半盲がみられる（矢印）

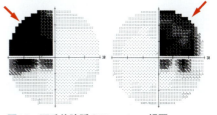

図10 下垂体腺腫のHumphrey視野
Goldmann視野同様，初期には上方視野優位の両耳側半盲となる（矢印）

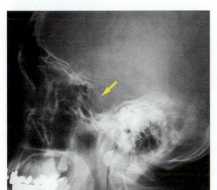

図11 下垂体腺腫のトルコ鞍単純X線像
トルコ鞍は拡大し，左右差があるためdouble floor signがみられる（矢印）

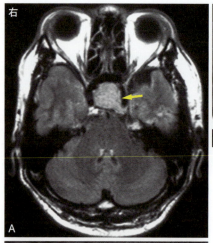
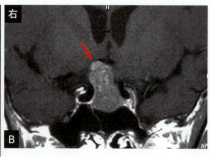
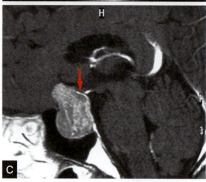

図12　下垂体腺腫のGd造影MRI T₁強調画像
A　水平断，B　前額断，C　矢状断．
Aの水平断ではトルコ鞍部に増強効果のある腫瘍が描出される（黄矢印）．Bの前額断とCの矢状断は，視交叉に障害が及んでいるかを判断するのに有効である（赤矢印）

- プロラクチン産生腺腫ではブロモクリプチン（1日2.5mg）が有効である．
- 下垂体腺腫を含め，視交叉近傍腫瘍では腫瘍摘出術後も視機能の経過を観察し，脳神経外科と情報を共有することが大切である．

❸下垂体卒中（図13）
- 下垂体腺腫内に出血が起こり，容積が急激に増大した状態である．
- 激烈な頭痛や急激な両眼視力低下が起こり，ホルモン産生能が低下してショック状態になる．
- 動眼神経麻痺が出現しやすく，早期診断に重要な所見である．
- CT，MRI：下垂体腺腫内に境界線（niveau）を形成する出血が描出される．
- 下垂体腺腫の経過観察中に症状が確認されたら，直ちに脳神経外科へ連絡する．
- 早期に副腎皮質ステロイド薬や外科的処置を行わないと，生命予後が不良と

A 視路病変

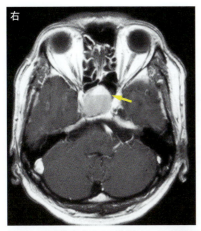
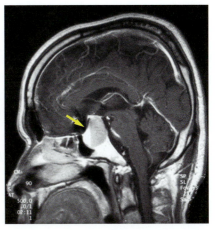

図13 下垂体卒中のGd造影MRI T₁強調画像
激しい頭痛と両眼の急激な視力低下が出現した52歳男性．腫大した下垂体腺腫内に境界線（niveau）を形成する出血がみられる（矢印）

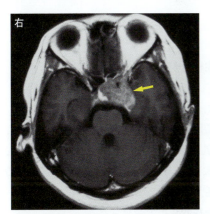
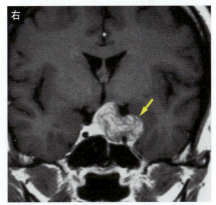

図14 鞍結節髄膜腫のGd造影MRI T₁強調画像
左眼に緩徐進行性の視力低下があり，Goldmann視野で左連合暗点が検出された36歳女性．左鞍結節部に増強効果のある腫瘤が描出される（矢印）

なる危険な疾患である．

c）髄膜腫
❶分類
- 腫瘍の発生部位で異なる症状を示す．

鞍結節髄膜腫（図14）
- 連合暗点がみられる代表的な疾患である．

嗅窩部髄膜腫（図15）
- 嗅窩部髄膜腫と蝶形骨隆起部髄膜腫があり，嗅覚低下，前頭葉症状（記憶力障害，判断力低下，人格変化），視力低下，視野異常を示す．うっ血乳頭は両者にみられ，嗅窩部髄膜腫はFoster Kennedy症候群を示す代表的な疾患である．視機能障害は蝶形骨隆起部髄膜腫のほうが起こりやすい．
- 蝶形骨隆起部髄膜腫と鞍結節髄膜腫は，鞍上部髄膜腫とも呼ばれる．

蝶形骨縁髄膜腫（図16, 17）
- 初期には片眼視力低下と鼻側視野欠損がみられる．

❷特徴
- 40歳台以降の女性に多い．
- 頭部単純X線やCTで，トルコ鞍や蝶形骨の骨肥厚や過骨化がみられるのが特徴である．
- CTで等吸収域，MRIで等信号のため見逃されやすい．増強効果が強いことから造影剤検査が必須である．
- 妊娠で増大し，視機能障害が増悪することがある．下垂体腺腫とは異なり，分娩後も視機能障害を残すことが多い．
- 術後の再発率は高いが成長が遅く，視機能障害の進行は緩徐である．

d) 頭蓋咽頭腫（図18, 19）
- 好発年齢は小児と中年の2峰性を示す．
- 小児：鞍上部に進展してMonro孔を閉塞し，水頭症を発症することが多い．うっ血乳頭が持続して萎縮期うっ血乳頭となり，視力低下も起こりやすい．ただし，視機能障害より小人症（小太り），尿崩症，傾眠，精神症状などの下垂体機能低下症や視床下部症状で発見されることが多い．
- 成人：視交叉の圧迫による視力低下や視野障害で発見される．
- 視交叉を上方から圧排するため，初期には下方視野欠損優位の両耳側半盲を示す．
- 頭部単純X線：トルコ鞍の平皿状圧排像やトルコ鞍上の石灰化がみられる．
- CT：不均質な吸収域となり，3C徴候（calcification：石灰化，cyst formation：囊胞形成，contrast enhancement：造影剤による増強効果）を示すことが特徴である．
- MRI：T_1強調画像で等信号域，T_2強調画像で高信号域となる．
- 術後の再発が常に問題となる．

A 視路病変

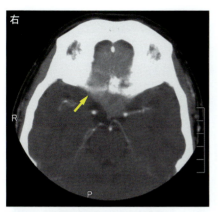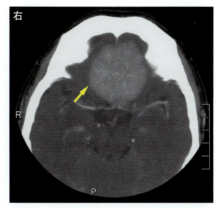

図15 嗅窩部髄膜腫の造影CT画像
嗅覚低下があり，嗅窩に増強効果のある大きな腫瘤がみられる（矢印）

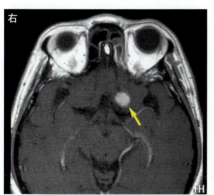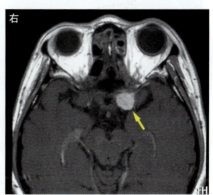

図16 蝶形骨縁髄膜腫のGd造影MRI T_1 強調画像
左眼に緩徐進行性の視力低下があり，左蝶形骨縁に増強効果のある腫瘤がみられる（矢印）

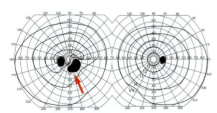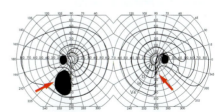

図17 左蝶形骨縁髄膜腫のGoldmann視野
視力低下のある左眼に下鼻側視野狭窄が検出される（矢印）

図18 頭蓋咽頭腫のGoldmann視野
視交叉を上方から圧排するため，初期には下方視野優位の両耳側半盲がみられる（矢印）

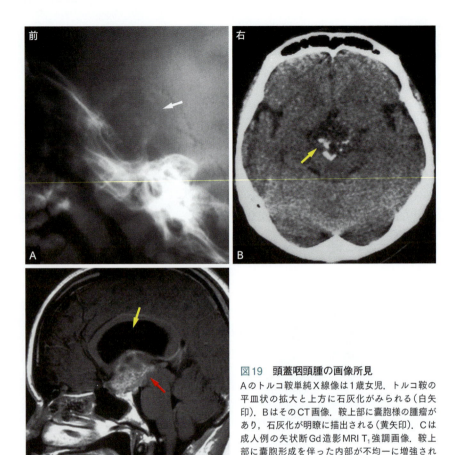

図19 頭蓋咽頭腫の画像所見
Aのトルコ鞍単純X線像は1歳女児．トルコ鞍の平皿状の拡大と上方に石灰化がみられる（白矢印）．BはそのCT画像．鞍上部に囊胞様の腫瘤があり，石灰化が明瞭に描出される（黄矢印）．Cは成人例の矢状断Gd造影MRI T_1 強調画像．鞍上部に囊胞形成を伴った内部が不均一に増強される腫瘤があり（赤矢印），上方に進展してMonro孔を閉鎖し，水頭症を引き起こしている（黄矢印）

e) 他の腫瘍性病変

❶視交叉神経膠腫（図20）

- 小児にみられる．
- 視神経膠腫や神経線維腫症（neurofibromatosis type 1）がある．
- 視床下部障害により思春期早熟症や肥満が起こる．
- 片眼または両眼の視力低下，両耳側半盲，視神経萎縮がみられる．
- 単眼性水平または回旋眼振を伴うことがある．小児で単眼性眼振をみたら，spasmus nutansか本症を考える．
- 画像所見では，CT，MRIで視交叉から連続する鞍上部腫瘍として描出される．

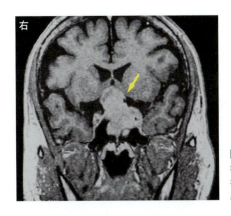

図20 視交叉神経膠腫のGd造影MRI T₁強調画像
視交叉から上方に進展する，増強効果のある腫瘤が描出される．視床下部を圧迫して，思春期早熟症や肥満がみられる（矢印）

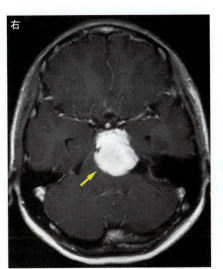
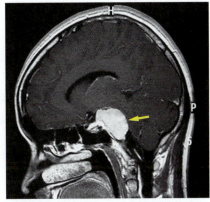

図21 脊索腫のGd造影MRI T₁強調画像
斜台部から視交叉槽まで進展し，視交叉を圧迫する増強効果の強い腫瘤がある（矢印）

❷脊索腫（図21）

- 40歳台に多い．
- 鞍部脊索腫は，両耳側半盲や下垂体機能低下症を起こす．
- 斜台部脊索腫は，両側外転神経麻痺をきたす代表的な疾患である．
- 画像所見では，MRI T₁強調画像で低信号域，T₂強調画像で均質な高信号域を示す．矢状断がより分かりやすい．

❸ 胚細胞腫（異所性松果体部腫瘍）（図22）

- 若年者，特に10歳以下にみられる．
- 鞍上部胚細胞腫は尿崩症を合併しやすい．
- 下方に進展すると，視交叉圧排による両耳側半盲や，視索圧排による反対側の不一致性同名半盲を示す．側頭葉膨隆病変とともに，視索障害を引き起こす代表的な疾患である．
- 不一致性同名半盲を示す症例では，滑車神経麻痺やHorner症候群を合併することがある．
- 血清αフェトプロテイン（AFP）やヒト絨毛性性腺刺激ホルモン（HCG）の上昇が診断に役立つ．

❹ Rathke嚢胞（図23）

- トルコ鞍内の遺残嚢胞で，上方に進展すれば視交叉障害を起こす．
- トルコ鞍の拡大はみられず，CTで低吸収域，MRI T_2強調画像で均質な高信号域の嚢胞様腫瘤が描出される．

❺ トルコ鞍空虚（empty sella）（図24）

- 肥満した中年女性に起こりやすい．
- 特発性頭蓋内圧亢進症に合併することが多い．
- MRI T_1強調画像でトルコ鞍内が低信号，T_2強調画像で高信号となり，下垂体が圧排されて菲薄化している所見が特徴である．
- 視機能障害をきたすことはほとんどなく，経過観察で十分である．

f) 炎症性病変

❶ リンパ球性下垂体炎（図25）

- 妊娠中の若い女性にみられる．
- 下垂体腫大による視力低下や両耳側半盲を示す．
- 画像所見で下垂体の腫大がみられるが，下垂体腺腫との鑑別は困難である．
- 視機能障害は一過性で自然治癒する．

❷ 視交叉視神経炎（図26, 27）

- 多発性硬化症によるものと特発性とがある．
- 30〜50歳台の女性に多い．
- 視力低下や両耳側半盲がみられる．
- MRIで視交叉の腫脹があり，T_2強調画像で高信号，造影剤で増強される視交叉内病変が描出される．

A 視路病変

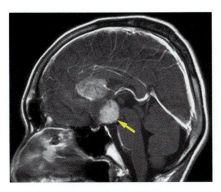

図22 胚細胞腫（異所性松果体部腫瘍）のGd造影 MRI T_1 強調画像
増強効果のある腫瘤が鞍上部に描出される（矢印）．視床にも同様の腫瘍がみられる

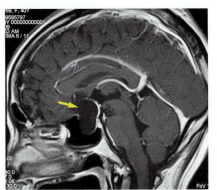 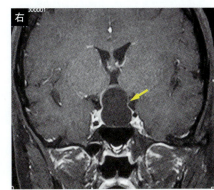

図23 Rathke囊胞のGd造影 MRI T_1 強調画像
トルコ鞍内から上方へ進展する，壁が増強される内容均質な囊胞様腫瘤がある（矢印）

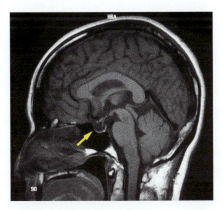

図24 トルコ鞍空虚（emptysella）のMRI T_1 強調画像
特発性頭蓋内圧亢進症の35歳女性．トルコ鞍内が低信号となり，下垂体が圧排されて菲薄化している（矢印）

12 視路疾患

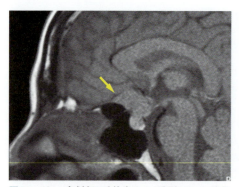

図25 リンパ球性下垂体炎のGd造影MRI T_1 強調画像

妊娠中に視力が低下した39歳女性．以前の妊娠時にも同様の症状があったが，分娩後に自然治癒している．下垂体が腫大して上方に進展し，視交叉を圧迫している（矢印）．画像上は下垂体腺腫と区別できない

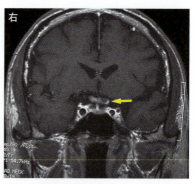

図26 視交叉視神経炎のGd造影MRI T_1 強調画像

視交叉の腫脹と増強効果がみられる（矢印）

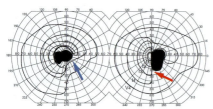

図27 視交叉視神経炎のGoldmann視野

右眼に耳側半盲（赤矢印），左眼には中心暗点が検出されている（青矢印）

- 副腎皮質ステロイド薬（プレドニゾロン1日30 mg）によく反応するが，視神経炎より回復が遅い．
- このほかに，細菌や真菌による髄膜炎や脳炎が原因で視交叉部のくも膜に炎症が起こり，視交叉を障害する視交叉くも膜炎があるが，最近では疾患概念自体が疑問視されている．

g) 動脈瘤（図28）

- 眼動脈分岐部内頸動脈瘤では，片側視神経障害と鼻側半盲がみられる．
- 鞍上部内頸動脈瘤は，片側視神経障害，および上方視野欠損優位の両耳側半盲を示す．
- CT，MRIで，造影剤で内部が増強される円形腫瘤となり，MRAやCTAで確定する．
- 前交通動脈瘤のクリッピング術時に，視交叉上部（背側）に分布する細血管

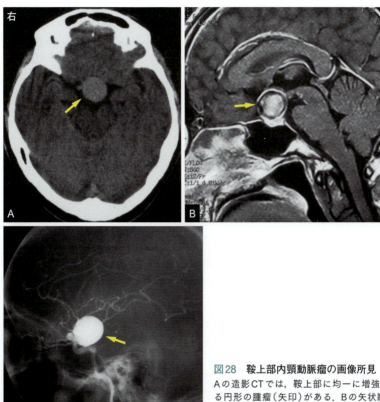

図28 鞍上部内頸動脈瘤の画像所見
Aの造影CTでは，鞍上部に均一に増強される円形の腫瘤（矢印）がある．Bの矢状断Gd造影MRI T_1 強調画像では，鞍上部に壁と内容が増強効果を示す円形の腫瘤がみられる．Cの頸動脈造影で巨大動脈瘤と診断された

が障害され，急激に両眼の視力低下や両耳側半盲が起こることがある．

h）放射線障害

- 視交叉部や眼窩部への放射線治療後3年以内に発症するのが特徴であり，特に1年過ぎに好発する．放射線視神経症も同様の病態を示す．
- 照射量が60Gyを超えると危険性が高い．全脳照射ではより低照射量でも発症する．
- 高齢，化学療法併用，視交叉の圧迫，末端肥大症による前頭洞の拡大，糖尿病の合併などが危険因子である．
- 視力低下は急激で高度であり，有効な治療はない．

i) 視交叉病変と誤りやすい疾患

❶両耳側半盲様視野欠損

- 垂直経線で境界がない両耳側視野欠損である．

> - 傾斜乳頭症候群：下方コーヌスと血管逆位を伴う
> - マリオット盲点拡大：うっ血乳頭や，MEWDSやAZOORなどの網膜色素上皮病変でみられる（☞視神経疾患：マリオット盲点の拡大を示す疾患）
> - 大きな盲点中心暗点：エタンブトール視神経症でみられることがある（☞視神経疾患：中毒性視神経症）
> - 上眼瞼皮膚弛緩（図29）：上眼瞼外側部に強く，高齢者の多くにみられる．側方視時のみ単眼視となるため，側方視時にめまいを訴えることがある

- 機能性（心因性）：両眼ではなく，片眼の耳側半盲を訴えることが特徴である．対座法で，片眼の耳側半盲に加え，両眼開放下でも障害眼の耳側半盲に一致した半盲が検出され，容易に診断できる（図30，31）．

❷両鼻側半盲様視野欠損

- 垂直経線で境界がない両鼻側視野欠損である．

> - 網膜型欠損：網膜分離症，網膜色素変性症，網脈絡膜変性などでみられる
> - 乳頭関連型欠損：大部分が緑内障であるが，慢性期うっ血乳頭でも下鼻側に起こる
> - 半盲型欠損：機能性（心因性）でみられるが，耳側半盲の訴えよりまれである

2 視索病変（図32, 33）

- 視路病変中，外側膝状体病変に次いで頻度が低い．
- 左右眼で同名半盲の程度に差がある不一致性同名半盲が特徴である．
- 視力低下は起こらない．
- 健側の視神経乳頭が帯状萎縮となることがある．
- 健側にRAPDが検出されることがある．
- 内頸動脈から分岐した前脈絡叢動脈と，後交通動脈の細枝による二重血管支配のため，血管閉塞障害では起こらず，ほとんどが隣接する中脳や側頭葉の腫瘍や出血などの膨隆病変や，鞍上部胚細胞腫の下方進展（滑車神経麻痺とHorner症候群を合併）による圧迫障害である．また，頭部外傷でも起こる．

A 視路病変

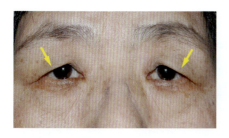

図29 上眼瞼皮膚弛緩
両上眼瞼外側部の皮膚弛緩のため（矢印），両耳側の視野狭窄がある．弛緩した皮膚を他動的に吊り上げると症状は消失する

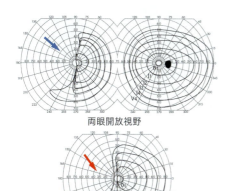

図30 機能性視野障害（耳側半盲）のGoldmann視野
17歳男性．左眼がみづらいと訴え来院した．Goldmann視野では左眼に耳側半盲が検出されるが（青矢印），両眼開放下でも左眼にみられた左眼の半盲が検出され（赤矢印），器質的障害では説明できない所見を示す

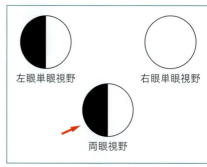

図31 機能性視野障害（耳側半盲）の対座法
上段は片眼ずつの対座法．Goldmann視野同様，左眼に耳側半盲が検出される．下段は両眼開放下での対座法で，やはり右眼の鼻側視野で補えるはずの左側に半盲が検出され（矢印），機能性障害であることが分かる

12 視路疾患

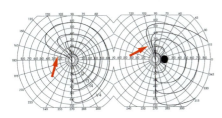

図32 右視索病変のGoldmann視野
左同名半盲であるが，右眼の鼻側半盲のほうが左眼の耳側半盲より強く，同名半盲の程度が左右の眼で異なる不一致性同名半盲を示す（矢印）

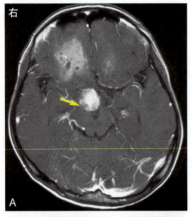 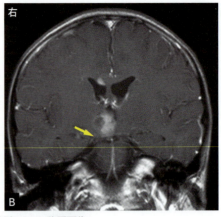

図33　右視索障害を示した胚細胞腫のGd造影MRI T_1強調画像
Aの水平断とBの前額断で，右視索が腫瘍で圧迫されている所見がみられる（矢印）．

3　外側膝状体病変（図34〜36）

- 発症頻度はきわめて低い．
- 特徴ある同名半盲を示す．多くは後大脳動脈の分枝の外側後脈絡叢枝の閉塞による水平楔状または分節状楔状欠損型同名半盲であるが，まれに前脈絡叢動脈の閉塞により水平楔状同名性視野残存が起こることがある．
- 視力低下は起こらない．

4　側頭葉病変（図37〜42）

- 下方網膜からの線維が障害され，上1/4同名半盲を示す．
- 側頭葉前端のMeyer係蹄の病変では，視野の上方が楔状に欠損するpie in the sky型同名半盲がみられる．
- 後頭葉に近づくにつれ完全な上1/4同名半盲となる．
- 視力低下は起こらない．
- 意識が混濁し，口唇を噛んだり部屋の中を歩き回るなど，その場にそぐわない行動を示す精神運動発作を合併することがある．
- 髄膜腫などの腫瘍性病変の頻度が高いことから，頭痛を訴えることが多い．

A 視路病変

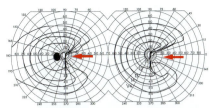

図34 左外側膝状体病変のGoldmann視野
右同名性に水平楔状の視野欠損がみられる（矢印）．外側後脈絡叢枝の閉塞が考えられる

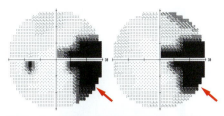

図35 左外側膝状体病変のHumphrey視野
両眼とも，右同名性に水平楔状の特徴ある視野欠損がみられる（矢印）

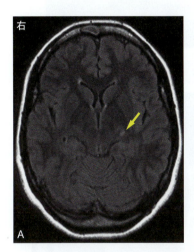

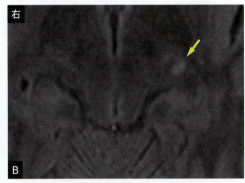

図36 左外側膝状体梗塞のMRI FLAIR画像
A　MRI FLAIR画像，B　拡大像．
左外側膝状体に限局した梗塞巣がある（矢印）

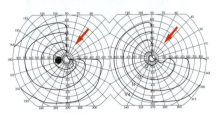

図37 左側頭葉病変のGoldmann視野
両眼とも，垂直経線を境界にして右上方視野が欠損する右上1/4同名半盲が検出される（矢印）

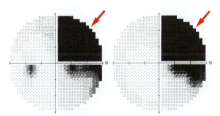

図38 左側頭葉病変のHumphrey視野
両眼とも，垂直経線を境界にして同名性に右上方視野が欠損している（矢印）

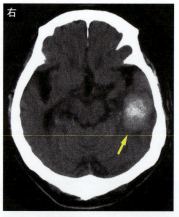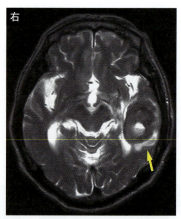

図39　左側頭葉出血のCTとMRI T_2強調画像
左側頭葉に浮腫を伴った出血がある（矢印）

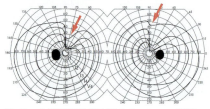

図40　左側頭葉前端病変のGoldmann視野
左側頭葉前端のMeyer係蹄の病変で，両眼とも垂直経線を境界にして右上方視野が同名性に楔状に欠損するpie in the sky型同名半盲の形を示す（矢印）

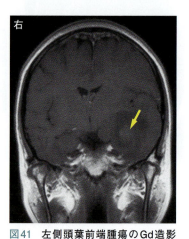

図41　左側頭葉前端腫瘍のGd造影 MRI T_1強調画像
左側頭葉前端に浮腫を伴った腫瘍が描出される（矢印）

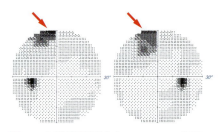

図42　右側頭葉前端病変のHumphrey視野
突然ボーとして奇妙な行動をとる精神運動発作を指摘された53歳男性．右側頭葉前端に孤立性線維性腫瘍が発見され，pie in the sky型左同名半盲を示す（矢印）

5 頭頂葉病変（図43〜46）

- 上方網膜からの線維が障害され，下1/4同名半盲を示す．
- 視力低下は起こらない．
- 患側方向への滑動性追従運動の障害がみられる．
- 視運動性眼振（OKN）の非対称が特徴であり，患側方向（非同名半盲側）へは解発良好，健側方向（同名半盲側）へは解発不良となる．後頭葉病変との有力な鑑別点となる．板付きレンズを左右に動かして追視してもらうと観察できる．
- 半側空間無視も後頭葉病変との鑑別点である．劣位半球病変（左同名半盲）のほうが優位半球病変（右同名半盲）より起こりやすい．（☞基本診察：半側空間無視の検査）
- 脳出血や脳腫瘍が多く，脳梗塞は少ない．

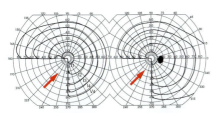

図43　右頭頂葉病変のGoldmann視野
両眼とも，垂直経線を境界にして左下方視野が欠損する左下1/4同名半盲が検出される（矢印）

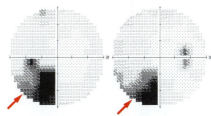

図44　右頭頂葉病変のHumphrey視野
両眼とも，垂直経線を境界にして同名性に左下方視野が欠損している（矢印）

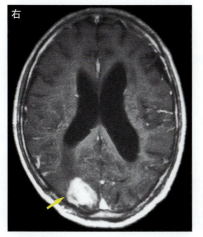

図45　右頭頂葉腫瘍のGd造影MRI T_1強調画像
右頭頂葉に増強効果のある腫瘤が描出され（矢印），肺癌の転移と診断された

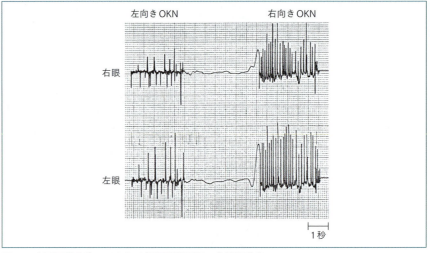

図46　右頭頂葉病変でみられる視運動性眼振の非対称現象
患側方向への滑動性追従運動が障害されるため，両眼とも健側の左方向へ向かう視運動性眼振の解発が不良となる

6 後頭葉病変

a) 一般的特徴（図47〜52）

- 病巣と反対側の左右一致性の同名半盲がみられる．
- 黄斑回避があれば後頭葉内側面病変を考える．
- 黄斑分割があれば視放線病変を考える．
- 片側性病変では視力低下は起こらない．
- 頭頂葉病変とは異なり，OKNの非対称はない．
- 半側空間無視はなく，視線を動かして半盲側の視覚刺激も認知できる．

b) 特徴ある後頭葉病変

❶皮質盲（図53〜55）

- 両側後頭葉梗塞で起こるが，両側同時より，以前の片側後頭葉梗塞に後から他側の後頭葉梗塞が加わることが多い．
- 視力低下が両眼同時に急激に発症する．
- 視力低下の程度が左右同等であることが特徴である．
- 対光反射の異常はみられない．
- 両側同名半盲がみられ，同名半盲の程度が垂直経線を境に左右差を示すvertical

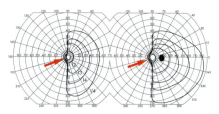

図47　黄斑回避を示す左同名半盲のGoldmann視野
両眼とも垂直経線を境界にして左側の視野が欠損しているが，中心視野だけ残存している（矢印）

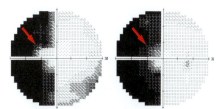

図48　黄斑回避を示す左同名半盲のHumphrey視野
左同名半盲はあるが，中心視野だけ残存している（矢印）

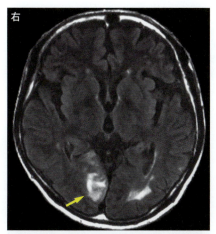

図49　黄斑回避を示す右後頭葉梗塞のMRI FLAIR画像
右後頭葉内側面に限局した梗塞巣が描出される（矢印）．後頭極には病変が及んでいない

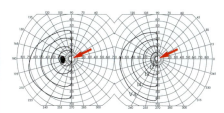

図50　黄斑分割を示す右同名半盲のGoldmann視野
両眼とも，垂直経線を境界にして右側の視野が中心視野を含め完全に欠損している（矢印）

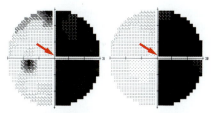

図51　黄斑分割を示す右同名半盲のHumphrey視野
中心視野を含む右同名半盲が検出される（矢印）

stepが必ず検出される．しかし実際には，対座法で周辺部のわずかな同名性の残存視野の確認が診断の決め手となることが多い．
- 視力低下を自覚しないかまたは否定するAnton症候群を示すこともある．
- 血管障害危険因子を有する高齢者に多い．
- 脳梗塞の既往が重要であり，特に片側後頭葉梗塞の既往があれば，ほぼ確実である．

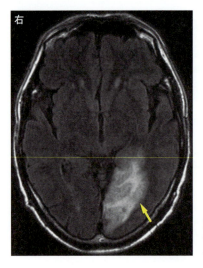

図52 黄斑分割を示す左後頭葉梗塞のMRI FLAIR画像
後頭極に向かう中心視野の線維を含め，左視放線全体に及ぶ梗塞巣が描出される（矢印）

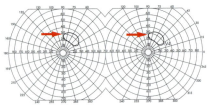

図53 両側同名半盲のGoldmann視野
両眼の視力が突然手動弁まで低下した78歳男性．両眼とも右上方に同名性にわずかに視野が残存しているが，他の部位の視野は完全に欠損している（矢印）

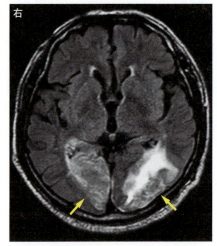

図54 両側後頭葉梗塞のMRI FLAIR画像
両側視放線から後頭葉に及ぶ梗塞巣があり（矢印），皮質盲の所見である

- CT，MRIでは早期診断は不可能であるが，MRI拡散強調画像はある程度有効である．
- 早期診断には，CTやMRIによる陳旧性の脳梗塞の所見が最も重要で，特に片側後頭葉梗塞があれば診断はほぼ確定する．

A 視路病変

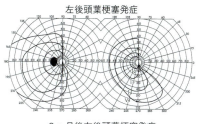
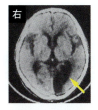
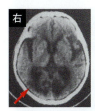

図55 片側後頭葉梗塞から両側後頭葉梗塞への進行例のGoldmann視野とCT画像
左後頭葉梗塞(黄矢印)による右同名半盲で発症し，9カ月後に右後頭葉梗塞(赤矢印)が加わり両側同名半盲となった．両側後頭葉梗塞は両側同時発症より，片側性から時期をずらして両側性となることが多い

- 画像検査による早期診断が困難なため，診断における眼科の役割はきわめて高い．
- 診断後速やかに神経内科へ治療を依頼する．
- 予後は比較的良好であるが，周辺視野がわずかにしか残存していない症例では不良である．

❷ 中心性同名半盲（図56〜59）

- 後頭極病変による，中心視野だけにみられる同名性暗点である．
- 傍中心暗点を自覚し，横書きの文章が読みづらいと訴える．
- 視力低下は起こらない．

Column

視索病変の瞳孔

視索病変では，患側眼は耳側網膜，健側眼は鼻側網膜からの刺激が伝わらないため，耳側網膜しか光刺激に反応しない健側眼の直接対光反射が，鼻側網膜しか反応しない患側眼と比べ減弱し，RAPDが検出されることがある．Wernicke's hemianopic pupilまたは半盲性瞳孔強直として知られているが，臨床的な価値は低い．また，Behr's pupilと呼ばれる，鼻側網膜しか反応しない患側眼の瞳孔が健側眼の瞳孔より縮小する瞳孔不同（contraction anisocoria）も知られているが，臨床で確認できたことはない．

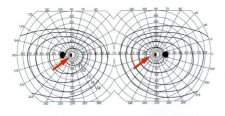

図56 左中心性同名半盲のGoldmann視野
両眼とも，左中心視野に同名性の暗点が検出される（矢印）

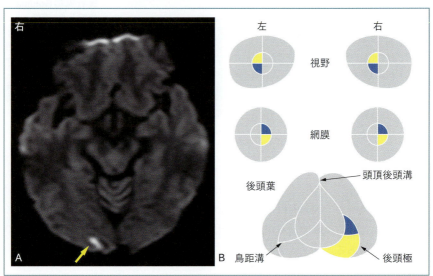

図57 左中心性同名半盲のMRI拡散強調画像と病巣局在
Aで右後頭極に微小な梗塞巣が描出される（矢印）．Bに視覚障害と後頭葉病変の局在を示す．Bの最下図は後頭葉内側面を後方から見た図である．黄・青色で示す右後頭極病変で中心視野のみ左同名半盲となる

- 後頭極は後大脳動脈と中大脳動脈の両者の血管支配を受けている分水嶺（分水界）のため，単一の血管閉塞では発症しないが，ショックなど脳全体の高度の乏血ではむしろ起こりやすい．
- 両側中心性同名半盲：きわめてまれではあるが，ショックなどで両側後頭極が障害されて起こることがある．視力低下が両眼に急激に起こるため，両側の視神経病変と間違うことがある．両眼対称性の中心暗点と，垂直経線を境に暗点に左右差があるvertical stepが確認できれば診断できる．

❸**耳側半月**（図60, 61）
- 健側の耳側周辺視野が半月状に残存する．
- 後頭葉内側面の限局的な病変で起こり，最前部の単眼視野に相当する部位の

A 視路病変

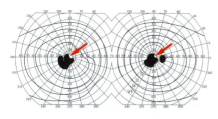

図58 両側中心性同名半盲のGoldmann視野
突然，悪心，嘔吐と意識消失が起こり，2時間後に意識は回復したが，両眼とも高度に視力が低下した45歳男性．垂直経線で段差のある両側中心性同名半盲の形を示す（矢印）

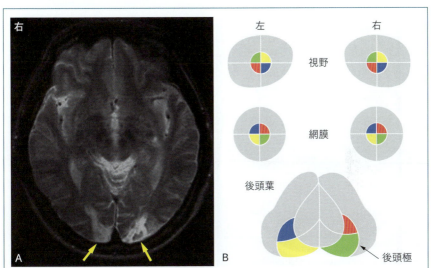

図59 両側中心性同名半盲のMRI T₂強調画像と病巣局在
Aで両側の後頭極に梗塞巣がみられる（矢印）．Bに視野障害と後頭葉病変の局在を示す．黄・青色で示す左後頭極病変で中心視野のみ右同名半盲，緑・赤色で示す右後頭極病変で中心視野のみ左同名半盲となる

障害が回避された時に出現する．
- 視放線の病変では出現しない．
- まれに後頭葉内側面最前部のみ限局的に障害されることがあり，患側の視野は正常，健側は耳側周辺単眼視野のみが欠損するために円形視野となる．

❹ **両側水平半盲**（図62, 63）
- 両側鳥距溝より下部の後頭葉病変では，水平上半盲（両側上1/4同名半盲）が起こり，大脳性色覚異常が合併しやすい．
- 両側鳥距溝より上部の後頭葉病変では，水平下半盲（両側下1/4同名半盲）となる．

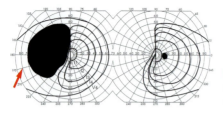

図60　左眼耳側半月のGoldmann視野
左同名半盲があるが，耳側視野が半盲側となる左眼の，最耳側の視野が半月状に残存している（矢印）

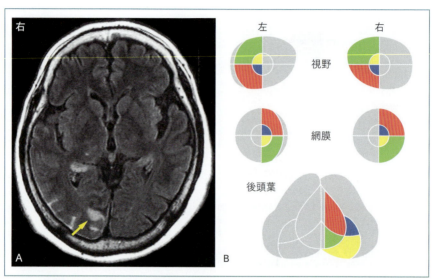

図61　左眼耳側半月のMRI FLAIR画像と病巣局在
Aでは右後頭葉内側面後部に限局した梗塞巣があるが（矢印），最前部の単眼視野に相当する部位には障害が及んでいない．Bに視野障害と後頭葉病変の局在を示す．黄・青色と緑・赤色で示す右後頭葉病変は後頭極から後頭葉内側面に限局し，内側面最前部には障害が及んでいないため，これに対応する左眼の耳側周辺視野が残存する左同名半盲となる

❺交叉性1/4半盲（図64, 65）
- 鳥距溝を境にして，左右後頭葉病変の局在が異なる場合にみられる特異な視野障害である．
- 一側の上1/4同名半盲（同名半盲と反対側の鳥距溝より下部の後頭葉病変）と，反対側の下1/4同名半盲（同名半盲と反対側の鳥距溝より上部の後頭葉病変）が合併した，ひょうたん型となる．

❻可逆性後白質脳症（図66）
- 頭痛，痙攣，意識障害に伴い，両眼の視力が低下する．
- 対光反射は異常ない．

A 視路病変

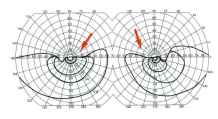

図62　両側水平半盲（上半盲）のGoldmann視野
両眼とも上方視野が欠損している（矢印）

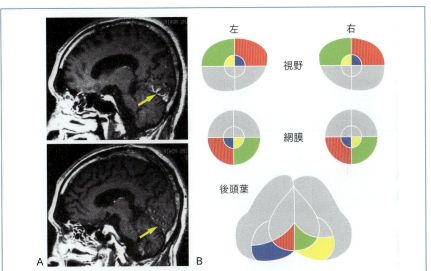

図63　両側水平半盲（上半盲）のGd造影MRI T_1強調画像と病巣局在
Aの上段が右矢状断，下段が左矢状断．両側とも鳥距溝下部の後頭葉に梗塞巣が描出される（矢印）．Bに視野障害と後頭葉病変の局在を示す．赤・青色で示す左後頭葉病変，緑・黄色で示す右後頭葉病変とも鳥距溝の下部に限局しているため両側上1/4同名半盲となり，両眼とも上方視野が欠損する上半盲となる

- 画像所見が診断の決め手となり，MRIで両側後頭葉白質に血管支配とは一致しない病変がみられるのが大きな特徴である．MRI T_1強調画像で低～等信号域，T_2強調画像で高信号域，拡散強調画像で低～等～高信号域，ADC（apparent diffusion coefficient）mapで高信号域となり，血管原性浮腫の所見を示す．
- 2週間以内にMRIの異常所見は消失する．
- 高血圧の治療で，数時間～数日で視機能障害は完全に回復する．
- 原因の大半は子癇前症−子癇と亜急性高血圧症であるが，免疫抑制薬（シクロスポリン，タクロリムス），インターフェロンα，抗癌薬（シスプラチン）などの薬物でも起こる．

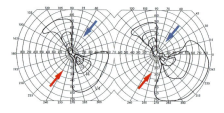

図64 交叉性1/4半盲のGoldmann視野
右上1/4同名半盲（青矢印）と左下1/4同名半盲（赤矢印）が合併したひょうたん型を示す

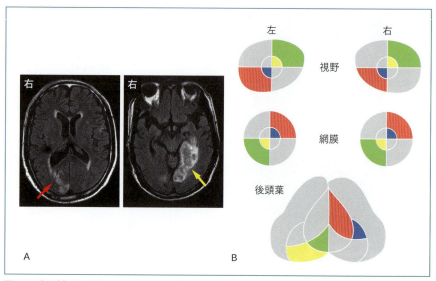

図65 交叉性1/4半盲のMRI FLAIR画像と病巣局在
Aのように，右上1/4同名半盲を引き起こす左後頭葉梗塞（黄矢印）は鳥距溝より下部の後頭葉に，左下1/4同名半盲に相当する右後頭葉梗塞（赤矢印）は鳥距溝より上部の後頭葉に局在する．Bに視野障害と後頭葉病変の局在を示す．緑・黄色で示す左後頭葉病変は鳥距溝の下部にあるため右上1/4同名半盲，赤・青色で示す右後頭葉病変は鳥距溝の上部にあるため左下1/4同名半盲となる

❼ミトコンドリア脳筋症・乳酸アシドーシス・脳卒中様発作症候群（mitochondrial encephalomyopathy, lactic acidosis and stroke-like episodes：MELAS）（図67, 68）

- ミトコンドリア脳筋症の代表的な疾患で，10〜20歳台に多い．
- 血管支配に一致しない後頭葉の脳卒中様所見が特徴であり，画像診断で確認できる．病巣は進行性に拡大する．
- 同名半盲が好発するが，数日で完全に消失する．一過性同名半盲の代表的疾患である．
- 頭痛，痙攣（急性期の70％に出現），片麻痺を合併しやすい．

A 視路病変

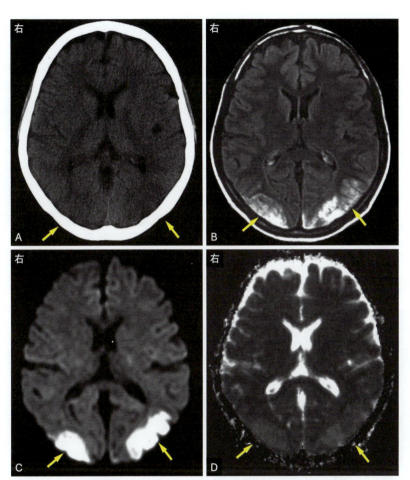

図66 可逆性後白質脳症の画像所見
子癇前症で入院中に両眼の視力が低下した29歳女性．AのCTでは両側後頭葉に軽度の低吸収域があり（矢印），BのMRI FLAIR画像では両側後頭葉白質に高信号域がみられる（矢印）．CのMRI拡散強調画像で高信号となり（矢印），DのADC mapで軽度高信号を示すことから血管原性浮腫の所見であり（矢印），障害が可逆性の可能性を示す

- 低身長も特徴である．
- 血中，髄液中の乳酸値の上昇が診断に役立つ．
- 筋生検でragged red fiberが検出される．
- ミトコンドリアDNA3243塩基配列の変異を示すことが多い．
- 小児で同名半盲をみたら，本症やモヤモヤ病を鑑別する（図69）．

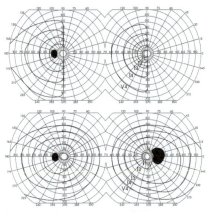

図67　MELASのGoldmann視野
突然頭痛が起こり，右半分の視野が欠損した12歳男児．上段の右同名半盲が5日後には下段のように回復した．血清，髄液中の乳酸値が上昇し，MELASと診断された．以後も発作を繰り返している

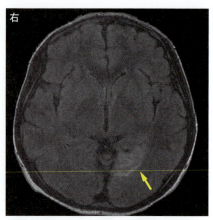

図68　MELASのMRI FLAIR画像
左後頭葉内側面前部に脳梗塞様の高信号域があるが（矢印），血管支配とは一致しない．5日後に右同名半盲は回復し，画像所見も消失した

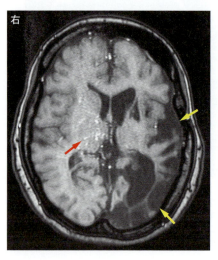

図69　モヤモヤ病のMRA画像
左後頭葉と側頭葉梗塞（黄矢印）による右同名半盲がみられた9歳女児．右大脳基底核に異常に発達した側副血行路が描出される（赤矢印）

- 脳卒中様発作の抑制にタウリンが有効なことがある．
- 小児の同名半盲は外斜視を示すことがある．後天性外斜視をみた時は，眼筋麻痺だけではなく，必ず同名半盲の有無を対座法で調べる．特に副腎白質ジストロフィーの小児大脳型は，中途で発症する外斜視で発見されることが多い．

B 大脳性高次機能障害による視覚異常

1 有線領（V1）病変

a) Anton症候群
- 両側後頭葉病変による皮質盲で，視力低下を自覚しないかまたは否定する．

b) Riddoch現象
- 静的刺激と動的刺激に解離がみられ，同名半盲側でも動く物体は認識できる．

2 後頭葉色覚中枢（V4）病変

- 大脳性色覚異常がみられる．色覚異常を自覚し，色の呼称ができず，仮性同色表も判読不良となる．両側上半盲を示す両側後頭葉下面，紡錘回，舌状回病変で起こる．

3 背側視覚路（where pathway）病変

- 動きや空間視が障害される．

a) 視覚失調
- 視覚刺激に対応する運動が障害され，目の前の物体を掴むことができずに暗がりで探すような動作をする．

b) Balint症候群
- 次の所見を示す症候群で，両側頭頂葉病変で起こる．

> - 視覚失調
> - 精神的注視麻痺：視線を随意に動かせない．前庭眼反射は保たれる
> - 視覚注意障害：視覚刺激に対する注意が低下し，視野の一部しか把握できない

c) 半側空間無視
- 視野障害がないにも関わらず，病巣と反対側の半側視野内の物体を無視する．
- 劣位半球病変で起こりやすい．
- 左同名半盲に伴うこともある．

d) visual inattention
- 対座法で片眼ずつでは異常ないが，両眼開放下で左右同時に同じ視標を提示

すると左同名半盲が検出される．
- 劣位半球病変でみられる．

4 腹側視覚路（what pathway）病変

- 色や形の認知が障害される．

a) 視覚性失認

- 見た物の形が認知できず，その物の意味も理解できないが，触覚や聴覚を利用すれば理解できる．優位半球病変でみられる．

  - 純粋失読：写字は可能だが，書かれた文字を読めず意味も理解できない
  - 色失認：色の呼称はできないが，仮性同色表は判別できる

b) 相貌失認

- 人の顔が識別できないが，声や身振りで認識できる．劣位半球病変で起こる．

5 視覚保続

- 幻視とは異なり，実際に見た物と形が同じ陽性残像が異常に長時間出現する特異な現象である．劣位半球病変で左同名半盲を合併する症例にみられることがあり，短期間で消失するのが特徴である．

  - 時間的視覚保続：視覚対象が消失した後も同じ像が見える現象で，残像が見えると訴える．視線を健側から半盲側に動かした時に出現しやすい
  - 空間的視覚保続：対象が広い範囲に多数見える現象である

6 その他の大脳性視覚異常

a) Charles Bonnet症候群

- 両眼の視力消失例で幻視を訴える現象であるが，片眼視力消失例でも起こることがある．
- 手術後の眼帯や眼軟膏の点入などの眼処置で一過性にみられることがある．
- 精神的には問題なく，社会的疎外で悪化するため，社会活動への参加で回復することが多い．

b) visual snow
- テレビの静止画像（砂嵐）のように，全視野に細かい点状の浮遊物が見える．
- 視覚保続や内視現象，閃光が見える光視症，光過敏，夜盲がなどもみられる．
- 眼科的には異常がなく，片頭痛や耳鳴を合併することが多い．
- 治療法はないが，青色の遮光眼鏡で症状は軽減する．

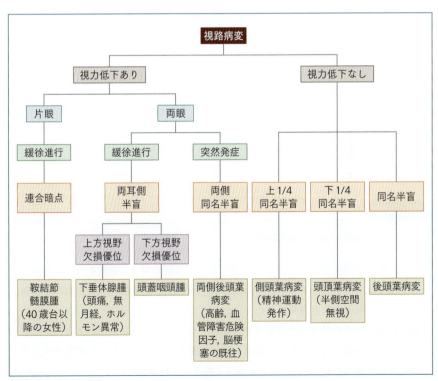

視路疾患の鑑別診断

> **Column**
>
> **Trans-synaptic degeneration**
>
> 近年，後頭葉梗塞症例のOCTによる網膜神経線維層の厚さの検討から，従来は起こり得ないとされていたtrans-synaptic degenerationの存在が示唆されたとの報告がある．しかし，外側膝状体の中央部は迂回槽で後大脳動脈から分岐した外側後脈絡叢枝あるいは視床膝状体枝で支配されており，後大脳動脈閉塞時に後頭葉とともに外側膝状体も同時に障害されている可能性がある．しかも梗塞症例以外ではみられないことから，結論をそのまま鵜呑みにはできない．

索引

あ

亜鉛製剤　317
赤ガラス試験　66
赤視標を用いた対座法　91
亜急性高血圧症　375
悪性リンパ腫　259
朝顔症候群　334
アザチオプリン　305
アシクロビル　238
アスペルギルス症　237
アダリブマブ　303
アトロピン散瞳　277
アプラクロニジン　87
アミオダロン　316
アルコール依存症　128
鞍結節髄膜腫　353
鞍上部髄膜腫　354
鞍上部内頸動脈瘤　360
鞍上部胚細胞腫　358, 362
暗所視網膜電図　342
安静時振戦　31
鞍鼻　238
鞍部脊索腫　357

い

イサブコナゾニウム　244
石原式色覚検査表　89
萎縮期うっ血乳頭　296
異常眼球振動　185
異所性松果体部腫瘍　358
板付きレンズ　75
苺状母斑　222
一過性黒内障　339
一過性視朦　293, 339
一過性視力低下　339
一過性単眼盲　339
一過性同名半盲　376

一致性同名半盲　368
イデベノン　319
遺伝性視神経萎縮　289
稲妻様眼球運動　189
インスリン様増殖因子1受容体抗体　208
インターフェロンα　375
インターフェロンβ　303
インポテンツ　350

う

うっ血乳頭　290
運動失調　32

え

栄養障害性視神経症　318
エクリズマブ　128
壊死性強膜炎　238
エタンブトール視神経症　316
延髄外側症候群　161
炎性視神経萎縮　287

お

桜実紅斑　341
横静脈洞　297, 299
旺盛期うっ血乳頭　295
黄斑回避　368
黄斑分割　368
横紋筋肉腫　228

か

外眼筋　18
　──同時収縮　244
　──肥大　200
開瞼失行　218
介在ニューロン　11
開散麻痺　141

383

外斜視　46, 378
外傷性散瞳　277
外傷性視神経症　318
外傷性脳損傷　46
回旋作用　18
回旋偏位の検査　63
外側延髄枝　16
外側後脈絡叢枝　30
外側膝状体　30, 364
外側中心枝　30
外直筋　18
外転神経　10
　───核　10, 11
　───髄内線維（外転神経根）　10
　───麻痺　118
海馬鈎ヘルニア　106
外方回旋　63
海綿間静脈洞　22
海綿状血管腫　222
海綿静脈洞　21
　───血管腫　257
　───血栓症　256
　───腫瘍　257
　───症候群　261
　───髄膜腫　257
　───内内頸動脈瘤　249
解離性眼振　176
下オリーブ核　186
　───仮性肥大　186
下外側橋枝　16
下眼窩裂　20
下眼瞼向き眼振　179
下眼静脈　20
可逆性後白質脳症　374
下橋底枝　16
下橋被蓋枝　16
核間麻痺　134
核上性眼球運動経路　11
核上性垂直眼球運動障害　146
核上性水平眼球運動障害　133

核性動眼神経麻痺　101
顎跛行　310
隔壁後感染症　235
隔壁前感染症　235
角膜辺縁潰瘍　238
過誤腫　284
下1/4同名半盲　367
下斜筋　18
下垂体炎　226
下垂体機能低下症　354
下垂体腺腫　109, 350
下垂体卒中　109, 352
下正中中脳枝　15
仮性同色表　379
家族性視神経萎縮　289
家族性滲出性硝子体網膜症　331
下直筋　18
活性化部分トロンボプラスチン時間
　（APTT）　339
滑車神経　8
　───核　8
　───交叉　8
　───髄内線維（滑車神経根）　9
　───麻痺　111
滑動性追従運動　75
過粘稠度症候群　339
下鼻側視野狭窄　295
下方コーヌス　285, 330
下方注視麻痺　148
カルバマゼピン　130, 189
加齢性腱膜性眼瞼下垂　212
眼圧測定　95
眼位検査　61
陥凹性視神経萎縮　287
眼窩　20
　─炎症性疾患　234
　─炎性偽腫瘍　240
　─下神経　226
　─感染症　235
　─筋炎　204

索引

眼窩骨折　242
　―骨膜下膿瘍　235
　―脂肪組織萎縮　244
　―腫瘍　222
　―静脈瘤　224
　―尖　20
　―尖端症候群　262
　―膿瘍　235
　―吹き抜け骨折　242
　―蜂巣炎　235
眼角解離　210
眼球圧迫試験　80
眼球運動制限の記載法　66
眼球運動痛　301
眼球回転発作/眼球上転発作　190
眼球陥凹　242
眼球クローヌス　186
眼球沈み運動　187
眼球粗動　185
眼球沈下運動　187
眼球電図検査　172
眼球突出　79
眼球ミオクローヌス　186
眼球脈波増大　247
眼筋手術　168
眼筋麻痺性片頭痛　108
間歇性原発閉塞隅角緑内障　339
眼瞼溢血斑　231
眼瞼下垂　210
眼瞼狭小症　210
眼瞼痙攣　217
　―――性失行　218
眼瞼ミオキミア（眼輪筋ミオキミア）　217
眼交感神経　25
　―――節後線維障害　268
　―――節前線維障害　268
　―――中枢線維障害　267
間質性腎炎　226
間質性肺炎　226

緩徐眼球運動の高利得化　172
緩徐相速度一定型眼振　172
緩徐相速度減衰型眼振　172
緩徐相速度増大型眼振　172
眼振　172
乾性角結膜炎　200
癌性髄膜炎　324
眼頭部傾斜反応　159
眼動脈　27
眼動脈分岐部内頸動脈瘤　360
眼内レンズ振盪　40
顔面神経
　―――核　10
　―――根　10
　―――麻痺　94
顔面癌（面疔）　235
顔面発汗　267

き

機械的眼瞼下垂　215
機械的瞼裂開大　217
偽核間麻痺　140, 194
偽眼瞼下垂　215
偽 Graefe 徴候　78, 243
偽腔内血腫　269
偽瞼裂開大　217
偽乳頭浮腫　284
機能性弱視　343
機能性視野障害　362
偽 Foster Kennedy 症候群　290
嗅覚検査　32
嗅窩部髄膜腫　354
球後視神経炎　300
弓状暗点　93
求心性視野狭窄　295, 342, 343
急性原発閉塞隅角緑内障　340
急性骨髄性白血病　231
急性散在性脳脊髄炎（ADEM）　303
急性帯状潜在性網膜外層症　336
急性特発性盲点拡大　338

球麻痺　196
橋縮瞳　265
橋症候群　123
橋神経膠腫　118
胸腺腫　196
共動型 skew deviation　154
共同偏視　133
強度近視　144, 284
虚血性眼症　341
虚血性視神経症　306
巨細胞性動脈炎　311
巨人症　350
偽落屑眼　85
筋強剛　31
筋緊張性ジストロフィー　211
筋緊張性白内障　214
近見反射　82
近視性コーヌス　336
筋性眼瞼下垂　211
筋性瞼裂開大　217
筋力測定　31

く

矩形波眼球運動　185
くも膜下出血　121

け

経口避妊薬　299, 339
傾斜乳頭　284
傾斜乳頭症候群　330, 362
頸動脈海綿静脈洞瘻　246
頸動脈造影（CAG）　108, 248
頸部腫瘍　268
血管原性浮腫　375
血管性眼窩腫瘍　222
血管性雑音　248
血漿交換療法　128, 304
血清亜鉛濃度　316
牽引試験　72
牽引乳頭　331

瞼板筋　27
腱反射　32
腱膜性眼瞼下垂　212
瞼裂開大　216
瞼裂幅測定　76

こ

抗アクアポリン4抗体陽性視神経炎　303
抗アセチルコリン受容体抗体　196
抗 SS-A, SS-B 抗体　306
抗核抗体　130, 306
後下小脳動脈　16
抗カルジオリピン抗体　339
抗ガングリオシド GQ1b IgG 抗体　128
抗グルタミン酸脱炭酸酵素抗体　181
高血圧網膜症　281
後交通動脈　29
後交連　12
抗コリンエステラーゼ薬　198
虹彩異色　267
抗サイログロブリン抗体　202
交叉性 1/4 半盲　374
後篩骨洞嚢胞　314
光視症　336
甲状腺眼筋麻痺　201
甲状腺眼症　200
甲状腺機能検査　196, 202
甲状腺機能低下症　196, 297
甲状腺刺激抗体　202
甲状腺刺激ホルモン放出ホルモン　217
高浸透圧薬　296, 299
交代型 skew deviation　156
交代遮閉試験　61
後天眼瞼下垂　211
後天振子様眼振　183
後頭極　31
後頭葉　31, 368
後頭葉色覚中枢（V4）病変　379
高度遠視　284

後内側中心枝	14	視覚注意障害	379
後部型核間麻痺	140	視覚保続	380
後部強膜炎	280, 306	子癇前症-子癇	375
後部虚血性視神経症	312	色覚検査	89
後部硝子体剥離	283	磁気共鳴血管造影（MRA）	108, 248
抗マイクロゾーム抗体	202	磁気共鳴静脈造影（MRV）	297, 299
硬膜外血腫	107	色失認	380
硬膜枝	246	ジギタリス	316
硬膜動静脈奇形	246	子宮筋腫	297
抗MOG抗体陽性視神経炎	305	四丘体動脈	14
抗MuSK抗体	196	シクロスポリン	316
抗NMDA受容体抗体脳炎	186	シクロペントラート	32, 145
抗P/Q型電位依存性カルシウムチャネル抗体（抗VGCC抗体）	198	視交叉	27, 348
		——くも膜炎	360
抗リン脂質抗体症候群	339	——視神経炎	358
コカイン点眼試験	86	——神経膠腫	356
コンピュータ断層血管造影（CTA）	108, 248	篩骨洞炎	235
		自己免疫性視神経炎	306
固定斜視	144	自己免疫性膵炎	226
古典型片頭痛	339	視細胞内節外節接合部ライン	336
		視索	29, 362
さ		思春期早熟症	356
細菌性眼窩炎症	234	視床下部症状	354
サイトメガロウイルス	128	視床眼	152
再発性有痛性眼筋麻痺性ニューロパチー	108	視床血管障害	152
		視床穿通動脈	14
錯倒現象（逆転現象）	174, 184	視床膝状体枝	382
サルコイドーシス	280	視神経	27
三叉神経	94	——萎縮	286
3C徴候	354	——炎	299
三半規管	14	——管	20
		——膠腫	231, 321
し		——周囲炎	306
シーソー眼振	175	——腫瘍	321
視運動性眼振	75, 183	——鞘開窓術	299
視蓋前域核	25	——鞘髄膜腫	231, 321
視蓋前域症候群	151	——脊髄炎	303
視蓋瞳孔	151, 277	——低形成	327
視覚失調	379	——乳頭ドルーゼン	331, 339
視覚性失認	380	——網膜炎	313

シスプラチン　316, 375
耳石器官　159
耳側蒼白　316
耳側単眼視野　31
耳側半月　372
斜台部脊索腫　120
斜偏位　154
縦隔腫瘍　268
周期性方向交代性眼振　174
重症筋無力症　194
終末眼振　178
羞明　46, 348
熟成期うっ血乳頭　296
術後性腱膜性眼瞼下垂　212
純粋失読　380
上咽頭腫瘍　122, 257
上顎洞炎　235
松果体部腫瘍　151
上眼窩裂　20
　　──症候群　262
上眼瞼挙筋核　7
上眼瞼挙筋形成不全　210
上眼瞼挙筋力　77
上眼瞼皮膚弛緩　215
上眼瞼向き眼振　181
上眼静脈　22, 248
上橋被蓋枝　16
上頸神経節　27
上行咽頭動脈　246
上矢状静脈洞　299
上1/4同名半盲　364
上斜筋　18
　　──腱鞘症候群　164
　　──ミオキミア　189
上正中中脳枝　14
常染色体優性視神経萎縮　289
常染色体劣性視神経萎縮　289
上直筋　18
衝動型眼振　173
衝動性眼球運動　75

小児視神経炎　303
小脳橋角部腫瘍　118
小脳歯状核　186
小脳腫瘍　181
小脳性眼球運動障害　163
小脳虫部欠損　181
上部乳頭低形成　327
上方下方注視麻痺　148
上方注視麻痺　146
静脈結石　224
静脈洞血栓症　299
上輪部角結膜炎　200
初期うっ血乳頭　293
初発核白内障　36, 95
心因性弱視　343
心因性視野障害　91, 362
真菌性眼窩炎症　237
神経芽細胞腫　231
神経鞘腫　231
神経性眼窩腫瘍　231
神経性眼瞼下垂　211
神経性瞼裂開大　216
神経積分器　12, 14, 172
神経線維腫症　118, 178, 234
進行性核上性麻痺　153
振子型眼振　173
浸潤性視神経症　324
腎性網膜症　281

す
随意眼振　183
髄液蛋白細胞解離　128
随意性水平注視麻痺　133
随意性上方注視麻痺　146
錐体外路症状　31
錐体杆体ジストロフィー　342
錐体ジストロフィー　342
錐体静脈洞　22
錐体路症状　31
垂直眼球運動経路　12

垂直注視麻痺　146
水頭症　290
水平回旋眼振　174
水平眼球運動経路　11
水平楔状同名性視野残存　364
水平楔状同名半盲　364
水平注視麻痺　133
水平半盲　308
髄膜下垂体幹　246
髄膜腫　353
睡眠時無呼吸症候群　308
頭蓋骨縫合早期癒合症　291
頭蓋咽頭腫　354
頭蓋底陥入症　179
頭蓋内圧亢進　290, 296

せ

星状斑　313
精神運動発作　364
精神的注視麻痺　379
成長ホルモン産生下垂体腺腫　350
性欲低下　350
生理的瞳孔不同　266
赤核　186
脊索腫　357
脊髄視床路　32
脊髄小脳変性症　181
脊髄腫瘍　298
赤沈亢進　311
舌下神経前位核　12
舌状回　379
絶対性瞳孔強直　277
全外眼筋麻痺　124
閃輝暗点　339
前交通動脈　29
前交通動脈瘤　360
全身性エリテマトーデス　204
全身知覚検査　32
前髄帆　8
浅側頭動脈炎　310

前大脳動脈　29
前庭眼反射　12
前庭系眼球運動　12
前庭神経炎　174
前庭神経内側核　12
先天下斜筋過動症　117
先天眼球運動制限　164
先天眼瞼下垂　210
先天眼振　174
先天視神経乳頭異常　327
先天動眼神経麻痺　110
前頭筋　77, 94
前頭神経　20
前頭洞炎　235
前頭葉　12
　　──症状　354
前部型核間麻痺　139
前部虚血性視神経症　306
前脈絡叢動脈　29

そ

総腱輪　20
相対的瞳孔求心路障害　88, 264
蒼白乳頭浮腫　308
相貌失認　380
側頭動脈炎　310
側頭動脈生検　311
側頭葉　30, 364
側方注視麻痺　133

た

第一次硝子体過形成遺残　331
第1偏位　64
対光反射　25, 82
対座法視野検査　89
帯状視神経萎縮　288
代償頭位　60
代償不全型斜視　132
帯状疱疹　111, 238, 301
大動脈炎症候群　341

第Ⅱ期梅毒　302
第2偏位　64
大脳脚　110
大脳性高次機能障害　379
大脳性色覚異常　379
タウリン　378
高安病　341
多局所網膜電図　336
タクロリムス　198
脱神経性過敏　87
多発血管炎性肉芽腫症　238
多発消失性白点症候群　336
多発性硬化症　302
多発性骨髄腫　339
単眼性眼振　176
単眼性動揺視　189
単眼性複視　36
単筋麻痺型skew deviation　154
短後毛様動脈　306
炭酸脱水酵素阻害薬　296, 299, 341
単性視神経萎縮　286

ち

中硬膜動脈　107
中耳炎　299
注視眼振　178
注視麻痺性眼振　178
注視誘発眼振　178
注視誘発性眼輪筋ミオキミア　217
注視誘発黒内障　223, 339
中心暗点の検出　89
中心静脈栄養術　268
中心性同名半盲　371
中心被蓋路　16, 186
中心ヘルニア　266
中枢性耳石投射路　159
中大脳動脈　30
中毒性視神経症　316
中脳症候群　110
中脳水道症候群　151

中脳背側症候群　151
聴覚検査　32
鳥距溝　31
鳥距枝　31
蝶形骨縁髄膜腫　354
蝶形骨大翼欠損　234
蝶形骨洞炎　235
蝶形骨洞嚢胞　106
蝶形骨隆起部髄膜腫　354
聴神経腫瘍　118, 178
調節輻湊痙攣　145
調節麻痺薬　144
チラミン点眼試験　86
陳旧性滑車神経麻痺　116
陳旧性瞳孔緊張症　274

つ

椎骨動脈　16
椎骨脳底動脈循環不全　339

て

定位の誤認　64
低眼圧黄斑症　283
鉄欠乏性貧血　297
テトラサイクリン　297
手指視標を用いた対座法　90
テプロツムマブ　208
転移性眼窩腫瘍　231
テンシロン試験　73
点頭　176
テント切痕ヘルニア　106

と

頭位変換眼球反射　73
動眼神経　7
　──核　7
　──下枝　8
　──下枝麻痺　102
　──上枝　8
　──上枝麻痺　102

索引

動眼神経髄内線維(動眼神経根)　8
　────正中核　8
　────副核　8
　────部分麻痺　102
　────麻痺　98, 270
　────麻痺後の異常神経支配　102
　────麻痺存在下での滑車神経麻痺の診断　117
瞳孔括約筋　25
　────の分節麻痺　272
瞳孔緊張症　272
瞳孔径測定　81
瞳孔散大筋　27
瞳孔障害を伴わない動眼神経麻痺　98
瞳孔点眼試験　86
瞳孔不同　266
頭頂後頭溝　28
頭頂後頭枝　31
頭頂葉　31, 367
糖尿病乳頭症　313
動脈炎性前部虚血性視神経症　310
同名半盲　51
動揺視　40
特発性眼窩炎症　240
特発性頭蓋内圧亢進症　296
トリアムシノロンアセトニド　203
トルエン　50
トルコ鞍空虚　297, 358

な
内頸動脈　22
　────解離　268
　────系閉塞性疾患　341
　────後交通動脈分岐部動脈瘤　107
内上顎動脈　246
内側縦束　12
　────吻側間質核　12
内側毛帯　32
内直筋　18
内方回旋　63

ナファゾリン　198
ナリジクス酸　297
軟膜血管網　27

に
ニボルマブ　198
乳癌　232
乳汁分泌　350
乳頭炎　299
乳頭血管炎　312
乳頭小窩　332
乳頭体　129
乳頭浮腫　280
乳頭部分低形成　327
尿中バニルマンデル酸　231
尿崩症　354
人形の目現象　73

ね
猫ひっかき病　313

の
脳底静脈叢　22
脳底動脈　16
脳腫　234
ノルアドレナリン　86

は
ハードコンタクトレンズによる腱膜性眼瞼下垂　212
胚細胞腫　358
肺小細胞癌　326
肺尖部腫瘍　268
背側延髄枝　18
背側視覚路　379
背側中脳枝　14
拍動性眼球突出　234
白血病　282
橋本病　336
バラシクロビル　238

原田病　280
半規管　172
半シーソー（hemi-seesaw）眼振
　　　　　　　　　　　162, 176
半側空間無視　93, 367, 379
反跳眼振　178
反復性発作性片側性散瞳　274
半盲性瞳孔強直　371

ひ

光干渉断層計　283, 292, 334, 336, 338
鼻-眼窩ムコール症　237
肥厚性硬膜炎　255
皮質盲　368
鼻性視神経症　314
鼻側乳頭低形成　330
ビタミンB群欠乏　318
ビタミンB_1欠乏（チアミン欠乏）
　　　　　　　　　　　128, 318
非動脈炎性前部虚血性視神経症　308
ヒト絨毛性性腺刺激ホルモン　358
非麻痺性橋外斜視　138
眉毛部外側打撲　318
鼻毛様体神経　20
標的黄斑症　342
病的眼振　173
皮様囊腫　228
ピリドスチグミン　198
疲労現象　78, 194
ピロカルピン点眼試験　87

ふ

不一致性同名半盲　362
フィンゴリモド塩酸塩　303
フェニレフリン点眼試験　87
複視　36
　—の治療　168
副腎皮質刺激ホルモン産生下垂体腺腫
　　　　　　　　　　　350
副腎白質ジストロフィー　378

輻湊痙攣　144
複像検査　66
輻湊後退眼振　175
輻湊障害　144
輻湊麻痺　146
腹側視覚路　380
副鼻腔炎　235
不正円形瞳孔　266
プロテイネース3抗好中球細胞質抗体
　（PR3-ANCA）　238
プロプラノロール　222
ブロモクリプチン　352
プロラクチン産生下垂体腺腫　350
分水嶺（分水界）　31
分節状楔状欠損型同名半盲　364
分節状視神経萎縮　287
分節状蒼白乳頭浮腫　308

へ

ペニシリン　302
ヘルペス性眼筋麻痺　111
片眼遮閉　168
変視症　89
片側顔面痙攣（攣縮）　218
扁平上皮癌　259

ほ

放射線視神経症　361
放射線障害　361
傍腫瘍性視神経症　325
傍腫瘍性小脳変性症　181
傍正中橋網様体　11
傍乳頭網脈絡膜萎縮　336
飽和度弁別能　92
拇指対立　214
ボツリヌス毒素　219

ま

マイコプラズマ　128
マグネシウム欠乏　181

マクログロブリン血症　339
末梢前庭眼振　174
末端肥大症　350
麻痺性橋外斜視　140
麻薬性鎮痛薬　265
マリオット盲点拡大　336
慢性期うっ血乳頭　295
慢性上顎洞炎　242
慢性進行性外眼筋麻痺　198

み
ミオパチー様顔貌　199
未熟児網膜症　331
三田式万能計測器　79
ミトコンドリアDNA塩基配列変異　319
ミトコンドリア脳筋症　198, 376
ミトコンドリア脳筋症・乳酸アシドーシス・脳卒中様発作症候群　376
ミノサイクリン　297

む
無月経　350
ムスカリン作用　73

め
迷行性動眼神経再生　102
明所視網膜電図　342
メコリール点眼試験　87
メトトレキサート　206
免疫グロブリン静注療法　128
免疫チェックポイント阻害薬　197

も
毛細血管腫　222
盲点中心暗点　316
網膜血管分岐異常　284
網膜色素上皮病変　336
網膜色素変性症　342
網膜静脈の自然拍動　284

網膜中心静脈閉塞症　282
網膜中心動脈　27
──────閉塞症　341
網膜動脈分枝閉塞症　341
網膜動脈閉塞症　341
網膜片頭痛　339
網膜有髄神経線維　334
網脈絡膜皺襞　202
毛様神経節　20
毛様動脈　21
モヤモヤ病　377

ゆ
有線領（V1）病変　379
有痛性眼筋麻痺　254
有痛性動眼神経麻痺　106
有痛性Horner症候群　269
指鼻試験　32

よ
腰髄腹腔シャント　299
腰椎穿刺　299
翼突筋静脈叢　22

ら
らせん状視野　345
卵形嚢　160
卵巣奇形腫　186

り
リチウム中毒　181
リネゾリド　316
両眼散瞳　265
両眼縮瞳　265
両耳側半盲　51, 348
──────様視野欠損　362
両側外転神経麻痺　118
両側滑車神経麻痺　114
両側後頭葉梗塞　368
両側水平半盲　373

両側中心性同名半盲　372
両側動眼神経麻痺　98
両側同名半盲　368
両鼻側半盲様視野欠損　362
緑色腫　231
緑内障性視神経萎縮　287
輪状暗点　342
リンパ管腫　222
リンパ球性下垂体炎　358
リンパ腫　227

る
涙腺　21
　―腫瘍　225
　―神経　20
　―腺様囊胞癌　225
　―多形腺腫（混合腫瘍）　225
ループスアンチコアグラント　339

れ
連合暗点　348

A
aberrant oculomotor regeneration　102
acute disseminated encephalomyelitis
　（ADEM）　303
acute idiopathic blind spot enlargement
　（AIBSE）　338
acute zonal occult outer retinopathy
　（AZOOR）　336
ADC map　375
AFP　358
amaurosis fugax　339
Amsler chart　89
ANCA　238, 256
anti-N-methyl-D-aspartate（NMDA）
　　　　　　　186
Anton症候群　369, 379
Apert病　291
Argyll Robertson瞳孔　276
Arnold-Chiari奇形　179
axial proptosis　223

B
Balint症候群　379
band atrophy　288
Barré徴候　31
Bartonella henselae　313
Behçet病　280
Behr's pupil　371
Bell現象　74
Benedikt症候群　110
Bickerstaff型脳幹脳炎　128
Bielschowsky頭部傾斜試験　71
blackout　293, 339
blepharospastic apraxia　218
bow-tie atrophy　288
Brown症候群　164
bruit　248
Bruns眼振　177
Budge毛様体脊髄中枢　25
bull's eye maculopathy　342

C

café-au-lait斑　　49, 321
Cajal間質核　　14
Campylobacter jejuni　　128
Charles Bonnet症候群　　380
cherry-red spot　　341
chocolate cyst　　222
chronic progressive external ophthalmoplegia（CPEO）　　198
chronic relapsing inflammatory optic neuropathy（CRION）　　305
Claude症候群　　110
clinically isolated syndrome　　303
collapsin response-mediator protein-5（CRMP-5）-IgG　　326
computed tomography angiography（CTA）　　108
convergence-retraction nystagmus　　175
Collier徴候　　216
corpora amylacea　　296
cranial polyneuropathy　　130
crescent sign　　269
Crohn病　　204
Crouzon病　　291
crowding disk　　308
CRP　　311
Cushing症候群　　350

D

D-ペニシラミン　　198
Dalrymple徴候　　200, 217
De Morsier症候群　　327
DIDMOAD症候群　　289
disk at risk　　308
DM/DD　　327
Dorello管　　10
double elevator palsy　　166
double floor sign　　350
double ring sign　　327
downbeat nystagmus　　179

Duane眼球後退症　　164
duction test　　65
dynamic CT　　224
dynamic MRI　　224

E

Edinger-Westphal核　　8, 25
ellipsoid zone　　336
empty sella　　297, 358
enhanced ptosis現象　　78, 194
episodic unilateral mydriasis　　274
Epstein-Barrウイルス　　128
euthyroid ophthalmopathy　　202
eye pressing　　244

F

Fisher症候群　　126
forced duction test　　72
Foster Kennedy症候群　　290
Foville症候群　　123
Fresnel膜プリズム　　168

G

gaze-evoked amaurosis　　223, 339
general fibrosis syndrome　　166
Gradenigo症候群　　122
Graefe徴候　　77, 200
Gruber靱帯　　10
Guillain-Barré症候群　　128
Guillain-Molleretの三角　　186

H

Haab瞳孔計　　81
HCG　　358
head nodding　　176
Heimann-Bielschowsky現象　　176
hemi-seesaw nystagmus　　162, 176
Hertel眼球突出計　　80
Hess赤緑試験　　69
Hirschberg試験　　61

Horner症候群　266
Hutchinson瞳孔　106

I
ice pack test　79
ICE (iridocorneal endothelial) 症候群　266
IgG4関連疾患　226
IL-6阻害薬　244
iridology (虹彩学)　268
iris ruff　82, 272
IS-OS line　336

J
Jensen法　169
Joubert症候群　181

K
Kearns-Sayre症候群　200

L
Lambert-Eaton症候群　198
Leber先天黒内障　244
Leber病　318
lid lag　77, 200, 243
lid retraction　200
lid twitch現象　78, 194
light-near dissociation　276
lightning eye movement　189
Lisch結節　321

M
Machado-Joseph病　216
Maddox杆　63
magnetic resonance angiography (MRA)　108
magnetic resonance venography (MRV)　297, 299
Marcus Gunn瞳孔　83, 264
Marcus Gunn現象　210

maxillary atelectasis　243
Meige症候群　218
Ménière病　174
Meyer係蹄　30
midbrain corectopia　266
midbrain ptosis　211
Mikulicz病　226
Millard-Gubler症候群　123
mitochondrial encephalomyopathy, lactic acidosis and stroke-like episodes (MELAS)　376
Möbius症候群　166
molding所見　240
morning glory syndrome　334
Mucoraceae　237
mucosa-associated lymphoid tissue (MALT)　227
multiple evanescent white dot syndrome (MEWDS)　336
muscle-specific receptor tyrosine kinase (MuSK)　196
myelin basic protein　302
myeloid sarcoma　231

N
neurofibromatosis type 1　234, 321
neurofibromatosis type 2　118, 178
NMO spectrum disorder　305
non-paralytic pontine exotropia　138
Nothnagel症候群　110

O
obscuration　293, 339
OCT (optical coherence tomography)　283, 292, 334, 336, 338
ocular bobbing　187
ocular contrapulsion　162
ocular dipping　187
ocular dysmetria　163
ocular flutter　185

ocular lateropulsion　161
ocular motor apraxia　163
ocular myoclonus　186
ocular neuromyotonia　130
ocular tilt reaction　159
oculodigital syndrome　244
oculogyric crisis　190
oligoclonal IgG band　302
one-and-a-half syndrome　140
Onodi蜂巣炎　315
OPA1遺伝子　289
opsoclonus　186
optic disc vasculitis　312
optociliary shunt vessel　296, 321
optokinetic nystagmus (OKN)　183
orbital infarction syndrome　237
oval pupil　266

P

palate-pharyngo-laryngo-oculo-diaphragmatic (PPLOD) myoclonus　186
Pancoast腫瘍　268
papillophlebitis　312
paralytic pontine exotropia　140
paramedian pontine reticular formation (PPRF)　11
Parinaud症候群　151
Parkinson病　153
Parks-Bielschowsky 3-step test　71
Paton線　295
peripapillary hyperreflective ovoid mass-like structure　335
Perlia核　8
persistent hyperplastic primary vitreous (PHPV)　331
photopic ERG　342
pie in the sky型同名半盲　364
pinhole　88
pit-macular syndrome　332
plus-minus 眼瞼徴候　194

primary aberrant oculomotor regeneration　106, 250, 257
primary position downbeat nystagmus　179
pseudo-abducens palsy　152
primary position upbeat nystagmus　181
pupil-sparing oculomotor nerve palsy　98

R

Raeder paratrigeminal neuralgia　269
ragged red fiber　200, 377
Rathke嚢胞　358
Raymond-Cestan症候群　186
recurrent painful ophthalmoplegic neuropathy　108
rebound nystagmus　178
relapsing migratory idiopathic orbital inflammation　206
relative afferent pupillary defect (RAPD)　88, 264
Riddoch現象　379
Riolan筋　220
rostral interstitial nucleus of medial longitudinal fasciculus (riMLF)　12

S

sagging eye syndrome　144
seesaw nystagmus　175
scotopic ERG　342
Seldinger法　108
septo-optic dysplasia　327
silent sinus syndrome　243
Sjögren症候群　306
S状静脈洞　300
skew deviation　154
SLE (systemic lupus erythematosus)　204, 297
spasmus nutans　176
square wave jerks　185
swinging flashlight test　83

T

tabes diabetica　277
tabes pituitaria　277
tilted disc　284
tilted disc syndrome　330
Titmus stereo test　345
Tolosa-Hunt 症候群　109, 254
tram-track sign　321
transient benign unilateral pupillary dilatation　274
transient monocular blindness　339
trans-synaptic degeneration　382
TSAb (thyroid-stimulating antibody)　202
TSH (thyroid-stimulating hormone)　202

U

Uhthoff 現象　49
uniplanar nystagmus　173
upbeat nystagmus　181
upside-down ptosis　266

V

version test　65
vertical step　368
visual inattention　379
visual snow　381

von Recklinghausen 病　234, 321
vitreopapillary traction optic neuropathy　283
von Wilbrand の膝　27

W

Wallenberg 症候群　161
waning　196
Weber 症候群　110
WEBINO (wall-eyed bilateral internuclear ophthalmoplegia)　138
Wegener 肉芽腫症　238
WEMINO (wall-eyed monocular internuclear ophthalmoplegia)　136
Wernicke's hemianopic pupil　371
Wernicke 脳症　128
what pathway　380
where pathway　379
Wolfram 症候群　289
worm-like movement　272
wrong-way deviation　152

その他

α フェトプロテイン　358
β-D グルカン　237
β 遮断薬　190, 192

著者紹介

石川　弘（いしかわ・ひろし）
埼玉医科大学医学部 眼科 客員教授

略歴		
	1974年3月	日本大学医学部 卒業
	1978年3月	日本大学大学院 卒業
	同 年6月	日本大学医学部眼科 助手
	1984年7月	日本大学医学部眼科 講師
	1994年4月	National Hospital for Neurology and Neurosurgery (Queen Square, London) Clinical Fellow
	2013年4月	日本大学医学部眼科 兼任講師
	2015年6月	埼玉医科大学医学部眼科 客員教授
		現在に至る

神経眼科診療のてびき 第3版
病歴と診察から導く鑑別疾患

2014年11月15日　第1版発行
2018年10月10日　第2版発行
2022年11月20日　第3版第1刷発行

著　者　石川　弘
　　　　いしかわ　ひろし

発行者　福村　直樹

発行所　金原出版株式会社
　　　　〒113-0034 東京都文京区湯島2-31-14
　　　　電話　編集(03)3811-7162
　　　　　　　営業(03)3811-7184
　　　　FAX　　(03)3813-0288
　　　　振替口座　00120-4-151494
　　　　http://www.kanehara-shuppan.co.jp/

©石川　弘, 2014, 2022

検印省略

Printed in Japan

ISBN 978-4-307-35173-7

印刷・製本／永和印刷
装幀デザイン／クニメディア

|JCOPY| ＜出版者著作権管理機構 委託出版物＞

本書の無断複製は著作権法上での例外を除き禁じられています。複製される場合は，そのつど事前に，出版者著作権管理機構（電話 03-5244-5088，FAX 03-5244-5089，e-mail：info@jcopy.or.jp）の許諾を得てください．

小社は捺印または貼付紙をもって定価を変更致しません．
乱丁，落丁のものはお買上げ書店または小社にてお取り替え致します．

WEBアンケートにご協力ください

読者アンケート（所要時間約3分）にご協力いただいた方の中から抽選で毎月10名の方に図書カード1,000円分を贈呈いたします．
アンケート回答はこちらから ➡
https://forms.gle/U6Pa7JzJGfrvaDof8